砂の宮殿

Yo Kusakabe
久坂部 羊

角川書店

砂の宮殿

1

真珠色の膜を透かして見える血管は、細かく枝分かれし、蛇行して、うごめく小腸の表面を覆っている。

本来なら暗闇のはずの腹腔《ふくくう》内に、強烈なライトが差し込まれ、３Ｄのハイビジョン画像でモニターに映し出されている。脈打つ血管とつややかに光る臓器が、立体映像で拡大され、体温まで伝わってきそうだ。

それを見るたび、才所准一《さいしょじゅんいち》は、自分が極小サイズのホムンクルスになって、人体の内部に入り込んだような錯覚を抱く。

左手の鉗子《かんし》で膜を広げ、右手の電気メスで切開する。わずかな飛沫が飛び散り、白い煙が立つ。毛細血管が焼灼《しょうしゃく》され、膜の縁が凝固して、臓器の奥が開く。鉗子も電気メスも、才所の指の動きを正確に反映しているが、才所が座っているのは、手術台から五メートルほど離れた操作用のコックピットだ。

ダヴィンチＸｉカスタム。ロボット手術システムの最新バージョンに、蛍光カメラと蛍光検出センサーを追加した特注品である。

手術室には中央に手術台が置かれ、患者の頭側に麻酔科医、両サイドに助手の医師と看護師がいる。手術台の横には画像処理用のビジョン・カートが置かれ、外回りの看護師が操作している。そして手術台の上には、ペイシェント・カートが、四本のロボットアームで左右から患者を抱えるように覆いかぶさっている。

才所が座る操作用のコックピットは、ゴーグル型のモニターと、フィンガーホルダーのついた操縦桿《かん》のようなコントローラーが二本、さらにアームの切り替えや、電気メスの通電をする五枚のフットスイッチが装備されている。

モニターに拡大された腹腔は、生命の神秘を宿した鍾乳洞《しょうにゅうどう》のようでもあり、巨大な臓器が別の生き物さながらに蠢《うごめ》くグロテスクなＳＦ空間のようでもある。

細い鉗子で腹腔内に分け入ると、銀色に光る結合線維が糸を引くように行く手を阻む。まるで蜘《く》蛛《も》の巣か、よく練った納豆の糸引きのようだ。ここは電気メスを使わず、鉗子だけで隙間を広げる。ステンレス製の鉗子の爪は、長さ一〇ミリ。基部は丸く膨れていて、くちばしの長い鳥の頭を思わせる。そこには七つの関節が組み込まれ、執刀医の手首と指の動きをそのままリアルに再現する。

才所は慎重に血管を避け、煌《きら》めく糸状の帳《とばり》を左右に押し分けながら前に進む。横から黄色い脂肪の塊が迫り出し、反対側に押しのけられた小腸が、思い出したように蠕動《ぜんどう》でうねる。

さらに鉗子を進めると、薄い被膜に包まれたすい臓が姿を現した。オートミールを固めたような凹凸のある表面。皮膚の色はちがっても、内臓の色はどの民族も同じだなと、才所はいつもながら感心する。

手術台に横たわっているのは、シェイク・ファイサル・アル・カデル、五十六歳。ドバイのジュメイラ・ビーチに二棟のホテルと、巨大ショッピングモールを持ち、有力馬主としても知られる投資家だ。

シェイク・ファイサルは、四カ月前にドバイの病院でステージⅣのすい臓がんと診断された。すぐさまアメリカに飛び、ミネソタ州ロチェスターのメイヨー・クリニックで診察を受けたあと、今度はドイツのハイデルベルクにある国立腫瘍《しゅよう》医療センターを頼ったが、いずれも手術不能と判断された。それでも手術をあきらめきれず、才所が理事長を務める「カエサル・パレスクリニック」に助けを求めてきたのだった。

鉗子をすい臓の表面に到達させた才所は、すい体部を左側から見るようにカメラを移動させる。右側に剝離《はくり》を進めると、がんの病変はすぐにわかった。

事前のＣＴスキャンとＭＲＩの所見では、腫瘍は長径五・七センチ、短径三・五センチ、不整形で、周囲への浸潤は「あり」だった。

ハイビジョンの画像では、すい臓の表面を白く持ち上げているように見えるだけだが、腹膜転移があるということは、がん細胞はすい臓の被膜を破って、腹腔内に散らばっているということだ。

才所がイメージング・システムを近赤外線に切り替えると、暗闇の視野に、蛍光プローブで標識されたがん細胞の塊が、すい臓の表面からあふれ出すように盛り上がり、腸間膜伝いに腹膜まで点々と光っているのが見えた。

――ドクター・サイショ。アメリカでもドイツでも、手術は無謀だと言われた。手術で体力を損ねると、散らばっているがん細胞が勢いを増して、急激に悪化する危険性があるからと。

日本に来ても白いアラビア服をまとい、ゴトラと呼ばれる白い布を、黒い輪っかで頭に留めた誇り高いアラブ人であるシェイク・ファイサルは、深刻な顔で訴えた。才所はできるだけ相手を安心させるように、余裕の笑みを浮かべて答えた。

――大丈夫。体力を損ねない手術をすればいいのですから。

それがこのダヴィンチＸｉカスタムによる「低侵襲《ていしんしゅう》マイクロサージェリー」だ。

才所はイメージング・システムを可視光線に替えて、すい臓の体尾部の剝離にかかった。被膜と結合組織の境界は、３Ｄハイビジョンで拡大されている。鉗子と電気メスは、まるで生き物のように滑らかに動く。カメラを近づけてズームすれば、微細な血管まで拡大されるから、余計な出血はいっさいない。

むかしはこれを手探りでやっていたのだ、腹部を何十センチも切り開き、腹の中にゴム手袋の手を突っ込んで。そりゃあ体力も損ねるだろう。患者に大けがを負わせるのも同然なのだからと、才所は苦笑する。

ロボット手術でも、メイヨー・クリニックやドイツの腫瘍医療センターが二の足を踏んだのは、手術操作ががんを刺激し、細胞レベルでのがんの活性化が起こり、一気に病勢が増すことを危惧《きぐ》したからだろう。

ならば自分の手術では、がんを刺激することも、細胞レベルでの活性化も起こらないことを証明すればいい。患者の命を救うために、自分の能力のすべてをかけることは、才所にとって医師としての矜持《きょうじ》であり、生き甲斐《がい》でもあった。

手術では面倒なリンパ節郭清《かくせい》は行わず、細かな腹膜転移にも手をつけない。別の方法で対処するからだ。それがこの「カエサル・パレスクリニック」独特の〝集学的先進治療〟だ。その内容をわかりやすく説明して、シェイク・ファイサルには手術を納得してもらった。もちろん、説明では治る可能性と、そうでない場合を話した。医療には想定外のことが付き物なのだから。

──治る可能性はどれくらいなのか。

──それは低くはない。詳しいデータを知りたいのかもしれないが、統計は個人には意味はありません。患者にとっては、結果は常に百かゼロだから。

シェイク・ファイサルは数秒、まつ毛の濃い目で才所を見つめていたが、やがて大きくうなずいた。

——あなたにすべてお任せする。

——賢明な判断です。どうぞ、完治する希望を持ってください。

医療において、才所がもっとも重要視するのは患者の希望だった。患者が希望を持ち続けることこそが最良の結果につながる。その信念のもとに、これまで多くの患者を救ってきた。そこからにじみ出る自信と誠意を、シェイク・ファイサルも感じ取ったのだろう。

すい臓の切離には、特殊な吻合器《ふんごうき》を使う。患部の切断と、切断面の縫合を同時に行うステンレスの自動吻合器だ。開くと切断部の両側に、各三列、計六列のステープルがびっしりと並び、まるでサメの歯を持つワニが口を開いたように見える。

テープで保持したすい臓に、吻合器を差し込み、しっかりと奥まで進めて閉じる。手術のクライマックスである患部の切り離しも、流れるように進む操作のひとつだ。

吻合器を開くと、切断面はきれいにステープリングされている。断面からのすい液の漏出《ろうしゅつ》がないかどうか、才所は慎重に観察する。その間も、周囲の臓器は心臓の拍動に合わせて脈打ち、小腸は蠕動を止めない。あたかも才所の手術を無言で見守るように。

腫瘍を含むすい臓の体尾部は、サージカル・バッグに封入して、ヘソの横に開けた三センチほどの切開創から助手に取り出させる。袋に入れるのは、がん細胞の脱落を防ぐためだ。

術野《じゅつや》に出血のないことを確かめると、才所は連続縫合で腹膜を閉じ、念のため、すい臓の切断部に15Fr《フレンチ》のドレーン（排液管）を留置して、手術を終えた。

ダヴィンチの離脱と皮膚の縫合は、助手のアルバイト医に任せればいい。

「お疲れさまです」

操作用のコックピットを出ると、外回りの看護師が敬意と賞讃の眼差しを向けてきた。モデル並みの容姿に恵まれ、頭脳の明晰《めいせき》さだけでなく、指先の器用さまで生まれ持った才所は、いわゆるギフティッドの自覚がある。その与えられた能力は、自分のためではなく、人のために生かさなければならない。それがギフティッドの義務だ。

看護師のねぎらいに軽くうなずき、才所は助手同様アルバイトの麻酔科医に、手術中のバイタルを確かめる。

「血圧も脈拍も安定していました。尿量もＯＫです」

「ありがとう」

白いゴトラの代わりにゴム付きの紙キャップをかぶせられ、両目をテープで閉じられているシェイク・ファイサルを見て、才所は思った。

治療費は、手術とそのあとの抗がん剤治療、ＢＮＣＴ（ホウ素中性子捕捉療法）を含めて、二百万ＵＥＡディルハム。日本円にして約六千二百万円の前払いだ。アラブの大富豪にとって、命の値段としてはさして高くもないだろう。

「両目のテープを剝《は》がすときは、まつ毛が抜けないように、ていねいにしてくれよ」

麻酔科医に指示をして、才所は手術室を出た。これも自由診療のサービスの内だと微笑みながら
――。

翌日の午後二時。受付から来客の知らせを受けて、才所はクリニック最上階の自室から一階のロビーに下りた。院内では、特別の場合を除き、ネイビーブルーのスクラブ（半袖《はんそで》Vネックの手術着）ですごしている。

吹き抜けの待合室で、パンツスーツの若い女性が、膝《ひざ》を揃えてソファに座っていた。横でカメラマンらしき男が、機材のチェックをしている。

「理事長の才所です」

近づいて声をかけると、女性は素早く立ち上がり、鞄《かばん》から名刺を取り出した。

「『ワールド・ヘルス・クロニクル日本語版』の林《はやし》と申します。本日はインタビューをご快諾いただき、ありがとうございました」

「インタビューは応接室でしましょう。どうぞ、こちらへ」

才所は今下りてきたエレベーターに記者とカメラマンを案内した。移動する間に林がおもねるように言う。

「クリニックのデザインは素晴らしいですね。斬新かつ豪華で、まさにパレスクリニックの名称にぴったりです」

カエサル・パレスクリニックの外観は、白を基調に鋭角的なデザインで、吹き抜けのロビーにはステンレスのシャンデリアが飾られ、アーチ状の窓には同じくステンレスの装飾が施されている。立地は大阪府泉佐野市《いずみさの》のりんくうタウン。地上六階、地下一階で、一階はロビーと診察室、二階は検査と健診のフロア、三階が手術室で、四階と五階が病室、六階には理事長と理事たちの部屋、ミーティングルームなどがある。五階に治療用のスイートルームが五室、四階に健診用のシングルルームが十室用意され、地下には放射線治療の設備がある。

エレベーターが六階に着くと、才所は二人を海に面した応接室に通した。強化ガラスの全面窓から、左手に関西国際空港への連絡路が見え、正面には大阪湾が広がっている。

林は吸い寄せられるように全面窓に近づき、感嘆の声をあげた。

「すごい眺めですね。目の前が水平線で、空港の滑走路も一望できますね。あ、飛行機が離陸していきました」

「治療用の病室はすべて海側なんです。窓から飛行機が飛び立つのが見えると、患者さんも病気を治して国に帰るぞと、励まされる気分になるでしょう」

才所がソファを勧めると、林はさっそく取材ノートとICレコーダーを取り出し、録音をはじめた。カメラマンもレフ板で光線の具合を調整する。

「今日はお忙しいところ、インタビューに応じていただき、ありがとうございます。才所先生はめったに取材をお受けにならないとうかがっておりましたので、ご許可をいただいたときは飛び上がる思いでした」

「取材を受けないのは、クリニックのことがあまり広まると、患者さんに十分な対応ができなくなるからです。あなたのところは英語版もあるので、海外の患者さんのニーズには応《こた》えられるかなと思って」

「つまり、カエサル・パレスクリニックは、海外からの医療ツーリズムに特化した施設ということでしょうか」

「そんなことはありませんよ。国内の患者さんも受け入れます」

林は言葉を切り、実質的に海外の富裕層御用達のこのクリニックに、おいそれと来られる日本人が、どれだけいるだろうかというように小首を傾げた。

「まず、才所先生のご経歴についてうかがわせていただけますでしょうか。お生まれは大阪でいらっしゃいますね」

「ええ。でも父の仕事の関係で、東京や神戸《こうべ》、札幌《さっぽろ》にもいました」

「お父さまもドクターですか」

「父は検事です。もう亡くなりましたが」

「それは、失礼いたしました」

林は恐縮し、あらかじめ取材ノートに書いたメモを見ながら訊《たず》ねた。

「Wikipediaによりますと、先生は東帝《とうてい》大の法学部に入学されたあと、三年目に阪都《はんと》大学の医学部に編入学されたとあります。進路を変更されたのはなぜですか」

「法学部に入ってみると、官僚も法律家も自分には向いていないのがわかったので、以前から興味のあった医学の道に進もうと思ったのです」

「卒業後、消化器外科に入局されたあと、二十九歳で渡米され、ジョンズ・ホプキンス大学病院の低侵襲《ていしんしゅう》外科に勤務なさいます。これはどういった経緯で？」

「低侵襲外科、すなわちロボット手術には、医学生のころから注目していたので、ダヴィンチの本家であるアメリカでトレーニングを受けようと思ったんです。ジョンズ・ホプキンス大学病院には、低侵襲外科のトレーニングセンターがありますから」

「そのあと、三十三歳でシンガポールに移られます。これは何かきっかけが？」

「ジョンズ・ホプキンス大学病院で着手したがん細胞の分子生物学的な研究を完成させるためです。あるラボに優れた研究者がいたので、彼と共同研究をするのが目的でした」

「それで四年間、研究された後、帰国されたわけですね。カエサル・パレスクリニックを開設されたのが二年後の四月。今から五年前のことで、先生は現在、四十四歳でいらっしゃる」

才所がうなずくと、林は取材ノートのページを繰って話を進めた。

「クリニックの設立については、才所先生のほかに三人の先生方が協力されていますね」

「理事のドクターたちです。クリニックでは院長とか副院長という肩書はやめて、四人で理事会を運営しているんです。私が理事長になっていますが、言い出しっぺなのでやっているだけで、何の権限もありませんよ」

「それはまたご謙遜《けんそん》を。理事の先生方は、クリニックのホームページで拝見しました」

林はクリアファイルからプリントアウトした医師紹介のページを取り出した。

「才所先生は外科担当ですね。ほかのお三方はそれぞれ専門領域がちがうようですが」

「私の大学時代の同級生の趙鳳在《チョボンジェ》は、抗がん剤と免疫療法を担当しています。有本以知子《ありもといちこ》は放射線科医で、ジョンズ・ホプキンス大学病院で知り合った医師です。そして、小坂田卓《おさかたすぐる》は大学の二年後輩で、予防医学が専門です」

「すると、みなさん、阪都大学のご出身ですか」

「有本はちがいます。彼女は京洛《きょうらく》大学を出ています」

「いずれにせよ、優秀な方ばかりですね。ホームページでは、一人の患者さんにそれぞれの専門性を生かしてアプローチする〝集学的先進治療〟が、このクリニックの特徴だとありましたが」

「集学的治療というのは、一つの病気にいろいろな科の治療を集める方法です。私たちはそこに新しい手段を組み込んだので、『先進』の文字を入れさせてもらいました。次世代型高速シークエンサーを用いたがん遺伝子のゲノムプロファイリングで、変異したがん遺伝子を同定し、がん細胞そのものを治療しているのです」

才所の口調が熱を帯び、早口になった。この治療法には、彼のアイデアが根本から生かされているからだ。

「これまでのがん治療で、最大の問題点は何だったと思いますか」

問いながら、答えを待たずに続ける。

「それは腫瘍は見えても、がん細胞までは見えなかったということです。だから手術でも細胞レベルでの取り残しがあったり、逆に、取る必要のない臓器まで切除したりしていたのです」

「細胞レベルで、がんを見分けることができるのですか」

おずおず訊ねた林に、才所はいい質問だとばかりにうなずく。

「変異したがん遺伝子は、それぞれ固有のタンパクを作ります。そのタンパクに特異的に結合するリガンドという物質を作れば、がん細胞は同定できます。このリガンドに、蛍光プローブを組み込めば、特定の波長の光を当てることで蛍光を発します。蛍光検出センサーを用いれば、細胞レベルで見えるようになる。つまり、がん細胞の可視化です」

林はメモを取るのも忘れ、才所の説明を懸命に理解しようとしていた。それでもわかりにくそうな顔をしているので、才所は言い足した。

「簡単に言えば、がん細胞だけにあるタンパクを標的にして、蛍光物質を送り込むことで、がん細胞を光らせるということです」

「身体の外からでも見えるのですか」

突拍子もない質問に、才所は苦笑する。

「いくら何でもそれは見えません。ＰＥＴ検査を応用します。このクリニックでは、先ほど申し上げたリガンドに、陽電子を放出する物質を組み込むことで、よりクリアな検出が可能になっています。うちの技師には画像処理のエキスパートがいますので、細胞レベルで体内のどこにがん細胞があるかを判定することができるのです」

「なるほど。これまではがん細胞というテロリストが、どこに潜んでいるかわからなかったから、上から爆撃するみたいに、無辜《むこ》の市民とも言える正常細胞を巻き添えにしていたけれど、リガンドという特殊部隊ががん細胞を見つけ出せば、ピンポイントで殲滅《せんめつ》できるということですね」

「面白い比喩《ひゆ》だね。今のところ、このテクニックはカエサル・パレスクリニックでしか実用化されていません。私はこの方法を、がん細胞捕捉法、キャンサー・セル・キャプチャーの頭文字を取って、『CCC法《トリプルシー・メソッド》』と呼んでいます」

「素晴らしいです。この治療法が広まれば、がんは克服できたも同然ですね」

話の流れのまま、林が無邪気に言った。才所はその一言に、異物を呑《の》み込まされたように沈黙した。

――この治療法が広まれば、がんは克服できたも同然だと？　簡単に言ってくれる。俺がこのCCC法を開発するのに、どれほど苦労をしたと思っているのか。

才所は無言のまま、刹那《せつな》の怒りにとらわれた。この新治療法を開発するために、試行錯誤を繰り返し、休暇も取らず、私生活まで犠牲にして研究に没頭した。すべてはがんで苦しむ患者を救うためだ。しかし、アメリカ人の妻はそれを理解せず、シンガポールまではついてきたものの、離婚訴訟を起こして、多額の慰謝料とともに去って行った。それだけじゃない。離婚以上の痛恨事は、共同研究者のマシュー・ハンを死なせてしまったことだ。優秀で常に研究者の良心を口にしていたマシュー・ハン。彼のことを思うと、才所は悔恨の思いに沈まざるを得ない。しかし、それは乗り越えなければならない障壁だったのだ。

インタビュー中から右に左に動いて撮影していたカメラマンが、シャッターを切る手を止めた。才所の表情に気づいたのかもしれない。

林は無頓着《むとんちゃく》なまま、取材ノートに何か書き付けながら聞いた。

「あと、差し支えなければ、病室を見せていただけますでしょうか。このクリニックの病室は五つ星のホテル並みだとうかがっていますので」

「空いている部屋がありますから、看護師長に案内させますよ」

才所は院内のIP無線で看護師長の加藤絵理奈《かとうえりな》を呼んだ。

五階のフロアから加藤が上がってくると、そっけなく伝えた。

「記者さんに、空いている病室を見せてあげてくれ」

「承知しました」

加藤は無表情に答え、林とカメラマンを出口に誘った。

「才所先生。今日はありがとうございました。これからまたいっそうのご活躍を期待しています」

明るく言う林は、深々と頭を下げながら、最後まで才所の感情の変化には気づかないようだった。

3

「ジュン。ミーティングの時間、すぎてるよ」

理事長室の扉が開くと同時に、有本以知子が声をかけてきた。デスクの時計は16：05を表示している。

有本は才所より四歳下だが、ジョンズ・ホプキンス大学病院で知り合ったときから、アメリカ式にファーストネームで呼び合っている。ただし、才所の「准一」は「ジュン」と略されたままだ。毎週金曜日の午後四時から、理事たちとミーティングをすることになっている。その週の診療報告と、連絡、予定の確認などだが、気心の知れた仲間なので、ともすれば単なる雑談になることも多い。

ミーティングルームは応接室の反対側で、全面窓からは、海の代わりに金剛山地《こんごうさんち》が見渡せる。冬至まで一週間足らずとなったこの季節でも、まだ十分に明るさは残っている。

有本とともに部屋に入ると、二十人掛けの長テーブルの真ん中に、すでに趙鳳在と小坂田卓が座っていた。

才所が奥の席に着くと、椅子からずり落ちそうな恰好《かっこう》で腹を突き出していた小坂田が、気楽な調子で聞いてきた。

「昨日のシェイク・ファイサルのオペ、二時間半でやっちゃったらしいですね。どうしてそんなに急いだんです」

「患者が手術の負担を気にしていたからな。時間がかかると体力を損ねると、メイヨー・クリニックで脅されたのを真に受けているんだ」

「アメリカ人のドクターは、すぐに患者を脅すからね。自分の責任回避のために」

「イチコはそんなことはしないよな。患者思いだから」

才所の軽口には応えず、有本は持ち込んだiPadでシェイク・ファイサルのカルテを確認した。

京都市の北のはずれ、左京区岩倉《さきょういわくら》生まれの有本は、子どものころから優秀で、小中学校では天才少女と言われ、高校では予備校や塾にも通わず、京洛大学の医学部にトップの成績で合格した。両親はともに小学校の教諭で、慎ましやかな家庭で育ったため、庶民的な感覚も失っていない。ただし、潔癖すぎる性格が禍《わざわい》して、周囲と軋轢《あつれき》を生むことも少なくなかった。

大学では放射線科に入局し、ＢＮＣＴの専門医としてキャリアをスタートした。ＢＮＣＴとは、がん細胞に取り込ませた放射性同位元素のホウ素に中性子線を当て、核分裂を起こさせて、そのエネルギーでがん細胞を破壊する新しい治療法である。エネルギーの飛距離は十マイクロメートルほどなので、となり合った正常細胞は障害せず、がん細胞のみを破壊することができる。

有本はこの分野で博士号を取得したあと、才所と同じくジョンズ・ホプキンス大学病院に留学し、治療医としても活躍していた。

才所が彼女を創業メンバーに誘ったのは、その優秀さ故で、逆に有本が才所の招きに応じたのは、カエサル・パレスクリニックが、原子炉に依存せず、直線加速器を利用する中性子源でＢＮＣＴが可能と聞いたからだった。

「シェイク・ファイサルは、腹膜転移ありのステージⅣね。ＢＮＣＴはオペから少し時間を置いたほうがいいから、三週間後、正月明けの木曜日からはじめるわ」

有本が予定を口にすると、小坂田が皮肉っぽい表情で笑った。

「年末年始はお互いゆっくりしたいものな」

有本が無視すると、自分のｉＰａｄを見ていた趙が口を開いた。

「ファイサルさんのすい臓がんは、ＢＲＣＡ《ブラカ》遺伝子に変異がありますから、リムパーザが効くタイプです。ＢＮＣＴの前に投与したほうがいいと思います」

韓国の準財閥を縁戚に持つ趙は、学生時代から品がよく、同級生だった才所は、密かに彼を〝李《り》王朝の貴公子〟とあだ名していた。性格も温厚で礼儀正しく、編入学で一歳上の才所には、在学中からずっと丁寧語を使っている。

趙は腫瘍内科の専門家として、抗がん剤の副作用の克服に頭を悩ませていたが、才所が考案したＣＣＣ法《トリプルシー・メソッド》で、副作用の問題が解決できると考え、クリニックの創業に参加した。

彼はソウルで大手スーパーやホテルを営む「カエサルグループ」の長である大叔父《おおおじ》を説得して、クリニックの建設費を含む初期費用、二百四十億円のうち、約三分の二を出資させた。クリニック名の「カエサル」は、もちろんグループ名に拠《よ》っている。

「リムパーザの投与は本人も喜ぶだろう。病気を治すことなら何でも大歓迎だから」

才所が言うと、小坂田が臼《うす》のように膨れた顔にだらしない笑みを浮かべた。

「今朝、シェイク・ファイサルの病室にご機嫌をうかがいに行ったら、私の〝ゲノム未来ドック〟にも興味津々で、さっそく会員になってくれましたよ。やつら、健康のためなら湯水のように金を注ぎ込んでくれますからね」

シニカルかつドライな性格の小坂田は、代々医者の家系で、さしたる努力もなしに阪都大学の医学部に合格した秀才である。食べることが大好きで、四十一歳にして予防医学の専門家にあるまじき肥満体だが、人生は太く短くがモットーで、こめかみに食い込む銀縁眼鏡の奥の細い目には、ときにぞっとするほど冷酷な光が走る。

彼によれば、これからの医療は、病人だけを相手にしているのでは先細りなので、いかにして健康人を患者に仕立てるかが重要課題だという。

――つまり、患者の養殖ですね。血圧やコレステロールの基準値を下げるのもそうだし、メタボリック症候群や生活習慣病で、国民を脅すのもそうです。だいたい、予防医学なんて、命が惜しい人間の弱みにつけこんで、余計な検査と治療で大衆から金を巻き上げるのが実態ですからね。

そんな本音とは別に、小坂田が担当する会員制の「ゲノム未来ドック」は、ゲノムプロファイリングで受診者の遺伝情報を解析し、ＡＩで将来起こり得る病気を予測すると謳《うた》う。通常の人間ドックは、その時点での健康状態しかわからないが、ゲノム未来ドックでは、翌年、翌々年、さらには十年後の健康状態を、高い確率で予測するというのが売り文句だった。決して妥当な予測とは言えないが、健康を守ることに必死のセレブ顧客は、パンフレットに書かれたバラ色の文言をそのまま信じて、惜しげもなく大金を支払ってくれる。入会金が五万米ドル、年会費が一万米ドルで、十年ごとの更新制でも文句は言わない。むしろ、高額であればあるほど、医療のレベルも高いと勝手に思い込む。

現在、会員はアメリカ、中国、中近東、ヨーロッパなどから、九百人を超えている。ゲノム未来ドックは、がんの〝集学的先進治療〟とともに、カエサル・パレスクリニックの収益を支える二本柱である。

「そう言えば、武漢《ウーハン》だっけ、食道がんで治療を求めていた中国人の社長、折り合いはついたのか」

才所が聞くと、担当の趙がむずかしい顔で首を振った。

「楊《ヤン》さんという食品メーカーの社長ですが、すべてこみで百万中国元と言うんです」

「日本円にして約一千八百万か。話にならんな。北京《ペキン》や上海《シャンハイ》の患者は、軒並み三百万中国元以上払ってるぞ。言ってやったか」

「言いました。そしたらすごい剣幕で怒りだして、僕たちのクリニックを悪鬼の巣窟《そうくつ》だとか、蛇頭《シュアタウ》より悪質だとかわめいていました。まだ転移が見つかっていないので、強気なんです」

「じゃあ、細胞レベルで転移がある可能性を教えてやれよ。検査で見つかるくらいの大きさになったら、金を惜しんでる間に、命の砂時計が尽きるってな」

「いくらからなら受けます？」

「最低でも倍の二百万元だな。それでも三千六百万だろ。払える者には払ってもらわなきゃな」

「往年のブラックジャックと同じってわけね」

有本が軽く揶揄《やゆ》すると、小坂田は媚《こ》びるように続いた。

「手術のレベルも同じですからね。もちろんモグリ医者じゃないけど」

それを無視して才所が問う。

「で、話はつきそうか」

趙は苦笑いで首を捻《ひね》る。才所も顔をしかめ、その件は用済みとばかりに手を振った。

4

ミーティングが一通り終わると、才所は自分のｉＰａｄを終了し、改めて三人に顔を向けた。

「みんな、ちょっと聞いてくれ。ア・リトル・バッド・ニュースだ」

おどけたように言いながら、内心、かなり厄介な思いを抱いている。

「昨夜、メールがあって、来週の木曜日、福地《ふくち》先生がクリニックに来たいとおっしゃっている」

「げっ、あの強欲爺《じじい》が来るのか」

小坂田が反射的に顔を歪《ゆが》めた。

福地正弥《まさや》は、元阪都大学の総長で、その後、「大阪府立病院機構」のトップになり、大阪府の医療行政に隠然たる力を持っていた人物である。今は名誉職以外の肩書はないが、元々は阪都大学医学部の解剖学の教授で、才所たちも二十数年前、その講義を受けている。

「福地先生には毎年、一千万円の顧問料を払ってるんだろ。あれ、どうにかならないんですか」

小坂田が苦い顔を見せると、有本も、「わたしも顧問料には反対。だって、何もしてないじゃない」と同調した。横で趙も黙ったままうなずいている。

福地への顧問料は才所が決めたことで、有本の言う通り、顧問らしいことは何もしていない。事実上の献金である。

「まあ、そう言うなよ。みんなも知ってる通り、福地先生にはクリニック開設のときにいろいろ世話になったんだから」

カエサル・パレスクリニックを開くとき、いちばん問題になったのは、BNCTに使う中性子線を発生させる直線加速器の使用許可だった。管轄は原子力委員会だが、医療用のリニアックとターゲット・システムを合わせたものは、これまで研究施設以外では使用例のないものだった。

クリニックをりんくうタウンに開くと決めたときから、才所は大阪府立病院機構のトップだった福地に相談しており、原子力委員会への申請許可も、福地の人脈を通じて、原子力規制庁に働きかけてもらった。

さらには開業直前に、泉佐野保健所の立入検査でトラブルがあったときも、福地の助力に頼った。非常口と避難路の位置関係に問題があると、指摘されたのだ。

保健所は医師会とつながりが深いので、医師会に加入していない医師や、自由診療のクリニックには簡単にゴー・サインを出してくれない。なかなか診療許可がおりず、あわや変更工事の追加を求められそうになったとき、福地に頼んで、保健所長を説得してもらったのだった。

「福地さんが、加速器の使用許可に尽力してくれたのはいいけど、おかげでわたしはひどい目に遭ったんだからね」

直接、講義を受けていない有本が、福地をさん付けで呼び、露骨に不愉快な顔を見せた。

「ひどい目ってセクハラだろ」

「そうよ。でも、それ以上聞くのもセクハラだからね」

不躾《ぶしつけ》に聞く小坂田に、有本は即、釘を刺した。

原子力委員会からの許可が届いたあと、有本が福地に呼び出され、問題になる行為があったことは才所も聞いていた。単なる会食のはずが、とてつもなく不愉快なことがあったらしい。もちろん、有本は詳しく語らない。

「あの先生は、むかしから女好きだったからな。そう言や、一年上で皮膚科の女性が自殺したんじゃなかったかな。あれも福地先生のセクハラが原因だという噂でしたよね」

小坂田が話をずらすと、趙が暗い表情で顔を伏せた。

「僕もいやな記憶しかありませんよ」

才所も覚えていたが、解剖実習のとき、趙が在日韓国人だと知ると、福地は冗談半分にこう言ったのだ。

——どうもニンニク臭いと思ったら、やっぱり君か。

横にいた学生が、「先生。それは差別発言です」と抗議すると、福地はとぼけた顔で、「ワハハ。すまん、すまん」と、何事もなかったかのように笑い飛ばした。

「才所先生は福地先生のお気に入りだからいいかもしれませんが、私らはできるだけ近寄りたくないですね。あの人は独自の情報網で、他人の弱みを握るのが大好きみたいだし」

才所と趙の二年あとで講義を受けた小坂田が、陰にこもった調子で言った。才所が福地のお気に入りというのは、学生時代からの噂だった。

法学部から医学部に移ったときから、才所は将来、がん治療のスペシャリストになろうと考えていた。だから、古い学問である解剖学など学ぶだけ時間の無駄だと思っていた。ところが、福地が次の総長選の有力候補だと知った才所は、ときどき福地の研究室に顔を出すようになった。学生から蛇蝎《だかつ》のごとく嫌われていた福地も、珍しく近寄ってくる才所をかわいがるようになったのだった。

「ところで、福地先生は何の用で来るんです」

「わからない。メールには草井《くさい》さんを連れていくと書いてあったが」

才所が答えると、小坂田がまた「げっ」と呻《うめ》くような声を出した。

「草井さんて、解剖学教室の助手だったあの草井さんですか」

趙が確認すると、有本が「だれ、それ」と、三人の阪都大出身者に聞いた。

小坂田が説明する。

「解剖学の実習で学生を指導する助手がいたんだよ。たしか、草井郁夫《いくお》とかいったな。いろいろ噂のあった人で、医学部志望だったんだけど、どこにも合格できず、仕方なく解剖学の助手になったとか、何を考えているのかわからないところがあって、ちょっと性格に問題があるんじゃないかとか」

「そうでしたね。草井さんは実習室をうろついているだけで、質問するとボソボソと答えて、聞き返すとすぐ不機嫌になるから、学生も質問しなくなったんですよ」

趙が続くと、有本が不審そうに訊ねた。

「そんな人が、どうして助手でいられたの」

「確証はないんだけど、草井さんは福地先生の隠し子だという噂があってね」

「それは禁句だろ」

才所が顔をしかめると、話が見えないという顔の有本に、趙が説明した。

「僕たちの少し上の学生が、どこかからその話を聞きつけて、口にしたとたん、福地先生に退学させられたんです。大麻所持か何かの冤罪《えんざい》をでっち上げられて」

「恐ろしい。あの先生ならやりかねないかも」

「いや、噂だよ、噂」

才所は取り繕うように言ったが、趙も小坂田も口を開かなかった。

「で、なんで今ごろ、福地さんはその草井という人をここに連れてくるの」

「わからない」

才所が首を振ると、趙が補足した。

「草井さんは我々が卒業したあとも、ずっと解剖学教室の助手だったと思いますよ」

「万年助手で飼い殺しか。うへぇ、かわいそうに。今、いくつなんだ」

「俺より四歳上だったから、四十八か」

才所が答えると、小坂田が素早く計算した。

「福地先生はたしか七十七だから、隠し子だとすると、二十九のときの子ということになるな。若気の至りか。カッコ悪《わ》りぃ」

「同い年の娘さんもいたはずですよ。奥さんが妊娠中に、浮気してできたといういちばん卑劣なパターンじゃないですか」

珍しく趙までが憶測を口にした。有本が小坂田に聞く。

「母親はわかってるの」

「知らない。どうせロクな女じゃないよ。福地先生は認知したらしいけど、奥さんと離婚する気はなかったって話だから」

「それも噂だろ。いずれにせよ、来週いらっしゃるみたいだから、みんな挨拶《あいさつ》だけはしてくれよな」

才所はこれ以上、ややこしい話はごめんだとばかりに席を立った。

5

福地正弥・元阪都大学総長の来訪は、木曜日の午後三時だった。

この時間に来るということは、食事はいらないが、お茶とお菓子は念入りにということだろう。福地は酒は飲まない甘党だが、糖尿病を恐れるあまり年来の小食で、教授時代から風が吹けば飛ばされそうなくらいやせていた。

三年前、福地が府立病院機構の理事長を勇退するときのパーティで、才所が会ったときも、ほとんど飲まず食わずでしゃべっていた。ちょうどクリニックが軌道にのりはじめたころで、福地は参加者の前で才所を大袈裟《おおげさ》に持ち上げた。

——これで才所君も世界のセレブの仲間入りだな。あまり儲《もう》けすぎて、国税庁に目をつけられんようにな。ワハハハ。

小柄な痩身《そうしん》を忘れさせるような、豪快な笑いだった。

福地の大笑いは、コンプレックスの裏返しかもしれない。丸く禿《は》げ上がった額に張り出した耳、深いほうれい線のある皮膚はなめし革のようで、貧相な顎《あご》に薄い唇はいかにも酷薄そうだった。

才所は福地の姿を思い出しながら、約束の時間まで落ち着かない気分で待った。

院内のＩＰ無線でスマホが振動し、受付が福地と草井の到着を告げた。

才所はいつものスクラブではなく、きちんとネクタイを締め、上着も着用していた。ほかの理事たちにも、服装を整えるよう指示してある。

エレベーターで一階に下りると、玉虫色のコートを片手にスーツ姿の福地が待っていた。才所に気づくと、「よう」と軽く右手を挙げる。

「ようこそお出でくださいました。お待ちしておりました」

福地の後ろには大柄な草井が、茫洋《ぼうよう》とした面持ちで立っていた。

「君も覚えとるだろ。解剖学教室の草井君」

「もちろんです。お久しぶりです」

才所が一礼すると、草井は無言のまま頭を下げた。分厚いダッフルコートを抱えるように持ち、緊張しているのか、戸惑い気味の目はどことなく虚《うつ》ろだった。

「では、応接室へどうぞ」

理事たちにも連絡するよう受付に伝えて、才所は二人をエレベーターに案内した。

「クリニックは順調のようで何よりだ。開業の前はいろいろあったからな」

「その節はたいへんお世話になりました。クリニックがスムーズにオープンできたのも、ひとえに福地先生のおかげです」

かつての恩を思い出させるように話す福地に、才所は如才なく応じた。

六階に着いて、応接室に招き入れる。

「ここはいい眺めだな。飛行機が下りてきた。ほら、あれはブリティッシュ・エアだ」

福地は草井を全面窓の前に誘い、まるで幼児に説明するように言った。

ノックが聞こえ、趙と小坂田が入ってきた。二人とも指示通りネクタイを締めている。

「ご無沙汰《ぶさた》しております。理事の趙です」

「同じく理事の小坂田です。学生時代にはお世話になりました」

福地は二人の顔を交互に見て、ふと小坂田に目を留めた。

「君はもしかして、小坂田賢一《けんいち》の息子か」

「はあ」

曖昧《あいまい》に答えると、福地は表情を消して沈黙した。才所が気を利かせて言う。

「福地先生。どうぞこちらにおかけください。草井さんもごいっしょに」

二人がソファに座るのを待って、趙と小坂田に訊ねた。

「イチコは？」

「体調を崩したようで、早退しました」

趙が小声で答える。才所は軽く舌打ちをし、改めて福地に頭を下げた。

「申し訳ございません。もう一人の理事の有本は、体調が悪くなったらしく、失礼したようです」

「有本？　ああ、女性の理事だな。かまわんよ、かまわん」

福地はこだわりなく笑って見せたが、かすかに頰が強張《こわば》っていた。

有本が早退したのは、やはり福地と顔を合わせたくないからだろう。どんなセクハラがあったかはわからないが、万一のことがあっても、彼女なら泣き寝入りするはずはない。そう思いながら、しかし、もしも何か弱みを握られていたらと、不穏な考えが才所の脳裏をかすめた。

「失礼します」

ノックが聞こえ、加藤が銀色のワゴンを押して入ってきた。

「ご紹介します。看護師長の加藤絵理奈です」

加藤はていねいに会釈をして、チョコレートケーキとコーヒーを各自の前に供した。福地は眉《まゆ》を下げて、加藤をじろじろ見ている。彼女はやや太めだが美人なので、興味をそそられたのだろう。

加藤が一礼して下がろうとすると、福地がすかさず声をかけた。

「ザッハトルテだね。ボクは若いころウィーンに留学していてね。ホテル・ザッハーのカフェにもよく行ったもんだよ」

どう応じたものかと目線で問う加藤に代わり、才所が答えた。

「前にうかがっておりましたので、デメル・ジャパンから取り寄せました。コーヒーもウィンナコーヒーがよいと思いまして」

「君ねぇ、ウィーンにはウィンナコーヒーはないんだよ。あるのは泡立てたミルクを入れたメランジェだ」

「それは存じませんでした」

才所が相手をしている隙に、加藤は素早く出口に向かった。それを未練たらしく見送ると、福地は乱暴にフォークをケーキに突き刺して口に運んだ。

「福地先生が病院機構の理事長を勇退されたときには、かなり慰留されたのじゃありませんか」

「そうでもないよ」

不機嫌な声で答える。

「来週の水曜日の夜、クリニックの忘年会を北浜《きたはま》の花外楼《かがいろう》でやるんですけど、もしご都合がよろしければ、福地先生もいらっしゃいませんか」

花外楼は大阪の老舗《しにせ》高級料亭である。福地の表情がわずかに動く。

「医者だけの忘年会か」

「看護師たちも来ます。よければ、きれいどころも呼びますよ」

「水曜日というと二十八日か。どうだったかな。ボクも忙しいからな。あとでスケジュールを見て返事するよ」

もったいぶった言い方をしたが、機嫌はやや回復したようだった。代わりに趙と小坂田が顔を引きつらせている。

福地が仕切り直しをするように才所に訊ねた。

「ところで、海外からのお客、いや患者は年間、どれくらい来るのかね」

「がんの治療に月十人として百二十人、小坂田のやってるゲノム未来ドックに九百人というところですかね」

「年間の売上げは？」

露骨に聞かれ、才所は趙と小坂田に目線を移した。二人が仕方ないという表情を浮かべたので、才所も同じ顔で答えた。

「がんの治療部門では、手術、化学療法、ＢＮＣＴの三部門で五十億前後、健診部門で十八億余りです。でも、負債は八十億を超えていますし、支払い利息から減価償却もバカになりませんから、損益差額は八億から十億というところですね」

「それを四人で山分けというわけだな」

「とんでもない。看護師や技師、医療コンシェルジュや事務のスタッフもいますし、予備費の積み立てもありますから」

「それでも大したもんだ。感心、感心」

才所はしばらく福地の雑談に付き合っていたが、なかなか本題に入らないので、草井に話を振った。

「ところで、草井さんにお目にかかるのは、二十数年ぶりですね。お元気でいらっしゃいましたか」

ケーキを食べ終えて、手持無沙汰にしていた草井が、目だけ横に動かして福地を見る。福地が本人の代わりに答える。

「元気にしとったよ。彼はボクが総長をやめたあとも、ずっと大学に残ってくれとってね。見かけは地味だが、実に頼りになるスタッフだ。解剖学教室の生き字引だな。ハハハ」

空しい笑い声のあと、福地はひとつ咳払《せきばら》いをして言った。

「実は、今日来たのはこの草井君のことなんだ。彼をここで雇ってもらえないかと思ってね。彼は来年の三月で大学をやめるんだが、ボクも長年、彼には助けてもらったから、なんとかしてやりたくてな。草井君は事務能力が高いから、事務方で務まるだろう。病理解剖が必要になったときには、手伝いもできるし」

才所は趙と小坂田に困惑の視線を向けた。福地はかまわず続ける。

「年俸はそこそこでいい。独り身だから、五、六百万もあれば十分だろう。どうかね。来年の四月から面倒を見てやってもらえないだろうか。この通りだ、頼む」

福地に頭を下げられて、才所は慌てて制した。

「どうぞ頭を上げてください。ほかならぬ福地先生のお申し出ですから、もちろん前向きに検討させていただきます」

「そうか。引き受けてくれるか。ありがとう」

「いえ、この場で確約するわけにはまいりません。一応、理事会がございますから、そちらに諮りませんと」

「今、ここで諮ればいいじゃないか」

「そうしたいのは山々ですが、一人欠席しておりますし」

福地の薄い唇が不満そうにうごめいた。小坂田が割って入る。

「欠席している有本は、長年のアメリカ生活で、ジェンダー関連にもうるさく、男だけで勝手に決めると、猛反発するんですよ」

福地は小坂田を不愉快そうににらみつけたが、才所がなんとか取りなした。

「彼女抜きで決めてしまうと、うまくいくものもいかなくなるんです。少しお時間をいただけませんでしょうか。草井さんの退職はまだ先のようですし、今度の忘年会までにはお返事できると思いますが」

福地は露骨に不満げなため息をつき、「じゃあ、よろしく頼む」と、席を立った。草井もそれに続く。

才所がエレベーターに同乗しながら訊ねた。

「帰りはお車ですか」

「今日はJRで来た。草井がそうしたいと言うもんでな。それよりさっき横からでしゃばった小坂田という理事は気に食わんな。あんなヤツ、やめさせたらどうだ。健診部門くらい、だれでもできるだろ」

「はあ」

曖昧に応じてから一階に下りると、福地は玄関の前で立ち止まり、不機嫌な顔はそのままで振り向いた。

「そうそう、言い忘れとったが顧問料の件、もう少し考えてもらえんかね。倍とは言わんが、せめてプラス五百万くらいでどうかね」

「年間一千五百万、ですか」

「なんだ。不服なのか。君には断れんはずだがね。草井のこともよろしく頼むよ」

分厚いまぶたの隙間からにらむような視線に、才所は思わず目を伏せた。

「それじゃ、二十八日はいい返事を期待してるからな」

あとでスケジュールを見ると言いながら、すでに忘年会への出席を決めたかのような口振りで福地が言った。

やせた身体にコートを羽織り、玄関を出て行く。草井はやけに重そうなダッフルコートに袖を通してから、福地に従った。

6

福地たちを見送ったあと、才所が六階に上がると、ちょうど応接室から小坂田が出てくるところだった。

「ご苦労さん」

才所が声をかけると、「ご苦労さんじゃないですよ」と顔をしかめる。

「何なんですか、福地先生の依頼。まるでお荷物の押しつけじゃないですか」

「まあ、そう言うなよ。趙は？」

「五階の患者を診にいくって下りて行きました」

このままでは小坂田の気が収まりそうにないので、才所は彼を自室に招き入れた。

「どうするつもりなんです、さっきの話」

小坂田はソファに腰を下ろすなり荒っぽく脚を組んだ。

「俺も困ってるんだよ。クリニックの開設ではいろいろ世話になったからな」

「それはもうすんだ話でしょ。顧問料で合計五千万円も払ったんだから、もう十分じゃないですか」

「まあな」

「何が年俸五、六百万もあればだ。厚かましいにもほどがある。福地先生も隠し子なら自分が秘書にでもして養えばいいじゃないですか。高い顧問料を取ってるんだから」

「たしかに」

小坂田がさらに言い募る。

「それにしても、どうして福地先生を忘年会に誘ったんです。せっかく楽しくやろうと思ってたのに」

「ああでも言わなきゃ、あの場は収まらなかっただろう。それにまだ忘年会にも来ると決まったわけじゃなし」

才所は話の流れを変えようと、有木の名前を出した。

「イチコはどう言うかな、草井さんのこと」

「反対に決まってるでしょ。もし福地先生が忘年会に来たら、有本先生だって怒りますよ。今日の体調不良だって、あの好色な顔を思い浮かべただけで気分が悪くなったと言って、帰ったんですから」

有本に触れたのはやぶ蛇だったと才所は悔やむ。小坂田は逆に勢いづいて言った。

「福地先生が忘年会に来たら、その場で草井さんは雇えない、顧問料も今年かぎりと、ダブルパンチを食らわせてやりましょうよ。そういうことなら、有本先生も喜んで参加するんじゃないかな」

「そんな過激な」

「何が過激なんですか。それくらいしなきゃ福地先生の厚かましさは直りませんよ。だいたい、才所先生が甘い顔をするから」

「そうかな」

「そうですよ。先生は気づいてないんですか、福地先生が才所先生に向ける視線。獲物を狙う蛇みたいな目になってましたよ」

「やめてくれよ」

才所は顔を背けて自分の席にもどった。小坂田がさらに愚痴るのを聞いていると、IP無線のスマホが振動した。通話にすると同時に受付の焦った声が飛び出した。

「先ほどの方が、福地さんを背負ってもどってこられました」

7

受付に確認すると、運んできたのは草井で、福地は意識がないらしかった。

才所は小坂田と急いでエレベーターで一階に下りた。ロビーに看護師が集まり、草井の横で福地がソファに横たえられているのが見えた。

「福地先生。わかりますか。しっかりしてください」

大声で呼びかけているのは趙だった。彼は五階で患者を診ていたはずだが、たまたま一階に下りていたのか。

何があったのかと聞くと、草井は半ば放心状態で、「先生が駅のトイレで倒れてた」と唇を震わせた。

看護師が福地の脈を取っている。

「脈拍は触れるか」

「一二〇前後です」

頻脈だが、触診で脈が触れるということは、血圧は最低でも七〇はある。

「とにかく診察室へ」

福地をストレッチャーに乗せ、一階の診察室に運んだ。

看護師が手際よく血圧を測る。別の看護師は指にパルスオキシメーターをつけ、酸素飽和度を調べる。

「血圧は八四の三〇です」

「酸素飽和度《サチユレーション》九二パーセント、脈拍一一七」

報告を受け、才所が改めて意識レベルを確認した。

「福地先生。目を開けてください。わかりますか」

耳元で呼びかけたあと、痛み刺激への反応を診るため、手の甲をつねった。手を引っ込める動きも、顔をしかめることもない。ＪＣＳ（ジャパン・コーマ・スケール）の判定でⅢの３００。もっとも重い意識障害だ。

小坂田が聴診器を取り出しかけたので、才所は「君は対光反射を診てくれ」と指示し、「聴診と心電図は趙がしろ」と命じた。趙は小坂田を押し退《の》けるように福地の前に立ち、シャツをめくり上げた。小坂田は頭側に移動して、ペンライトで左右の瞳孔《どうこう》を照らす。

「対光反射は正常です」

小坂田が告げる間に、趙は呼吸音を確かめ、心電図計を取りつける。

「心房細動です。あと、やや低電位ですが」

「心房細動は前からだ」

才所が素早く応じた。心房細動は福地の年齢ならよくある良性の不整脈で、三年前のパーティでも、福地は「おかげでワーファリンが手放せんよ」とぼやいていた。ワーファリンは、心房細動に多い血栓を予防するための抗血小板薬である。

連絡を受けたらしい加藤看護師長が、五階のフロアから急ぎ足で下りてきた。

「どうかしたんですか」

「福地先生が駅のトイレで倒れたらしい」

才所が答えると、加藤は原因を問うように三人の医師を見た。

「やっぱり頭かな。しかし、対光反射は正常だし」

小坂田が曖昧な声をもらす。

「対光反射が正常でも、脳障害はあり得ますよ」

趙が言い、才所もそれに同意した。

「とにかく脳のＣＴスキャンを撮ろう。加藤さん、福地先生をＣＴ室に運んで」

加藤は看護師に指示して、福地の乗ったストレッチャーを素早く運び出した。

壁際に草井が不安げな表情で立っていた。

「草井さん。どういう状況だったんですか」

才所に聞かれ、草井は動揺を隠せないようすで説明した。

「駅に着いたら、先生がトイレはどこだと怒鳴って……、案内図でトイレをさがして、向こうの角を曲がったところにありますと言ったら、先生が走っていって……、僕は先に切符を買おうと思って、切符を買って待っていたけど、先生がもどってこなくて……、大のほうかと思ったけれど、先生は前を押さえていたので、小だと思って、ようすを見に行ったらトイレで倒れていたので、抱き起こしたけれど、先生は顔をしかめて、うーんと唸《うな》ったきり、返事をしないので、先生、しっかりしてくださいとほっぺたを叩《たた》いたんです」

「つまり、先生はひとりでトイレに行って、君がようすを見に行ったら、倒れていたということですね」

「はい」

「それで救急車は呼ばなかったのですか」

「救急車はすぐに来ないし、ここなら病院よりいい設備があるから、僕が背負って運んだほうが早いと思って」

なるほどとうなずいて、才所は趙と小坂田を見た。

「とにかくCTの結果を見よう。草井さんはロビーで待っていてください」

才所は草井に言い置き、趙と小坂田を促して、階段で二階の検査室に上がった。

CT室ではすでに福地のCTスキャンが終わっており、操作室のモニターに次々と脳の断層撮影の映像が映し出された。

「出血や梗塞《こうそく》はなさそうですね」

モニターに近い位置にいた小坂田がつぶやく。

「器質的《きしつてき》な障害はなくても、脳震盪《のうしんとう》とかもあるだろ」

才所が言うと、「だれかに殴られたとかですか」と、趙が応じる。

操作席に座っている放射線技師の山本壮太《やまもとそうた》が、「胸部と腹部のCTはどうします」と聞いてきた。

「その必要はないだろう。呼吸も心拍も大丈夫そうだから。加藤さん、福地先生を取りあえず病室に運んでください。点滴ルートを確保して、血《けつ》ガス（血液ガス）分析と採血もお願いします。検査項目は末血《まつけつ》（末梢血液検査《まつしょう》）、血糖値、一般生化と、あとアレルギーと毒物の反応も」

「了解。お部屋はエグゼクティブ・スイートでよろしいですか」

才所がうなずくと、福地は検査台からストレッチャーにもどされ、エレベーターで五階の病室に運ばれていった。

才所の指示は、脳、心臓、肺以外の意識障害の原因、すなわち、極度の貧血や低血糖発作、一酸化炭素中毒、サリンやVXガス、リシンなどの毒物まで想定した内容だった。

「福地先生はさっきまで元気だったのに、どうしたんだろう」

小坂田が自問自答の形で自分なりの推理を述べた。

「脳に異常がないとすれば、不整脈の発作か薬物中毒か……、しかし、青酸カリやサリンとかなら即死だろうし、だったら、てんかんとかもあり得るか」

「心電図は心房細動と低電位だけだったし、けいれんしていたようすもないから、重症の不整脈やてんかんは考えにくいだろう。薬物中毒なら血液検査ではっきりするから、結果待ちだが」

才所の反論に、趙が独り言のように付け加える。

「じゃあ、やっぱり、だれかに頭を殴られたんでしょうか。強盗目的で潜んでいた相手に襲われたとか」

「あるいは、だれかが福地先生をトイレで待ち伏せしていたとか」

小坂田が続けたが、「いや、それはないな。福地先生がトイレに行くことは、前もってわからないんだから」と、否定した。

いずれにせよ、今の段階では、病気か事故か襲われたのか、判断しかねる状況だと言ってよかった。

「草井さんからもう少し詳しい事情を聞いてみよう」

才所は二人を促して、ふたたび一階に下りた。

ロビーのソファでは、草井が両手を膝に置き、思い詰めたようすで座っていた。才所たちが近づくと、はっと顔を上げ、「福地先生はどうですか」と、緊迫した表情で訊ねた。

「今のところ命に別状はありません。脳のCTスキャンも異常なしですから」

才所は草井のとなりに座り、趙と小坂田は向き合ったソファに腰を下ろした。

「草井さん。先ほどのお話、もう少し詳しく聞かせていただけますか。福地先生がトイレに行きたいとおっしゃったのは、駅ビルに入ってからなんですね」

「その少し前です」

「あなたは券売機で切符を買って待っていたとおっしゃいましたが、時間はどれくらいでした」

「五分か、それくらいです」

そう答えて、草井はポケットから二枚の切符を取り出した。

「トイレにようすを見に行ったとき、だれかとすれちがったり、トイレから出てきた人物を見たりしませんでしたか」

「だれにも会いません。床が外の光でピカピカ光って、よく見えませんでしたが」

「福地さんの財布はありますか」

草井が預かっていた福地のコートのポケットをさぐり、「あります」と、財布を取り出した。

「物盗りの線はないようだな」と小坂田。

「福地先生はトイレのどこで倒れていたんですか」

「入ってすぐのところです。便器が並んでいるところの」

「息はしていましたか」

「はい、たぶん」

「血を吐いたり、けいれんしていたりとかは？」

「ありません」

才所の質問に答えながら、草井はじっとしていられないように興奮し、才所に食ってかかった。

「福地先生はいったいどうなるんですか。死ぬんですか。どうなんです」

「落ち着いてください。今のところは何とも言えないんです。五階の病室で休んでもらっていますから、ようすを見に行きますか」

「はい」

そう言って草井が立ち上がりかけたとき、才所の胸ポケットでまたもスマホが震えた。

草井を制して、才所は自分だけ立ち上がった。

「もしもし」

加藤の声が耳に突き刺さるように響いた。

「先生。すぐ来てください。福地さんが急変しました。心肺停止です」

8

才所たちが五階のエグゼクティブ・スイートに駆けつけると、福地はチアノーゼの出たどす黒い顔で横たわっていた。薄いグリーンの患者着に着替えさせられ、左手首には点滴のルートが確保されている。はだけた胸には心電図計の電極がつけられているが、モニターの輝線はフラットのままだ。

「人工呼吸器とポータブルのカウンターショックを持ってきて」

才所が指示するまでもなく、加藤たち看護師は救急蘇生の準備にかかっていた。

「小坂田は気管内挿管を。趙は強心剤の用意を頼む」

才所は二人に言い、心臓マッサージのため福地の胸の中央に両手を当てた。弾みをつけて肋骨《ろっこつ》の浮き出た胸を押す。やせた身体全体が無抵抗に揺れた。

小坂田はゴム手袋をはめ、福地の口に喉頭鏡《こうとうきょう》を差し込み、気管内チューブを挿入した。テープでX字状に固定し、人工呼吸器に接続する。

「カウンターショック、用意できました」

看護師が告げると、才所は心臓マッサージを中断し、胸に電極を当ててスイッチを押した。ボンッと福地の身体がボードの上で跳ね、心電図の輝線が大きくたわむ。しかし、拍動を示すスパイクは出ない。

才所は舌打ちをして、ふたたび心臓マッサージをはじめる。

「ボスミン、用意できました。心腔内投与でいいですね」

ボスミンは心停止に有効とされる強心剤で、心腔内投与は心臓に直接、薬液を注射する。才所がうなずくと、趙は通常の倍ほどの長さのカテラン針《しん》を、福地の胸に突きたてた。血液の逆流を確かめ、シリンジのピストンを一気に押し下げる。

「どうだ」

三人の医師が心電図計に視線を送る。輝線はフラットのままだ。

「もう一度、カウンターショックを。チャージはＯＫか」

看護師に確認して、再度、電極を当てる。タイミングを見計らってスイッチを押すと、福地の身体がふたたび跳ねた。しかし、拍動はもどらない。

「もう一回、心腔内投与やりますか」

「頼む」

趙は新しいカテラン針をつけた注射器を看護師から受け取ると、慎重に先ほどとほぼ同じ場所に針を刺し入れた。

「どうだ」

反応はない。才所はふたたび心臓マッサージを繰り返す。息を詰め、腕のだるさも構わず押し続ける。小坂田も趙も黙って見ているが、次第にあきらめのムードが漂いだす。一パーセントの可能性は、患者側には希望だろうが、医療者にとっては文字通り九十九パーセントの絶望だ。

心電図がフラットのままなのを見て、才所はマッサージの手を止め、自分につぶやくように言った。

「やっぱり急性心筋梗塞だろうか」

「そうでしょうね。ＶＦ（心室細動）ならカウンターショックで蘇生できたでしょうから」

趙が応じる。

「しかし、それだと先に意識障害が起きた理由は説明できないけどな」

小坂田は不服そうにもらしたが、福地の年齢で心肺停止に至るような発作を起こしたのなら、蘇生が絶望的なことには異論はないようだった。

看護師長の加藤をはじめ、手伝いに駆けつけた看護師たちも神妙な表情で控えている。

「死亡確認は？」

小坂田に促され、才所は腕時計で時刻を確認した。午後四時五十二分。しかし、才所はそれを死亡時刻にするつもりはなかった。彼の頭にあったのは遺族への連絡だ。福地の妻・登子《とうこ》とは面識はないが、口うるさい女だと福地がボヤくのを何度か聞いていた。

「福地先生の奥さんに連絡をするから、しばらくこのままにしておいてくれないか。いきなり亡くなりましたでは、先方も驚くだろう」

小坂田と趙が視線を交わし、肩をそびやかせた。二人には才所の意図が通じたようだ。

「加藤さん。申し訳ないけど、ご家族には蘇生処置中だと伝えるので、死亡確認はもう少しあとにします。死後処置はそのあとで」

「わかりました」

才所に忠実な加藤は、理由を聞くこともなく、部屋にいた看護師たちとともに退出した。

才所ら三人だけが残った病室には、無駄に駆動する人工呼吸器の音だけが響いていた。才所はポケットからスマホを取り出し、福地の自宅に電話をかけた。番号は開業前に聞いて登録していた。

電話には登子が出た。

「カエサル・パレスクリニックの才所と申しますが――」

自己紹介したあと、才所は福地がクリニックに来訪したあと、駅で倒れて、クリニックに運び込まれたことを伝えた。登子は福地がクリニックを訪問することは承知しており、草井がいっしょであることも知っていた。福地はひじょうに危険な状態で、今、懸命に治療をしていると告げると、登子は驚きながらも、すぐにタクシーで向かうと応えた。

「福地先生の自宅は大阪市の阿倍野区《あべの》だから、高速道路を使っても一時間弱かかるだろう。死亡確認は三十分後くらいでいいな。奥さんが到着してから蘇生処置の真似事を再開するのも白々しいからな」

才所が趙と小坂田に確認するともなく言った。

「しかし、このままでいいんですか。警察に連絡しないとまずいんじゃないですか」

小坂田の言葉に、趙がかすかに身を強張らせる。才所は腕組みの姿勢で首を振った。

「たしかに思いがけない死だが、事件性があるとまでは言えないんじゃないか。福地先生がだれかに襲われたり、ましてや殺害されたような証拠はないし、ふつうに考えればやっぱり病死だろう。それなら医者が三人もいるところで亡くなったんだから、警察に連絡する必要はないんじゃないか」

「僕もそう思います」

趙が賛同した。「警察に連絡したら、ご遺族にも迷惑がかかるし、万一、警察からマスコミにもれたら、妙な噂を立てられかねませんよ」

「しかし、死因を究明するために、解剖は必要なんじゃないですか」

食い下がる小坂田に、才所も半ば同意した。

「そうだな。しかし、解剖はまずご遺族の意向を聞いてからだろう」

「草井さんにはいつ知らせますか」

趙が聞き、才所は「死亡診断をしてからにしよう。今はまだ懸命な蘇生処置中ということになってるから」と答えた。

「それにしても、呆気《あっけ》なかったな。これで草井さんを引き取る話も白紙ですね。顧問料の問題も解決だし、忘年会は心置きなく楽しめそうだな」

小坂田がゴム手袋をはずしながら、曖昧な笑みを浮かべた。

才所は福地の遺体を見て思った。もしも自分が死んだことがわかれば、福地はきっと悔しがるにちがいない。だが、今は完全な無表情に固着している。それが人の死だ。

「あとは俺が看《み》ておくから」

才所は趙と小坂田を退出させ、ベッドサイドのパイプ椅子に座った。しばらく感慨にふけり、やがて時計で時刻を確認した。午後五時二十五分。そろそろいいだろう。

才所はナースコールで加藤に死後処置を指示した。

9

病室を出た才所は趙と小坂田に声をかけて、いっしょに一階に下りた。

ロビーのソファで、草井は先ほどと同様、両手を膝に置いてじっと床を見つめていた。才所たちを認めると、弾かれたように立ち上がり、「福地先生は」と、身を乗り出した。

「落ち着いて聞いてください。福地先生は、残念ながら先ほどお亡くなりになりました。我々も最善を尽くしたのですが――」

草井の表情が見る見る歪み、見開いた目が虚ろに揺れた。

「お気持ちはお察しします。我々もできるかぎりの治療をしたんですが、どうやら急性の心筋梗塞を起こしたらしいのです」

才所の説明も耳に入っていないかのように、草井は呆然《ぼうぜん》としていた。

「とにかく座ってください」

才所は草井をソファに座らせ、自分も横に腰を下ろした。

「驚かれるのは無理もありませんが、私たちも状況を理解しかねているのです。福地先生が過去に狭心症や心筋梗塞の発作を起こしたと聞いたことはありませんか」

草井は首を振る。

「病院で治療を受けていたとかもないですか」

ふたたび無言で首を振る。

「福地先生がトイレで倒れられた原因も今のところ不明ですし、突然、心臓発作が起きた理由もわかりません。しかし――」

草井は急に魂が抜けたようになり、うなだれて目の焦点を失った。

才所は説明を止めて、小坂田と趙を見やった。

「まあ、ショックだろうな。彼にとっては大事な人が亡くなったんだから」

小坂田が思わせぶりに言い、ため息をついた。趙は無言のまま、痛ましそうに草井を見ている。

才所が改めて草井に言った。

「先ほど、福地先生の奥さまに連絡したので、間もなく来られると思います。奥さまにはまだ先生が亡くなったことは伝えていませんが」

草井ははっと顔を上げ、怯《おび》えたように首を振った。

「僕は帰ります。奥さんは僕を嫌っているから」

立ち上がりかけた草井を、才所が止めた。

「待ってください。福地先生が倒れたときのことを説明できるのは草井さんだけですから、今、ここで奥さまにお話しされないと、あらぬ疑いをかけられてもいけません」

「あらぬ疑い？　どういうことです」

草井の顔に恐怖が浮かんだ。

「もちろん草井さんに責任があるわけではありません。しかし、この場から先に姿を消したとなると、ただでさえ状況に不明な点があるなかで、奥さまが変に勘繰ることもあるということです」

草井は何か言いかけたが、首を振り、ふたたびうつむいて黙り込んだ。

10

それから間もなく、派手な身なりの女性が足早に入ってきた。夫人の登子だ。福地とは対照的な肥満体で、ブランド品らしい大ぶりな眼鏡をかけ、ゴールドのチェーンを太い首にかけている。茶色に染めた髪を頭上に盛り上げ、ロビーいっぱいに香水のにおいを漂わせている。後ろには、逆に地味な服装の女性が従っていた。

「主人が倒れたって、いったいどういうことですの」

突進するように近づいてきた登子に、才所はかすかな風圧を感じた。取りあえず、登子を草井から離れたソファに誘導する。しかし、彼女は目ざとく気づき、きつい目線を投げかけると、草井は反射的に顔を伏せた。

「どうぞ、おかけください。そちらの方も」

「娘の真理恵《まりえ》です。近くに住んでいますのでいっしょに連れてきました」

登子は娘を紹介してから続けた。

「主人はどうなんです。危険な状態とおっしゃってましたけど、大丈夫なんですか。まさか、そのままということはないんでしょうね」

「奥さま、どうぞ落ち着いてお聞きください。電話で申し上げた通り、福地先生は今日の午後、私どものクリニックにお出でになって、一時間ほど面談したあとお帰りになったんです。ところが、りんくうタウンの駅ビルでトイレに行かれて、そこで倒れられたようです。草井さんが見つけて、すぐこちらのクリニックに運んでこられました。救急車を呼ぶより早いと判断されたからです」

「トイレで倒れたって、どういうことです。その人はそばにいなかったんですか」

登子は名前を呼ぶのも汚らわしいというように、草井を顎で指した。

「草井さんは券売機で電車の切符を買っていたそうです。先生がおひとりでトイレに行かれて、もどってくるのが遅いのでようすを見にいったら、倒れていたらしいです」

登子が納得するのを待って、才所が説明を続けた。

「クリニックに運ばれたとき、福地先生は意識がなく、血圧も低めで、脈も一〇〇を超えていました。しかし、呼吸はしっかりしていましたし、外傷もなかったので、脳卒中を疑い、ＣＴスキャンで検査したのです。しかし、梗塞も出血もなかったので、取りあえず病室に運んだあと、突然、心肺停止の状態になったのです」

「それより主人はどこにいるんです。早く会わせてください」

性急に求められ、才所は困ったが、ここで死亡を伝えるわけにはいかない。とにかく登子を落ち着かせ、救急蘇生で行った処置を順に説明した。

「最後は心臓に直接、強心剤の注射を試みましたが、残念ながら、心臓を再鼓動させることはできませんでした」

「それって、どういうこと。えっ、主人は亡くなったんですか。そんな、ひどい」

取り乱してはいるが涙はなかった。どちらかと言えば、娘の真理恵のほうがショックを受けているようすだった。

「原因は何なんです。理由もなく心臓が止まるはずはないでしょう」

「おっしゃる通りです。私たちは急性の心筋梗塞を疑っています。それもかなり太い動脈の閉塞が起こったのでしょう。広範囲の梗塞が起きたと考えれば、辻褄《つじつま》は合います」

登子も元教授夫人なのだから、ある程度は医学的な説明でも受け入れられるだろう。それで納得してくれるかと思ったとき、突如、草井が顔をあげて言った。

「原因は解剖しなければ、確認できません。ぜひ、解剖をお願いします」

意外な申し出に、趙と小坂田が草井を見た。草井は人が変わったように、その場の全員に訴えるように両手を広げた。

「今のままだと、福地先生が病気で亡くなったのか、事故で亡くなったのか、事件に巻き込まれたのか、わからないじゃないですか」

「事件ですって」

登子が反射的に叫んだ。「事件ってどういうこと。あなたは主人がだれかに殺されたとでも言うの」

草井は登子の視線をまともに受けたが、すぐに目を逸《そ》らした。

「僕はただ、わからないと言ってるんです。解剖して亡くなった原因を調べないと」

才所が割って入った。

「しかし、脳には異常がなかったんだし、呼吸状態も保たれていて、ほかに突然、心停止を起こす理由があるかね。腹部の異常で心停止は考えにくいし、外傷もないんだから、解剖しても心筋梗塞だとわかるだけだと思うよ」

「だけど、やっぱり解剖をしないと――」

草井が反論しかけると、登子がいきなり宣言するように言った。

「解剖はお断りします。これ以上、主人をつらい目に遭わせることはわたしが許しません」

「しかし、奥さん。先生の死因が曖昧なままでいいんですか。僕ははっきりさせる必要があると思います」

「奥さんなんて気軽に呼ばないで。あなたにとやかく言う資格はありません。これは家族の問題です。ねえ、真理恵、お父さんを解剖するなんて、とんでもないことよね」

ふいに登子に話を振られた真理恵は、無言のまま恐怖に顔を引きつらせた。

「いずれにせよ、解剖なんてとんでもない。とにかく主人に会わせてください」

登子は決然として立ち上がり、才所に病室への案内を求めた。勢いに押されるように、才所は登子と真理恵をエレベーターに誘導した。草井がついていこうとすると、登子は振り向きざまに、「あなたは来なくてよろしい」と、きつい言葉を投げつけた。

「しかし、草井さんにも会わせてあげたほうが」

才所がとりなそうとすると、登子は「いいんです」と、才所にも険悪な目を向けた。

「じゃあ、草井さんはあとで」と、才所は趙と小坂田に言い残し、登子と真理恵だけを五階のエグゼクティブ・スイートに案内した。

カエサル・パレスクリニックで、患者が亡くなることは滅多にないが、加藤は福地の死後処置を終えたあと、手回しよく枕頭《ちんとう》にろうそくと線香を灯《とも》していた。そのにおいで才所は登子のきつい香水から救われた。蘇生処置に使った器具類がすべて片付けられ、照明を落とした部屋はいかにも寒々しかった。壁際の椅子には、福地の衣服とコートがきちんと畳んで置かれている。

登子はベッドサイドに立ち、無言で福地を見下ろした。真理恵が大きく目を見開き、口元を押さえる。嗚咽《おえつ》をこらえきれず、ハンカチを口に当てた。

「すぐに連れて帰ります。車を手配してください。タクシーではだめね。葬儀屋さんに連絡して、霊柩車《れいきゅうしゃ》をお願いします」

「わかりました」

登子の気持ちは早くも通夜と葬儀に向いているようだった。性急だったが、それで一件落着となるのなら、才所にもありがたいことだった。

11

翌日の金曜日、有本以知子は午前中はまだ体調がすぐれないとのことで、午後からの出勤だった。午後四時三分。パソコンに向かっていた才所は、ミーティングの定時をすぎていることに気づき、急いで理事長室を出た。

ミーティングルームの扉を開けると、有本を含む三人がすでにテーブルについていた。

「遅れてすまん。じゃあ、ミーティングを」と言いかけると、有本が才所に聞いた。

「昨日の福地さんのこと、いったい何があったの」

声が苛立《いらだ》っているのは、あまりの突発事に理解がついていかないからだろう。

「草井さんをうちで雇ってくれないかということで、いったんは帰ったんだが――」

説明しかけると、焦《じ》れたように「そのへんはボンジェとスグルから聞いた」と遮った。彼女は才所以外もファーストネームで呼ぶ。

「わたしが聞きたいのは、どうして解剖しなかったのかってことよ」

「それは奥さんが了承しなかったから」

「それも聞いた。でも、医師ならご遺族を説得して、解剖させてもらうのが当然じゃない。人一人が原因不明で亡くなってるのよ」

才所が二人の男性理事に目をやると、趙は困ったようすで顔を伏せ、小坂田も腹を突き出して座ったまま、アメリカナイズされた有本のお株を奪うように肩をすくめた。

それを無視して、有本が自説を強調する。

「心筋梗塞《こうそく》の可能性が高いのはわかるけど、あくまで可能性でしょう。想定外の死因だってあり得るのが医療じゃない。しかも、ご遺族は全員が反対したわけじゃなくて、草井さんはむしろ解剖を求めていたんでしょう。どうして彼に加勢して、夫人を説得しなかったのよ」

「あの場面ではなあ。福地夫人を説得できたと思うか」

才所が聞くと、趙と小坂田がそれぞれに首を振った。

才所が気を取り直して説明する。

「イチコはあの場にいなかったからわからんだろうが、福地夫人はそうとうな厄介者で、簡単に説得を受け入れるような人じゃないんだよ」

「あれは説得すればするほど、意固地になるタイプだからな。草井さんが解剖にこだわったから、よけいに拒んでたって感じだったもの」

小坂田が言うと、趙も「たしかに」と応じる。

「それでも、わたしは解剖をすべきだったと思うわよ」

有本は頑として自説を曲げなかったが、さすがに今から福地宅に押しかけて、解剖を勧めることまでは求めないようだった。

有本の追及が一段落したところで、才所は連絡事項に話を進めた。

「二十八日の忘年会だが、昨日のこともあるから、一応、中止にしようと思う」

「えー」と、さっそく小坂田が不満の声をあげる。「花外楼のご馳走《ちそう》、楽しみにしてたのに。福地先生のことがあったって構わんでしょう」

「万一、マスコミに漏れたら、忘年会を開いていたことを問題視されかねないからな」

「何が問題なんですか」

「不審死なのに警察への届け出を怠ったとか、いろいろあるだろ。痛くもない腹をさぐられないようにするためにも、自粛したほうがいい」

「僕もこの際、批判されそうなことは控えたほうがいいと思います。有本先生はどうですか」

趙に聞かれると、有本は「わたしはどっちでもいいわよ」と、そっけなく答えた。

少数派になり、分厚い口元に不満を表している小坂田に、才所が言った。

「公式の忘年会は中止するが、予約はそのままだから、内輪の飲み会ということで行くことまでは止めない。俺は行かないけどな」

「別に理事長は来なくてもいいです。でも、宴会費用はクリニック持ちでお願いしますよ」

それだけは譲れないという顔で、小坂田が念を押した。

12

「ジュン、ちょっといいかな」

ミーティングルームを出たところで、有本に呼び止められた。

「何だよ。福地先生のことならもういいだろ。あの世に行ったんだから、セクハラの件は恩赦を与えてやれよ」

「その話じゃないのよ」

立ち話ではすみそうにないので、才所は彼女を自室に招き入れた。

ソファに座ると、有本はまじめな顔で切り出した。

「前から考えていたことだけど、そろそろＣＣＣ法《トリプルシー・メソッド》を、医療保険の適用に申請したらどうかと思って」

才所は彼女の真意は何かと考えた。カエサル・パレスクリニックが自由診療に特化している理由は、彼女も重々承知のはずだ。

有本は才所が即答しないことを予測していたかのように続けた。

「医療保険の適用にして無償で治療法が広まってしまうことが、ジュンには承服できないことはわかってる。あらゆる発明、イノベーションが、創始者に多大の利益をもたらすのに、医療にはそれがないからね。だから、ジュンが海外の富裕層を相手に自由診療をするのも理解できる。でも、もう十分な利益を得たのじゃない。そろそろCCC法を医療保険の対象にしてもいいと思うのよ」

「この新療法を広めて、できるだけ多くの患者に使えるようにしたいというわけか」

「わたしがジュンの誘いに乗ったのは、クリニックでBNCTができると聞いたからよ。はじめは富裕層の患者のみの治療でもいいと思った。でも、やっぱりそれは公平な医療じゃない気がするの。このクリニックは自由診療でもいいけど、ほかの国内の病院が医療保険で使えるようにすれば、より多くの患者さんを治療することができるでしょう」

いかにもイチコらしい。才所は本心を隠して、有本を説得した。

「理想家肌はまちがいなくイチコの美質だ。だけど、ちょっと考えてみてほしい。日本が世界に誇る皆保険制度は、公平だが自由がないと言われている。いくら金を積んでも、標準治療しか受けられないからな。医者の側だって、高度な治療をしたくても、保険診療でできる治療や検査が限られているから、自由な医療を提供できない。その欠落部分を補うために自由診療があるんじゃないか」

「それはCCC法を医療保険の適用にしないことの理由にはならないでしょう」

さすがに彼女は明晰《めいせき》だ。しかし、才所とて、これで彼女を言いくるめられるとは思っていない。

「もし、CCC法が医療保険の適用になれば、経費は膨大だから高い点数がつけられるだろう。つまり、高額医療になる。オプジーボのときも、当初、一人の患者に年間三千五百万円の医療費がかかると言われて問題になった。『命の費用対効果』なんて言葉が、新聞紙上に躍ったのを覚えているだろう。CCC法を医療保険で使えるようにしたら、たちまち医療費は高騰し、あちこちで保険組合が破綻《はたん》するだろう。社会保障費は増大し、給与所得者の手取りは減って、日本の経済も破綻に向かう。人の命は等しく尊いが、だからと言って、一億二千万人をすべて救おうなどというのは、実際問題、不可能だ。だったら、保険で賄う標準的な治療と、自己負担で受けられる高額な治療を分けるべきじゃないか。ＣＣＣ法を使わずとも、従来の治療で治る人も多いんだから」

「つまり、裕福な人だけが高度な治療を受けられるようにするということ？」

「標準的な治療は、保険で七割が補塡《ほてん》されるんだ。それだけでもありがたいことじゃないか。高額な高度の治療を、全国民が受けられるようにする余力が、今の日本にあるのか。いったんＣＣＣ法の治療を医療保険の適用にしたら、後もどりはできないぞ。多くの一般のがん患者は、日本の経済がどうなろうと、社会保障費が増大しようと、お構いなしに自分の病気を治してくれと求めるだろう。そんなことになれば、日本の医療は大混乱に陥る。だから、俺はＣＣＣ法を医療保険の適用にすることは、まだ考えないんだ」

「まだって、どういうこと」

「ＣＣＣ法が改良されて、経費が安くなればってことさ」

有本は腕組みをして目を逸《そ》らす。同意はできないが、反論もしにくいという顔だ。わずかの間を置いて、話を変える。

「これも前から思ってたことなんだけど、ジュンはどうしてＣＣＣ法をきちんとした論文にしないの。シンガポール時代に少し論文が出たけれど、今の形になってからは一本も書いてないでしょ」

またいやな話を持ち出したなと、才所は顔をしかめる。

「俺は学術論文を信用していないんだ。世間や研究者がありがたがる論文のうち、ほんとうにフェアに書かれたものがどれだけある。多くの研究者は、自分の研究をできるだけ価値あるものに見せようとして、都合のいい条件で、都合のいい比較対象を設定し、夢のような仮説で自分の論文を飾り立てているじゃないか。論文にするため、治験申請などしたら、倫理委員会や治験審査委員会を通さねばならず、無駄な時間と金ばかりかかって、あちこちから嫉妬《しっと》とやっかみで足を引っ張られる。そんなことをするヒマがあったら、俺は目の前の患者を治療したいんだ。いくら論文を書いても、患者は一人も救われないからな」

「それは詭弁《きべん》よ。それこそジュンに都合のいい理屈じゃない。もしかして、ほかの研究者の協力を得るのがいやなの」

「まさか」

「じゃあ、どうしてCCC法をひとりで抱え込むの」

「どうしてもだ」

この話は打ち切りだとばかり、才所はソファから立ち上がった。

「ジュン。あなたどうかしてるわよ」

「そうかもな」

捨て鉢のように言うと、有本はどうしようもないというようなため息をついて、才所の部屋を出て行った。

13

十二月二十九日、午前十一時四十分。

飛行機が水平飛行に入ると、シートベルト着用のサインが消え、アオザイ姿のCAがウェルカムシャンパンを配りはじめた。

才所はグラスを受け取り、背もたれを軽くリクライニングさせる。ベトナム航空のこの路線は、ファーストクラスがないが、ビジネスクラスでも十分リラックスできる。

「この恰好《かっこう》やと、向こうに着いてから暑いかしら」

薄手のカシミアのハイネックセーターを着た梅川雅志乃《うめかわまさしの》が、うかがうように才所を見た。いつも着物姿の雅志乃の洋装は、それだけで新鮮に思える。ベージュの襟元から、ほっそりとした色白の首が伸びている。この象牙《ぞうげ》のように滑《すべ》らかな皮膚の下に、あの背中が広がっているのかと、才所は改めて奇妙な感慨にとらわれた。

上方舞《かみがたまい》の梅川流師範、雅志乃と知り合ったのは、昨年の九月だった。大阪市中央区上町《うえまち》にある大《おお》槻《つき》能楽堂で、知人に誘われて能の公演に行ったとき、たまたま居合わせた阪都大学の文学部の教授に紹介されたのである。

――こんなところでお目にかかるとは奇遇ですな。ご紹介しましょう。今、舞踊の世界で売り出し中の梅川雅志乃さん。先代家元の秘蔵っ子と言われたお師匠《つしょ》さんです。

名刺を交換し、公演が終わったあと、そのまま教授らと食事に行った。そのときはさほど話したわけでもなかったが、翌月、梅川流の舞の会の招待状が二枚送られてきて、才所はひとりで会場の国立文楽《ぶんらく》劇場に行った。

元々、才所は日本舞踊に特別な素養も興味もなかったが、このとき雅志乃の舞は、そんな彼にも強烈な印象を与えた。「雪」という地唄舞で、出家した元芸妓《げいぎ》が、雪の降る夜にかつての恋人を思って涙するという艶物《つやもの》らしいが、その場で意味はよくわからなかった。しかし、青い光の中、白い着物に黒のぼかしの紗張《しゃば》りの傘で舞う雅志乃は、美しい身体の線と手の返し、そして何よりふっと投げる独特の目線が、口では言い表せない深い情を感じさせた。

あまりの素晴らしさに、祝儀を携えて楽屋を訪ねると、雅志乃は鏡に向かって化粧を落としている最中だった。鏡越しに才所と目が合うや、少女のように照れ笑いを浮かべ、白粉《おしろい》と紅と眉墨《まゆずみ》が渾《こん》然《ぜん》となった顔で、「ちょっとお待ちいただけますか」と頭を下げた。

楽屋の通路で待っていると、お供を連れた家元らしき若い男性が足早に近づいてきて、荒々しく暖簾《のれん》を跳ね上げ、中に入った。

——今の……は何やねん。……勝手に……してからに。聞くも淋《さみ》しきひとり寝のも、だれがあないに大袈裟《おおげさ》な……。

切れ切れに聞こえてくるのは、家元の叱責《しっせき》のようだった。

——すんません。けど、わたしは男はんを思う芸妓の……。

——もう、よろし。

断ち切るように言うと、家元は楽屋から出てきて、才所に厳しい一瞥《いちべつ》を与えて去って行った。

——お待たせしました。どうぞ。

声に招かれて中に入ると、雅志乃は楽屋着の浴衣《ゆかた》姿で居住まいを正していた。

さっきの男性が家元であることを確認し、「だいぶ怒っていたみたいだけど」と気遣うと、「いつものことですから」と、ため息をついた。

改めて舞の感想を述べると、雅志乃は喜んで、「別のところでゆっくりお話を聞かせてください」と、着物に着替えてから才所を外へ連れ出した。トリに家元の舞が控えているのに、抜け出して大丈夫なのかと心配したが、雅志乃は意に介することもなく、通りがかりの小料理屋で、才所の率直な感想を聞き、嬉《うれ》しそうに微笑んだ。

——家元は、先代がわたしを特別扱いして、自由に舞うことを許してくれたんが気に入らへんのです。

このとき、才所は雅志乃が自分より十歳年下で、まだ三十代の前半であることを知った。


シャンパンの軽い酔いでリラックスした才所が、雅志乃に問う。

「二年も続けて家元への新年の挨拶《あいさつ》をすっぽかしたら、破門にならない」

「いいんです。今、わたしを破門したら、困るのは家元のほうやから」

昨年の会のあと、無断で先に帰ったことが家元の逆鱗《げきりん》に触れ、年末年始の挨拶には来なくていいと、雅志乃は半ば出入り禁止の状態になった。それを聞いた才所が、元々予定していたベトナム・フエでの休暇に彼女を誘ったのだった。

ホーチミンでのホテルは別室を取ったが、フエではひとつのヴィラに滞在した。才所が滞在したのは、白砂で有名なトゥアン・アン・ビーチに面した高級リゾートで、日本を離れてゆったりすごすには最適の場所だった。

「去年、君は飛行機の中でもずっと上方舞のことを話していたね」

「あのときは必死やったから」

知り合って間もない男に海外旅行に誘われたことを、まるで意識していないかのように、雅志乃は上方舞の将来を憂いた。今から思えば、雅志乃には彼女なりの思惑があったのにちがいない。

そうと知ったのは、フエのリゾートで最初の夜を迎えたときだった。食事のあとヴィラにもどり、シャワーを浴びて、バスローブを羽織ったまま抱き合ったとき、才所は雅志乃の背中に異様な感触を覚え、動きを止めた。

――先生やったらわかりはるでしょ。

雅志乃は才所の反応に呼応するように、後ろを向いてバスローブの背中をはだけた。一面、ケロイドになった皮膚が広がっていた。火傷《やけど》かと思ったが、形が不自然だった。

──刺青《いれずみ》を取ったんです。図柄は紅蓮《ぐれん》に鳳凰《ほうおう》。

驚いたが、才所はたじろぎはしなかった。指先でケロイドに触れ、穏やかに言った。

──十年近くたってるね。

雅志乃はバスローブをずらしたままの恰好で向き直り、才所を見つめた。

──もし、先生が動揺しはったり、わたしを特別な目で見たりしたら、明日、失礼するつもりでした。

そう言って、雅志乃はサイドテーブルに置いたバッグからプリントアウトしたeチケットを取りだし、「もういらないわ」と引き裂いた。

梅川雅志乃、本名・多田《たが》瑞希《みずき》は、福井県鯖江《さばえ》市の生まれで、四歳から日本舞踊を習い、九歳のときに大阪に転居して、梅川流に入門した。入門当時から才能を認められ、大人顔負けの表現力で七代梅川雅芳《まさよし》にかわいがられた。十一歳のときに両親が離婚。母親に引き取られたが、やがて母親は男と出奔し、父親とは連絡が取れず、見かねた家元が内弟子として引き取ってくれた。

中学生になると、上方舞という特殊な世界にいることでいじめに遭い、中学一年生の一学期に、いじめの首謀者だった女子の背中を包丁で刺すという事件を起こし、大阪府交野《かたの》市の女子少年院に収容された。

三年の処遇で退院したあと、一旦は母方の親戚に引き取られたが、すぐに家を飛び出し、女子少年院で知り合った少女の伝手《つて》で、尼崎《あまがさき》に事務所を構えるヤクザの若頭の愛人になった。背中に刺青を入れたのは、自分の意志を示すためだ。十八歳で正式な夫婦になったが、翌年、夫は暴力団同士の抗争で殺害された。瑞希は組織を離れ、北新地《きたしんち》のクラブでホステスとして働くようになった。たまたま店に「上方舞友の会」の関係者が来て、多田瑞希だと気づき、家元に報《しら》せてくれた。すぐに家元が迎えに来て、瑞希はふたたび内弟子にしてもらえることになった。一から稽古《けいこ》をしなおし、二十四歳で名取の免状と、雅志乃の芸名をもらったのだった。

刺青を除去したのはその少し前だったが、過剰なレーザー治療が原因で、広範囲のケロイドになってしまった。幸い、外からはわからないので、舞うことには支障はなく、師範の免状をもらって上方舞教室を開くと、多くの弟子を集めるようになった。家元には評価されたが、兄姉弟子からは疎まれ、陰に陽に嫉妬された。

六年後、七代雅芳ががんで亡くなると、跡を継いだ息子の八代雅芳は、雅志乃の自由な表現にダメ出しをして、何かにつけその活動を妨害した。一時は雅志乃も八代雅芳の意に沿うよう努力したが、彼の苛立ちが嫉妬のせいと気づいてから、彼女は自分の舞を舞うことに心を固めた。ほかの伝統芸能ともコラボしながら独自の会を開くことで、梅川雅志乃の名は徐々に世間に浸透し、その彼女を正当な理由なく破門すれば、それこそ家元が詮索《せんさく》される状態にまでなっていた。

「今回は先生に聞いてもらいたいことがあるんです。そやから、観光はやめにして、ヴィラでゆっくりすごしましょう」

昨年の滞在で、世界遺産に認定されたフエの王宮やカイディン帝廟、フォン川沿いのティエンムー寺など、主立った名所は観光ずみだった。

「私も君とゆっくりすごすほうがいい」

クリニックの理事の前では「俺」を使うが、雅志乃には「私」と言った。それは彼女に対する敬意の表れでもあった。才所にとって、雅志乃は単なる交際相手ではなく、ある種の同志という思いがあった。雅志乃は伝統に縛られない上方舞の発展に情熱を注いでいる。才所もまた、新しい医療のあり方を模索している。それは、だれもが最良の医療を受けられるというような絵空事ではなく、もっと現実的で質の高いものだった。

14

ホーチミンではパークハイアットに泊まり、ホテルの庭を散策したり、スパでゆっくりしたりしてすごした。

翌日、ホーチミンからフエまではベトナム航空の国内線で飛び、フエのフバイ国際空港には午後一時に着いた。そこから専用のリムジンでリゾートまで約四十五分。

荷物をボーイに任せて、紫檀《したん》らしい飾り柱をふんだんに使ったロビーに入るや、雅志乃は、「ああ、この香り。前のときと同じやわ」と、小さな歓声をあげた。パクチーと麝香《じゃこう》をまぜたような香りには、才所にも覚えがあった。

チェックインをすませて、しばらく休んだあと、才所は半袖《はんそで》のポロシャツとバミューダパンツに着替えて、プライベートビーチに出た。椰子《やし》の葉で葺《ふ》いた日よけの下で、ルームサービスにビールを頼み、カウチに横になった。気温は摂氏二十五度。快晴で、色の濃いサングラスをかけていても、目の前に広がる白い砂が眩しかった。

雅志乃は上下ともスウェットに着替えて、リゾート内のフィットネスに向かった。トレーニングを欠かすと、すぐに舞に影響が出るらしい。

雅志乃を待つ間、才所は波打ち際に出て、戯れに濡れた砂で城を作った。神戸に住んでいたころ、須磨《すま》の海岸で父親が教えてくれたものだ。土台を作り、城壁を立ち上げて、大屋根を造る。徐々に高めて、中央の円筒に水を含んだ砂を垂らして持ち上げると、見事な尖塔《せんとう》ができあがる。

手や膝《ひざ》についた砂を払ってカウチに身を横たえると、雅志乃が浴衣に着替えて出てきた。

「あのお城、先生が作りはったんですか。すごいリアル」

「引き潮のモン・サン＝ミシェルみたいだろ」

「上方舞も、世界遺産みたいにずっと残るとええのやけど」

雅志乃がため息まじりにつぶやいた。彼女は聞いてもらいたいことがあると言っていたはずだ。才所は身を起こし、雅志乃の言葉を待った。

「残るためには、世間の人に楽しんでもらわんといかんのに、家元は狭い世界に閉じこもって、目が向いてるのは、文化庁とか日本芸術院のお偉方ばっかりなんです」

「果ては人間国宝でも目指してるんじゃないか」

雅志乃は小さく失笑すると、浴衣の襟をすっと引き締めた。

「わたしはもっとたくさんの人に、上方舞のよさをわかってもらいたいんです。伝統も大事やけど、今の人に伝わらへんかったら、上方舞そのものが消えてしまうんやないかと」

「伝統芸能はどれも〝絶滅危惧《きぐ》種〟だからね。でも、歌舞伎のように頑張ってる芸能もある。君だって頑張ってるじゃないか」

「まだまだ足りません。もっと枠を広げて、新しい表現に挑戦したいんです」

「どんな」

「新作です。伴奏も三味線や琴でなく、西洋楽器とのコラボを考えてます」

「もう準備を進めてるんだね。新しい芸能を創《つく》るってこと？」

「共演者と話し合って、来年の五月に公演できればと考えてます。新しい芸能とまではいきませんけど、上方舞の新たな表現を模索してみるつもりです。どうでしょうか」

「どうと言われても困るけど――」

才所は言葉を切って、思ったことを口にした。

「私に言えることは、わかりやすさと質の高さは両立しにくいということだ。わかりやすいものは単純で底が浅く、深くて質の高いものはわかりにくい。家元がお偉方にばかり目を向けるのは、世間の理解のなさに失望しているからじゃないか」

それは才所自身が医師として感じていることでもあった。世間の無理解、過度な要求、理想の押しつけ。

「けど、世間に受け入れてもらえへんと、芸能の存在意義はないんやないですか。理解されへんのを相手のせいにしてたら、先はないと思います」

それは医療も同じだ。患者に受け入れられなければ、医療にも先はない。

「君は思う通りにやってみればいいんじゃないか。動かなければはじまらないからね。私は精いっぱい応援するよ」

「ありがとうございます」

雅志乃は少し安心したような顔になり、カウチに横たわった。しばらくして、首だけ持ち上げ、波打ち際を見る。

「あのお城、ほんまにきれい。砂の宮殿ですね。あれやったら、だれが見ても感心するわ。わたしもそんな舞を実現したい」

才所が作った砂の造形は、だれもいない浜辺で堂々としたシルエットを見せていた。

15

翌日の大晦日《おおみそか》、才所は日光浴をしたり、ビーチでビールを飲みながら本を読んだりしてすごした。雅志乃が評した砂の宮殿は、夜の満ち潮で跡形もなく消えていた。

雅志乃は午前中、フィットネスで汗を流し、午後はスパでトリートメントを受け、ヒーリングルームで才所とともにオイルマッサージを受けた。

夜はロビーで催しがあり、琵琶《びわ》のような弦楽器や横笛、竹製の大がかりな木琴の音楽に合わせて、中国風の獅子舞《ししまい》が三頭、互いに絡み合うような踊りを見せてくれた。

ベトナムではテトと呼ばれる旧正月のほうが盛大に祝われるので、元日には特別な催しはない。才所と雅志乃は、午後、気分転換にリムジンで市街に出た。フォン川にかかる橋を渡って、旧市街を散策すると、浴衣姿の雅志乃は観光客と地元民の両方から注目を集めた。

ふたたびリムジンでリゾートにもどり、夕食はリゾート内のラグーンレストランで軽めのフレンチにした。植民地時代の名残で料理は本格的だった。ワインはベトナム産のダラットの白を頼んだが、これも悪くはなかった。

メインの鴨が終わったところで、才所が聞いた。

「雅志乃は先代の家元の内弟子になってたんだろ。そのとき、息子である今の家元に、背中は見られなかった？」

「内弟子にしてもらうときに先代の家元には見せましたけど、だれにも気づかれんようにしなさいと言われて、注意してましたから」

「先代は君には父親代わりだったんだね」

懐かしそうにうなずいてから、雅志乃が訊《たず》ねた。

「先生のお父さまはどんな方ですか」

何気ない会話だったが、才所はすぐには答えられなかった。その間を補うように雅志乃が問うた。

「やっぱりお医者さまですか」

「いや。医者じゃない。検事だった」

「だったというのは……」

「ずいぶん前に亡くなってね」

雅志乃は察しよく、それ以上聞こうとはしなかった。

デザートにフルーツの盛り合わせが出て、雅志乃は「これ、ドラゴンフルーツですね。珍しい」とはしゃいだ声を出した。才所も皿に目をやったが、雅志乃がどれを指したのかわからなかった。胸中を占めていたのは、父良彦《よしひこ》のことだった。

父は優秀な検事だったが、母からはいつも弱い人だと言われていた。威張らず、自慢もせず、思いやりのある人だったが、その最期を思うと、やはり弱いところもあったのかもしれない。

父は五十三歳のときに直腸がんになり、阪都大学病院に入院した。才所が外科医になって四年目のことだ。才所が主治医になったが、肝臓に転移が見つかり、根治は無理だとわかった。医者は患者に事実を伝える義務がある。そう思った才所は、父にすべてを話した。余命を告げるのはつらかったが、患者には知る権利があるのだ。だから、言った、もう長くは生きられないと。だけど、まだ時間はある、今のうちにしたいことをしたほうがいいと。

父は言った、そんなことを聞きたいんじゃない、どうやったら治るのかを聞きたいんだ、肝臓に転移しているのなら、それも手術で取ってくれ。

それは無理だ、意味がないだけでなく、かえって命を縮めると、才所は言った。父は、ちがう、おまえはまちがっている、おまえは何もわかっていないと怒鳴った。あの温厚な父が、息を切らして声を荒らげた。だから才所も言い返した、医学的には俺の言うことが正しいんだ、どの医者に聞いても同じことだと。

才所の胸に、あのときの苦しい思いがよみがえる。検事でインテリだったはずの父が、どうして医学的に正しい事実を受け入れられなかったのか。まだ人生の半ばという思いがあって、死を受け入れられなかったのか。いくら拒んでみても、現実は変わらないのに。

手術の適応がなかったので、父は在宅ホスピスに切り替えることになった。そして、家に帰って五日後、秘かにため込んでいた睡眠薬をのんで、父は自殺した。

才所に宛てた遺書にはこうあった。


『おまえは、患者の気持ちがわかっていない。

悲観的なことを次々聞かされるのが、どれほどつらいか。

患者は希望を持ちたいんだ。

医学的に正しいことなんか聞きたくない。

根拠があろうがなかろうが、そんなことは関係ない。

絶望するようなことは聞きたくないんだ。

ほんのわずかでも、生きる可能性を知りたかった。

嘘でもいいから、希望を持たせてほしかった』

ショックだった。がんで弱った父の文面は、あまりに痛々しかった。根治は無理でも、父には最善の治療をするつもりだった。それが逆に父を死に追いやった。少しでもいい医者になるよう努力していたのに、実際は患者の気持ちを理解しない最低の医者だったのだ。

それからだった、才所が医療で最優先すべきは、患者の希望だと確信したのは。ロボット手術の腕を磨いたのも、CCC法《トリプルシー・メソッド》の研究に打ち込んだのも、すべてはそのためだ。少しでも患者を救える医者になる。たとえ救えない患者がいても、希望だけは失わせない。

才所にとって、父は大切な人だった。たとえ相手が雅志乃でも、父のことを簡単には話せない。

重苦しい沈黙を、雅志乃がどう捉えたのかはわからなかった。詰め襟のボーイがデザートの皿を下げにきて、コーヒーか紅茶か、どちらがいいか訊ねた。

「コーヒーを」

ほとんど機械的に答えると、雅志乃は「わたしはお水で」と、注文を断った。

ボーイが引き下がっても、沈黙は続いた。この得体のしれない苦悩は、自分ひとりで背負っていくしかない。

そう思ったとき、雅志乃がぽつりと言った。

「先生もいろいろあるんですね。わたしも同じやけれど」

彼女は彼女で、自分の将来に不安と恍惚《こうこつ》の両方を抱いているようだった。

16

その後、才所と雅志乃は正月二日にフエを発ち、往路と同じくホーチミンで一泊したあと、予定通り三日に帰国した。

才所は雅志乃と関空で別れたあと、クリニックに顔を出したが、アルバイト医に任せておいた病棟も問題はなく、年末年始は平穏だったようだ。

ほかの理事たちも、趙は大阪に残っていたが、有本はアメリカの友だちとデンバーでスキー、唯一の家族持ちである小坂田は、オーストラリアのゴールドコーストで家族サービスというすごし方だった。

日本にもどればすぐさま日常がはじまる。

月はじめの全体ミーティングのあと、六日に開かれた理事のミーティングでは、趙が年末からシェイク・ファイサルにはじめた抗がん剤治療の経過を報告し、有本も前日から腹膜転移へのBNCTをはじめたと告げた。

二回目のミーティングも特に変わりはなかったが、三回目の今日、才所は浮かれた気分でミーティングルームに向かった。午前中にシンガポールのドクター・リーから、新たな患者の紹介があったからだ。

ドクター・リーは、才所のシンガポール時代の知人で、富裕層を相手にプライベート・クリニックを開いている。才所がカエサル・パレスクリニックを開いたあとも、この五年間に十人以上、シンガポールや香港《ホンコン》、マレーシアからの患者を紹介してくれた。紹介料が治療費の三〇パーセントというのは高額だったが、その患者のつながりで、新たに治療を依頼してくる患者もあり、カエサル・パレスクリニックへの貢献度は高かった。

ミーティングルームに入ると、趙が浮かない顔でiPadの画面を見ていた。

「どうしたんだ」

「あの朴《パク》という患者の夫が、また連絡してきて」

昨年の十月、ソウルの土地成金、朴正安《ジョンアン》の妻が、骨髄異形成症候群《こつずいいけいせいしょうこうぐん》の治療でクリニックを受診した。血液疾患なので、手術もBNCTも適応がなく、七十八歳という高齢のため、骨髄移植もできず、治療はもっぱら抗がん剤に頼らざるを得なかった。

趙は高速次世代シークエンサーを使って、患者の腫瘍《しゅよう》細胞の遺伝子変異を突き止め、スプライシング阻害剤という治療で、白血病への移行を七八パーセントまで抑えられる状態にもっていった。患者は退院して韓国に帰ったが、十二月に白血病を発症し、急激に状態が悪化して、一週間前にソウルで亡くなったのだ。クリニックに支払われた治療費は一億五千万ウォン。日本円にして、約一千五百万円。

「三日前の電話で、なぜこんなことになったのかと聞いてきて、白血病への移行について詳しく説明させられました。それでいったん納得したようだったのですが、先ほどまた電話があって、今度は詐欺罪で訴えると言ってきたんです」

「詐欺罪？　なんでまた」

「一億五千万ウォンも払ったのに騙《だま》された、カネを返せ、返さなければソウルの法院に訴えると言ってるんです」

「どうしてそうなるんだ」

才所があきれると、趙の向かいに座った有本が憂うつそうに口を開いた。

「困るわよね。いくら高度な治療をしたって、患者さんは常に結果がすべてだから」

「趙は必ず治りますとかは言ってないんだろう」

「もちろんです。治療費の額だって、先方から提示してもらうようにしましたから」

これは訴訟に備えて、才所が理事たちに徹底させていることだ。

「仮に九五パーセント助かる見込みがあっても、五パーセントは死にますからね。目の前の患者がどちらに入るかは、神のみぞ知るというやつですよ」

ドライな小坂田が他人事のように言い、「へへっ」と嗤《わら》った。

「いずれにせよ、この件は問題ないんじゃないか。時間がたてば落ち着くだろう」

才所は自分のｉＰａｄを操作しながらみんなに言った。

「それより、今日はいい報せがあるんだ。ドクター・リーからメールが届いた。ビッグオファーだ」

「またシンガポールの金持ち華僑《かきょう》ですか」

小坂田が茶々を入れる。才所は人差し指を立てて小さく振り、思わせぶりに笑った。

「ブルネイ王室の王女だ」

「ブルネイ？　あの石油の上に浮いてると言われる国ですか」

「石油だけじゃなくて、天然ガスも豊富なはずよ。国民の生活水準は世界最高と言われてるわ」

小坂田と有本が声をあげると、趙も元気を取りもどした顔になって、素早くｉＰａｄで検索した。

「ボルネオ島の北に位置する小国で、ブルネイ王室は地球上でもっとも裕福だと言われてますね。国王の純資産は三兆円超えで、サウジアラビアの国王をも凌いでいると」

「てことは、治療費もそれに見合ったものになるってことですね」

小坂田がいつものだらしない座り方を改めて、身を乗り出した。

「その前に患者でしょう。ドクター・リーの紹介って、どんな患者さん」

有本が小坂田を諫《いさ》めて聞くと、才所はおもむろにメールの内容を公表した。

「患者はプリンセス・スハナ・ビンチ・アフマド。二十八歳。母親が国王の家系らしい。診断はスキルス性胃がん。ステージⅣだ」

「根治の可能性はあるの」

「二十代のスキルスは進行が速いのが多いですからね」

有本と趙が不安の声をあげる。

「いずれにせよ、詳細はデータが送られてきてからになるが、うちとしては引き受けたいと思っている。治療費の申し出は一千万ブルネイ・ドルだ」

「って、日本円にしていくらよ」

有本が聞き、趙が素早くレートを調べる。

「まだ円安ですから、約十億円です」

「嘘でしょ。あり得ない」

たしかにこの額は、開院以来、最高の治療費だ。

「いや、あり得ますね」

断言するように言ったのは小坂田だった。

「ずいぶん前だけど、ブルネイの王子がマライア・キャリーに、六億円の指輪をプレゼントしたってニュースがありましたから」

「それなら、王女のがんの治療に十億くらいは軽く出すわね」

「ただし、今回は後払いだそうだ。うちのポリシーに反するが、破格の治療費だし、王族相手だから致し方ない。一応、了承した」

「ちょっと待ってください。ドクター・リーからの紹介ということは、紹介料はいつも通り三〇パーセントですか。ってことは三億円！　それこそあり得ない。才所先生、マジでそんなに払うんですか」

「契約だからな」

「紹介料は歩合にせず、固定費にしてもらいましょうよ。五万米ドルくらいでどうです」

小坂田の言い分もわかるが、実際にドクター・リーを知る才所は、それでは話にならないと思う。

「小坂田。損して得取れという言葉があるだろ。ドクター・リーは商売人なんだ。今回の話も、うちに持ってきてくれたのは紹介料がいいからだよ。富裕層相手のプライベート・クリニックは世界中にあるんだ。うちが紹介料を値切ったりしたら、ドクター・リーは次からいい患者をまわしてくれなくなるぞ」

「十億円が七億になると思うから、損した気分になるのよ。はじめから七億円だと思えば、それでも破格でしょう」

有本の忠告に、小坂田が舌を出した変顔で応じる。

「いずれにせよ、新年早々、さい先のいい話じゃないか。今年も頑張って、しっかり治療に励もう」

才所は上機嫌でミーティングを終えた。

17

翌週の月曜日、クリニックに招かれざる客が訪ねて来た。福地正弥の妻、登子である。

受付から連絡を受け、六階に上がってもらうよう指示して、才所がエレベーターの前で待っていると、扉が開くや、体型を隠すためのヒラヒラのついた上着姿の登子が現れた。

「突然、うかがいまして申し訳ございません。どうしても、才所先生にお聞きしたいことがありまして」

応接室に招き入れると、せかせかとソファに腰を下ろし、才所が座るのを待ちかねたように話しだした。

「主人のことなんですが、先週の金曜日、阪都大学病院の河村《かわむら》教授からお電話をいただきまして、ご存じでしょう、循環器内科の河村教授。主人が午前に診察の予約を入れていたのに来ないので、どうしたのかという問い合わせでした。先月、主人は心臓発作で亡くなりましたとお伝えすると、河村教授はたいそう驚かれて、それはおかしい、そんなはずはないとおっしゃって。河村教授は主人が亡くなる二日前に、心電図と心エコーの検査をしてくださっていたそうなんです。持病の心房細動以外、何も異常がなかったのに、そんな突然に心臓発作を起こすとは考えられないとおっしゃって」

登子の話を聞きながら、才所は強烈な香水のにおいに、何度も鼻をつまみたくなった。

「でも、心房細動はあったのでしょう」

「だけど河村教授によれば、心房細動は特に問題のない不整脈で、心臓発作につながるものではないと。あのとき、才所先生のご説明では、脳には異常なかったということでしたわよね。だから、心臓発作の疑いが強いと。でも、河村教授は病気で急死することは考えにくいとおっしゃるんです」

「病気でなかったというなら、いったい何が――」と問いかけて、才所はいかにも馬鹿げたことのように笑った。

「奥さま。事前の検査で問題なくても、発作があり得ないとは言いきれませんよ。検査はその時点での状態で、特に心電図は発作の直前まで正常なこともありますから」

「ですが、河村教授がおっしゃるには、トレッドミルというんですか、ベルトコンベアの上を歩いてする負荷心電図でも、異常はなかったそうなんです。だから二日後に心臓発作で亡くなるなんて、とても信じられないと」

どう答えたものか。戸惑っていると、登子が意外なことを言った。

「あの日、主人を家に連れて帰りまして、翌日、葬儀屋さんに湯灌《ゆかん》をしてもらったんです。そしたら、葬儀屋さんがあたくしを呼んで、左胸に針で刺したような傷があるから、確認してくれと申しまして。見ますと、たしかに心臓のあたりに一ミリほどの傷がございました。でも、才所先生から心臓に直接、強心剤を注射したとうかがっておりましたので、そのときの傷跡ですと、葬儀屋さんには説明したのです」

「たしかに心腔《しんくう》内投与をしましたからね」

「その話を河村教授にも申し上げたんです。そうしましたら、それもおかしいとおっしゃって」

登子は才所の表情をうかがうように、眼鏡をずらして上目遣いをした。

「心臓に直接注射するときは、ふつう23G《ゲージ》というんですか、極細の注射針を使うので、注射痕《こん》はほとんど残らないそうですね。あたくしが一ミリほどの傷でしたと申しますと、そんなはずはないとおっしゃって」

「ああ、それはちょっとした誤解ですね。たしかに心腔内投与は23Gや21Gの細い針を使うことが多いですが、通常の注射針では心臓まで届かないので、カテラン針という長い針を使うんです。長ければ当然、抵抗も大きいですから、あのときは18Gの太い針を使ったんです。そのほうが一気に薬液を注入できますからね。残念ながら、結果的には福地先生の心臓を蘇生させることはできませんでしたが」

才所が説明すると、登子は「そうでしたか」と、眼鏡を元にもどした。

まだ不審そうにしているので、才所はiPadを持ってきて、福地の電子カルテを開いて見せた。

「これが福地先生の脳の断層撮影です。出血や梗塞があれば写りますが、どこにも異常はありません。次は心電図ですが、クリニックに来られた時点では心房細動と、低電位といって心臓の活動が弱っていることを表す所見のみで、大きな変化はありません。血液検査はあとに結果が出ましたが、死亡につながるような異常は見られませんでした。万一を考えて毒物の可能性も考えましたが、その疑いはありませんでした」

「でも、心臓が止まる前にも、心電図に異常はなかったのですか。心筋梗塞なら、変化が出るのじゃありませんか」

鋭い指摘に、才所はちょっと意表を衝《つ》かれる。

「おっしゃる通りです。河村教授がおかしいとおっしゃったのも、それが理由でしょう。私があのとき、急性の心筋梗塞を疑ったのはいわば消去法で、ほかに考えられることがなかったからです。心筋梗塞なら心電図に変化が現れるはずですが、稀《まれ》に変化が確認できないケースもありますから」

「でも、それは心臓が止まったときのことでしょう。主人が倒れたのは駅ビルのトイレじゃないんですか。そのときは心臓は動いていたのでしょう。だったら、どうして主人は意識を失ったんですか」

鋭い理詰めの質問に、才所はかすかにたじろいだ。その反応を誤解したのか、登子は慌てて取り繕った。

「別に医療ミスを疑っているわけではございませんのよ。才所先生をはじめ、クリニックの先生方が、懸命に主人を助けようとしてくださったことには、心より感謝しております。ただ、あたくしにはどうしても主人の急死が不自然としか思えないのです」

「不自然、と申しますと」

「はっきり申し上げます。主人はだれかに殺《あや》められたのではないかと」

「殺められた？　まさか、そんな」

あきれてみせたが、登子は表情を変えなかった。

才所が改めて問う。

「穏やかではないですね。何か根拠があっておっしゃっているのですか」

「根拠とまでは申せませんが、怪しい状況があったのではありませんか。こちらのクリニックに主人が運ばれてくる前に」

なるほど、そういうことかと、才所は合点してうなずいた。

「つまり、草井さんが福地先生の意識を失わせたと」

登子は派手なルージュの唇を引き結び、じっと才所を見た。才所は首を傾げて言う。

「どうでしょう。もしも草井さんが、何らかの意図で福地先生に危害を加えようとしたのなら、わざわざクリニックまで運びますかね。あのとき、なぜ救急車を呼ばなかったのかと訊ねたら、こちらのクリニックに運ぶほうが早いからとおっしゃってましたよ。それは取りも直さず、福地先生を助けようと思ったからではありませんか」

「でも、主人が倒れたときに、そばにいたのはあの人だけなんでしょう」

草井の名は、あくまで口にしたくないようすだった。

「草井さんの説明では、福地先生はひとりでトイレに行かれて、草井さんは切符売り場で待っていたけれど、もどって来ないのでようすを見にいったら、倒れていたとのことでした。もちろん、これは草井さんの言い分を信じればということですが」

「主人がトイレに行ったあと、あの人が後ろからつけて行って、襲ったということは考えられませんの」

「どうでしょう。防犯カメラにでも映っていれば別ですが」

「調べていただけません？　仮にあの人が襲ったのでなくても、別のだれかが何かしたのなら、きっと映っているでしょうから」

「わかりました。駅ビルのほうに問い合わせてみます。何かわかったら、すぐに連絡いたしますから」

「お願いいたします。お手数ですが、どうぞよろしく」

そう言うと、登子はそそくさと立ち上がり、慌ただしく応接室を出て行った。

18

理事長室にもどると、受付で来客のことを聞いたらしい小坂田が入ってきた。

「厄介なお客だったみたいですね」

「ちょうどいい。趙とイチコも呼ぶから座ってくれ」

三人が揃うと、才所は登子が持ち込んだ話を伝えた。亡くなる二日前に、福地は阪都大学病院で心臓の検査を受けていて、心房細動以外、問題がなかったらしいと告げると、三人は一様に怪訝《けげん》な表情を浮かべた。

「検査に問題がなくても、発作が起きることはあり得るでしょう。あのお歳なんだし」

小坂田が言うと、「たしかに」と趙も同意した。

「でも、夫人は納得していないんだよ。こちらとしても説明のしようがないんだが」

「だから、解剖すべきだったのよ」

有本が自分の主張の正しさを再確認するように言い、才所を見た。

「まあ、そうなんだが、今さらそれを言ってもはじまらない。夫人が来たのは実は草井さんを疑ってのことらしい」

「疑うって、何をです」

「殺害だよ」

ストレートに答えると、小坂田は、「へっ」と頓狂《とんきょう》な声を出した。

「そんなことあり得ますか。それじゃあ草井さんにとっては父親殺しじゃないですか」

小坂田の言葉に、才所は黙り込み、趙は眉をひそめ、有本はバカバカしいというように首を振った。

「夫人は駅ビルの防犯カメラの映像を調べてほしいと言ってる。もし、草井さんが犯人なら、映ってるはずだからって」

「草井さんは福地さんが倒れたあと、すぐこのクリニックに運んできたんでしょう。殺害するつもりなら、矛盾しているじゃない」

「イチコの言う通りだ。俺もそう言ったんだが、夫人は納得しなくてな。仮に草井さんでなく、ほかのだれかが何かしたとしても、映っているはずだからって」

「ほかのだれかって、夫人はほかにも疑っている人がいるんですか」

趙が不安げに聞くと、才所は「さあ」としか答えなかった。

小坂田が本格ミステリーの作者にでもなったような口調で言う。

「まずはアリバイのはっきりしている人間から除外すべきですね。福地先生が帰ったあと、駅ビルのトイレでだれかに襲われたのだとしたら、才所先生と私はシロだな。二人ともこの部屋にいたんだから」

「それならわたしも同じよ。あの日は午後から早退したんだもの」

「いや、自己申告はアリバイになりませんよ。有本先生がご自宅にもどったという証拠はありませんから」

「わたしが家に帰ったふりをして、駅ビルにひそんで福地さんを襲ったとでも言うの。ふざけないで。なんでそんなことを」

「セクハラ事件の復讐とか」

有本は本気で表情を変え、鋭い舌打ちで空気を凍らせた。

「冗談ですよ。ただ、有本先生がご自宅にもどったことを証言してくれる人がいれば、アリバイ成立なんですけどね」

「そんなのいないわよ、独り暮らしなんだから。通勤も車だからだれにも会ってないし」

「ドライブレコーダーは？」

「あるけど、一カ月も前の記録なんて残ってないわよ」

「しかし、有本先生が自宅にもどったことを、疑う理由もないので信じることにしましょう」

小坂田が言い、趙にも同じ口調で続けた。

「あのとき、趙先生はたしか五階の患者を診察に行ったんでしたよね。だったら、その患者さんに証言してもらえますね」

趙は答えない。才所は福地が運び込まれてきたとき、受付から知らせを受けた自分たちより先に、趙が一階にいたことを思い出して、無言の問いかけを向けた。

「実はあのとき、患者さんを診察していたら、スマホで知り合いに呼ばれて、一階に下りたんです」

「知り合いなら、君の部屋に上がってきてもらえばいいじゃないか」

才所が言うと、趙は口ごもりながら答えた。

「先方が外で会いたいと言ったので、駐車場に出たんです」

「知り合いって、だれなの」と有本。

「大叔父《おおおじ》の会社の関係者です」

「どうして君を呼び出す必要があったんだ」

才所が聞くと、趙は、「大叔父のグループ会社のほうで、なんだかもめ事があったようで」と、言葉を濁した。

「いずれにせよ、いざとなったら、趙先生はその人にアリバイを証明してもらえるわけですね」

小坂田が話をもどし、「万一、我々が疑われたとしても、全員アリバイありということで、夫人に納得してもらえるんじゃないですか」

「アリバイがあるだけじゃなくて、そもそも福地さんを殺害する動機がないじゃない。腹立たしいことはいろいろあっても」

有本が言うと、才所はさらに声を強めて言った。

「草井さんにしたってそうだろう。噂がほんとうなら、福地先生は草井さんにとっては実の父親なんだから、我々以上に動機はないだろう」

「いや、あります」

小坂田が断言するように言ってから、ほかの三人の顔を見まわしてニヤリとした。

「実の父親なら、遺産相続があるでしょう」

19

「もしもし、……はい。ですから防犯カメラの映像は保存期間が一カ月なので、福地先生が亡くなられたときの映像は、すでに消去されているようなのです。残念ですが……。いえ、防犯カメラの位置は教えてもらえませんでした。トイレの出入口付近にあるのかどうかも……、いずれにせよ、映像が保存されておりませんので……」

才所はデスクの椅子にもたれ、空しく天井を見上げた。電話の相手は福地登子で、先ほどから何度も同じことを説明させられていた。

「福地先生のお名前は、もちろん言っていません。どこから情報がもれるかわかりませんからね。……おっしゃる通りです。もう少し早くに手を打っていれば。……え、草井さんの動きですか。いや、そもそも防犯カメラの映像が保存されていないので、何とも……。ええ、二日前の検査で問題がなかったことはお聞きしました。私も納得がいきませんが、ほかに考えようもないので……。はい、そうです。胸の針の傷跡は、先日、ご説明した通りで……」

登子はいくら説明しても納得せず、繰り言のように夫の死に関する不審を述べ続けた。半ば強引に通話を終え、時計を確認すると二十分ほどもたっていた。

ため息がもれる。

登子への電話でひとつ片付いたが、もうひとつ、別の問題が才所を悩ませていた。

ブルネイ王女の検査結果が出揃ったからと、ドクター・リーから送られてきたデータが、事前に聞いていた話とちがっていたのだ。

プリンセス・スハナの胃がんは、スキルス性（ボールマン4型）でステージⅣのはずだった。しかし、送られてきた胃カメラの画像は、スキルス性より治癒の可能性が高いボールマン2型だった。さらに、CTスキャン、PET、MRIの検査では、肝転移や腹膜転移の所見はなく、ステージはどう見てもⅡのAかBだった。

治癒の可能性が高いのはいいが、問題は患者と家族への説明だ。才所がドクター・リーに電話で問い合わせると、中国語訛《なま》りの英語で返ってきた答えは唖然《あぜん》とするものだった。

《胃カメラの所見がボールマン2型で、遠隔転移がないのはその通りだ。しかし、本人と家族には、スキルス性胃がんでステージⅣだと告げてある。そのほうが危機感が高まって、治療が成功したときのありがたみが増すだろう》

《治療の恩を売るために、わざと悪い病名を告げたんですか》

《それで相手は喜ぶんだからいいじゃないか。心配な病気だと思うからこそ、わざわざ日本まで行く気になったんだ。ボールマン2型だとわかったら、シンガポールの病院で手術を受けると言い出すぞ》

医療に飽くなき商魂を持ち込むドクター・リーなら、やりかねないことだと、才所は唇を噛《か》んだ。

《プリンセス・スハナと家族には、君のクリニックの〝集学的先進治療〟がいかに素晴らしいかを、存分に宣伝しておいた。家族もフルコースの治療を望んでる。だから、完璧《かんぺき》な治療で一族を喜ばせてやってくれ。後々ということもあるからな》

電話の向こうで、満面の笑みを浮かべるドクター・リーの饅頭《マントウ》顔が見えるようだった。

才所としては、なんとかこの話を前に進めたい。しかし、理事たちに事実を隠したままにはできない。

才所はミーティングルームに三人の理事を集め、臨時のカンファレンスでプリンセス・スハナの検査データを伝えた。プロジェクターに胃カメラの画像を映し出すと、即座に反応したのは有本だった。

「何、これ、ボールマン2型じゃない。別人のフィルムじゃないの」

「いや、本人の所見だ。ついでにこれも見てくれ」

画像を切り替え、CTスキャン、MRI、PETの画像を映し出す。

「肝転移も腹膜転移も見当たらないじゃないですか。これでステージⅣって、どういうことです」

小坂田も頓狂な声をあげ、趙も不審な表情を才所に向ける。

「俺もおかしいと思ったから、ドクター・リーに問い合わせたんだ。そしたら、正しい診断はボールマン2型の胃がんで、ステージはⅡBだと認めた」

「じゃあ、最初の診断は何だったの」

有本が早くも詰め寄る。才所は自分もあきれているのだと意思表示をしながら、ドクター・リーの言い分を説明した。

「何それ。患者さんと家族を騙して、ありがたがらせるということ。医療を何だと思ってるの。信じられない」

有本に続き、小坂田はだらしなく腹を突き出しながら、「強欲なドクター・リーの考えそうなことだ」と嘲《あざけ》った。

「で、ジュンはどうするつもり。当然、この話は受けないわよね」

「そう言いたいところだが、ドクター・リーとはいろいろしがらみもあるからな」

「じゃあ、患者さんを騙したまま受け入れるの？　わたしはぜったい反対だからね」

有本は横を向き、交渉の余地はないとばかりに唇を結んだ。

「しかし、このまま断るのももったいないですよね。王女の治療がうまくいけば、ブルネイ王室を顧客に持てるんだから、理事長としては、ぜひとも受け入れたいところでしょう。治療費だって破格なんだから」

小坂田が言うと、「お金の問題じゃない。信義の問題よ」と有本がにらみつける。

才所が聞くと、趙はちょっと考え、「僕はどちらでも」と、曖昧《あいまい》な返事をした。有本が反射的に噛みつく。

「趙はどう思う」

「どちらでもって、どういうこと。ボンジェは患者さんを騙して治療をすることをよしとするの。見損なったわ」

「別によしとするわけじゃ……」

弁解しかけた趙を遮って、小坂田が皮肉っぽく言う。

「むかし、日本でもがんの告知をしていないときは、医者は患者を騙して嘘の病名を告げてたんだし、今だって、都合の悪いことは言わないでしょう。新米の外科医が執刀をするとき、僕、はじめてなんですとか、新しい治療法を試すとき、過去に何人死亡例があるとか言いませんからね。へへっ」

「わたしは全部言うわよ。嘘はぜったいにつかない」

有本がムキになって言い返す。

才所はふと父のことを思った。これは父のときとは逆のケースだ。患者が思っているより、実際のほうがいいのだから、ほんとうのことを告げるのは簡単だ。しかし、そうするとドクター・リーの顔をつぶすことになる。彼は決してそれを受け入れないだろう。

「俺もこのまま患者を受けるつもりはないよ。イチコの言う通り信義の問題だからな」

「だったら、ほんとうの病名を言うのね」

有本の念押しに、趙が才所の懸念を代弁する指摘をする。

「王女にほんとうの診断名を告げたら、ドクター・リーは誤診したということになりますね。王女の一族はドクター・リーを信用しなくなるでしょう。そのことが耳に入ったら、ドクター・リーは激怒するんじゃないですか」

有本が平然と言い捨てる。

「仕方ないんじゃない。そもそも嘘の診断名を告げたドクター・リーが悪いんだから」

「そう簡単に言うなよ。ドクター・リーを怒らせたら、患者を紹介してこなくなるだけじゃなくて、あることないことうちの悪評を言いふらして、全力で営業妨害をしてくるぞ」

味方には便宜をはかるが、いったん敵にまわるや、相手の息の根を止めるまで執拗《しつよう》に攻撃するのがドクター・リーだ。

「だけど、嘘をついたまま受け入れるのは、ぜったいに反対よ」

「わかってる。だから、ほんとうの診断名はまちがいなく伝える。ただし、その伝え方は俺に任せてくれ」

有本は必ずしも納得したようではなかったが、妥協のしるしに大きなため息をついた。

「プリンセス・スハナはフルコースの治療を求めているようなんだ。だから、手術後の抗がん剤治療とBNCTもよろしく頼む」

才所が言うと、ふたたび有本が不満の声をあげた。

「ちょっと待ってよ。ステージⅡBなら手術後の抗がん剤治療は必要かもしれないけれど、BNCTは適用外だわ」

「そんなこと言うなよ。ステージⅡBでも見落としの可能性もあるだろう。手術をするまでにステージが上がる可能性だってあるし」

「じゃあ、手術の段階で遠隔転移が明らかになったらやるわ。CCC《トリプルシー・メソッド》法で細胞レベルの転移もわかるでしょう」

「いや、CCC法でも見落としの可能性はある。実際、顕微鏡レベルなら、蛍光検出センサーでも感知できない場合もあるから」

「妙なことを言うわね。いつもはあんなにCCC法に自信たっぷりで、がん細胞の見落としはあり得ないみたいに言ってるのに」

「皮肉を言うなよ。イチコだって医療に一〇〇パーセントはないことくらいわかってるだろ。患者を安心させるために、念のための治療をするのは悪いことではないじゃないか」

「でも、不要な治療はすべきではないわ。どんな治療にも副作用はあるのだから」

これ以上は議論しても話がこじれるだけのようだった。有本を説得するのは別の機会にして、才所は一歩譲る形で協議をまとめた。

「わかった。じゃあ、プリンセス・スハナの正しい診断名については、俺が責任をもって伝える。

手術の術式や手術後の治療については、改めて詳しい検査をして決めることにしよう。それでいいな」

「了解」

趙と小坂田は右手を挙げて賛成し、有本は黙ったままだったが、敢えて反対を口にはしなかった。

20

二月一日。すい臓がんの治療で入院していたシェイク・ファイサル・アル・カデルが、退院の日を迎えた。

シェイク・ファイサルは十二月十五日に才所の手術を受けたあと、二十日から趙の抗がん剤治療を受け、年末年始は外泊してホテルで家族とともにすごした。そのあと一月五日から一回目のBNCTを受け、さらに一週間おきに中性子線の照射場所をずらして、計四回のBNCTを受けた。その後の検査で、シェイク・ファイサルの体内からはすい臓がんの細胞が一掃されたことが証明され、この日の退院となったのである。

検査室のモニターで、技師の山本が作製した蛍光プローブの検出画像を見て、有本は満足そうに言った。

「腹膜転移が見事に消えてるわね。ここまで完璧にがん細胞が破壊できれば、ステージⅣも恐るるに足らずね」

「イチコの改良型BNCTのおかげだよ。趙のリムパーザも効いているんだろうけど」

才所は有本と趙を持ち上げ、二人をねぎらった。

見送りのため、四人の理事がそろって一階に下りると、退院の仕度を調えたシェイク・ファイサルが近寄ってきた。

「ドクター・サイショ。あなたのおかげで私の命は救われた。アメリカでもドイツでも、手術は無理だと言われたのに、あなたは見事にそれを成功させた。さらには、ドクター・チョと、ドクター・アリモト。あなた方にも感謝しています。ありがとう」

白いアラビア服の上に、金糸の縁取りのある黒いガウンを羽織ったシェイク・ファイサルは、才所たちに丁寧に握手を求めた。

治療には関わらなかったが、頻繁に病室を訪れ、半ば友人のような関係になった小坂田には、「スグル。今度は君のゲノム未来ドックで世話になるよ」と、敬称なしのファーストネームで呼びかけた。

「待ってるよ、ファイサル。インシャ・アッラー（神が望めば）」

小坂田は覚えたてのアラビア語の常套句《じょうとうく》で、シェイク・ファイサルに応《こた》えた。

玄関ロビーには、ドバイから迎えに来た家族が一族の長を取り巻いていた。三人の夫人はアバヤと呼ばれる黒いベールで全身を覆い、でっぷりと太った第一夫人らしい女性は目元だけ見せていたが、若そうな第二夫人と第三夫人は顔全体を黒い布で覆っていた。フィリピン人のベビーシッターが三人の子どもの世話をし、スリランカ人らしいボーイが荷物を抱えている。

「それじゃ、そろそろ参りましょうか」

看護師長の加藤がナース服の上にロングコートを羽織って、シェイク・ファイサルの一行を促した。

「加藤さん、切符の手配をよろしく」

帰りのハイヤーを予約しようとしたら、好奇心の強いシェイク・ファイサルは、日本の電車に乗ってみたいと言い出し、加藤に駅までのアテンドを指示したのだった。

再度、別れの握手をすると、シェイク・ファイサルは一族郎党を従えて、悠然とりんくうタウン駅に続く回廊を遠ざかって行った。

「これでまたドバイからの患者が増えますよ。アラブの富裕層は新しいもの好きですから」

小坂田が軽口をたたきながら、クリニック内に引き揚げて行った。才所ももどりかけたが、ふと気になるものを目にして振り返った。回廊が駅ビルにつながるあたりで、一人の男が現れ、シェイク・ファイサルに近づいた。ハンチング帽にヨレヨレのコートを羽織ったやせぎすの男だ。動きは機敏だが、猫背で六十歳はとうに超えているように見える。

シェイク・ファイサルが立ち止まると、男はショルダーバッグから名刺を取り出し、差し出した。加藤が割って入ると、彼女にも名刺を押しつけ、盛んに何か話しだした。シェイク・ファイサルの一行が男を無視して歩き出すと、男は横からしつこくつきまとい、加藤が男の前に立ちはだかった。一行はゆっくりと駅ビルの中に消え、加藤は男を置き去りにして、小走りにそのあとを追った。

残された男は一行を見送っていたが、ふいにクリニックのほうを振り向き、才所を認めると、かすかに嗤ったように見えた。

妙な不快さを訝《いぶか》りながら、六階の理事長室に入ると、ほどなくしてコートを手にした加藤がもどってきた。

「ただ今帰りました」

「ご苦労さま。一行は無事に出発した？」

「はい。入場券を買って、電車にお乗りになるまで見届けましたから」

「駅ビルの手前で、変な男が話しかけていたようだけど、あれは？」

「フリーのジャーナリストみたいです。ファイサルさんに名刺を渡して、英語で何かまくしたててきたので、困りますと言ったら、わたしにも押しつけてきて。これですが」

加藤は持っていた名刺を才所に差し出した。

『独立ジャーナリスト　矢倉忠彦《やぐらただひこ》』と書いてあり、連絡先にはメールアドレスとスマホの番号が記載してあった。裏を見ると、英語で同じ内容が書かれている。

「彼は何を聞こうとしたんです」

「わかりません。何だか早口の英語をしゃべっていましたが、ファイサルさんが歩き出したあとも、追いかけてきたので、わたしがやめてくださいと強い口調で言うと、あきらめたように離れていきました」

「かなりの年齢に見えたけど」

「そうですね。髪は半白髪でしたし、顔に深い皺《しわ》がありましたから」

そんな老人ジャーナリストがいったい何用なのか。いずれにせよ、シェイク・ファイサルの一行は、搭乗手続きをすませたらすぐファーストクラスのラウンジに行くから、取材されることもないだろう。

そう思って、才所は手渡された名刺をゴミ箱に投げ入れた。

21

翌日の午後、カエサル・パレスクリニックの受付に一人の男がやって来て、才所に面会を申し込んだ。マスコミの取材は断るよう指示していたが、男はかなり強硬なようだった。

「才所先生。下りてきていただけませんか。ちょっと気味が悪くて、恐い感じなんです」

口元を手で覆いながらしゃべっているらしい受付の声は、明らかに怯《おび》えていた。仕方がないので、才所は一階のロビーで話を聞くことにした。

エレベーターから出ると、昨日、シェイク・ファイサルに近づいた男が、ヨレヨレのコートを手にして立っていた。白髪まじりの蓬髪《ほうはつ》と、深いほうれい線が目立ち、左のまぶたが下がって斜めに左目を隠している。

「突然にうかがいまして申し訳ありません。独立ジャーナリストの矢倉と申します」

意外に礼儀正しい態度で、両手で名刺を差し出した。才所は受け取るだけは受け取り、静かに言った。

「マスコミの取材はすべてお断りしていますし、約束なしの面会も困ります。悪しからずお引き取りください」

「でも、この取材は受けておられますよね」

矢倉がショルダーバッグから取り出したのは、「ワールド・ヘルス・クロニクル」の最新号だった。開かれたページに、写真入りのインタビュー記事が出ている。

「これはある人に頼まれて、致し方なく――」

「弁解は無用です。まずは私の取材の意図を聞いていただけませんか。立ち話も何ですから、そこに座らせてもらいますよ」

自分からソファに腰を下ろし、ショルダーバッグから年季のいった取材ノートを取り出した。才所が前に座るのを待って、話しはじめる。

「カエサル・パレスクリニックは、がんに対する先進治療を、自由診療の形で行っていると承知しています。受診者は外国人のみで、治療費は相当な額に及ぶそうですね。ご承知の通り、日本には国民皆保険制度があり、すべての国民が平等で公平な医療を受けられるようになっています。そんな中で特別な先進医療を保険の適用外で行うことは、医療の公益性に反するのではないでしょうか。富裕層だけが高度な医療の恩恵を蒙《こうむ》ることになれば、経済格差が命の格差になるという許しがたい状況になりかねない。この問題について、才所先生はどのようなご意見をお持ちなのか。それをぜひお聞きしたいのです」

「取材の意図は了解いたしました。特にお答えすることもありませんので、どうぞお引き取りください」

「答えることがないというのは、どういうご判断に基づくものですか」

「単に答えたくないだけです。メディアに発信すると、いろいろ面倒なことにもなりかねませんから」

「面倒なこととは？」

矢倉は言葉尻《じり》を捉えるように質問を重ね、徐々に取材に持ち込もうとしているようだった。その手に乗るかと、才所は黙り込んで、矢倉をじっと見返した。相手の左目は単なる眼瞼下垂《がんけんかすい》ではなく、眼球そのものが死んでいるような不気味な印象だった。

思わず目を逸《そ》らすと、矢倉が才所の気持ちを読んだように説明した。

「この左目は名誉の負傷ですよ。若いころ、機動隊にやられたんです。ジュラルミンの盾で殴られましてね。視力はほとんどありません」

目線をもどすと、今度は生きているほうの右目に力を込めて見返してきた。

「才所先生がメディアを警戒されるお気持ちはよくわかります。しかし、私は独立ジャーナリストですから、何のしがらみもありません。公平中立の立場で伝えるべきことを伝えるだけです。取材拒否はわかりましたから、一点だけ考えをお聞かせください。命に値段がつけられるような医療のあり方を、許してよいものでしょうか」

取材拒否はわかったと言いながら、取材しているじゃないかと思ったが、相手も手ぶらでは帰らないつもりだろう。才所は露骨なため息のあと、「一つだけですよ」と念押しをして、「そのような医療のあり方は好ましくないと思います」と答えた。

「理由は？」

「ひとつだけと言ったじゃないですか」

「しかし、カエサル・パレスクリニックの医療はまさに命に値段をつけているのも同然ですよね。やっていることとおっしゃっていることが真逆では、こちらも理解に苦しみます。先生の本心はいったいどこにあるのですか」

「答えるつもりはありません。帰ってください」

「才所先生はアメリカやシンガポールで研鑽《けんさん》を積まれた優秀なドクターでいらっしゃる。その先生が自ら実践されている医療について、説明するのは当然の義務ではありませんか」

「そんな義務はない。勝手なことを言うな」

「疚《やま》しいところがないのなら、正々堂々と話せばいいではありませんか。それとも何ですか。実際、良心に恥じるところがあるのですか」

「疚しいところなどあるわけないだろう。これ以上、居座ると警察を呼ぶぞ」

そこまで言ったとき、エレベーターの扉が開き、加藤が出てきて大きな声をあげた。

「また、あなたですか。昨日もいきなりファイサルさんに話しかけたりして、失礼でしょう。いったい何が目的なんです。迷惑だから出ていってください。さあ、早く」

加藤は矢倉の腕をつかんで立たせると、才所の前に立ちはだかり、ぐいぐいと身体で矢倉を出口のほうに追いやった。矢倉は「ちょっと待って」と、抵抗しようとしたが、相手が女性で強引に身体を押しつけてくるので、その圧力に屈して後退した。

加藤の肩越しに首を伸ばすようにして言う。

「才所先生。取材拒否では先生に不利になりますよ。正当なお考えがあるのなら、きちっと主張されたほうがいい。また、どこかでお目にかかりましょう」

「何言ってるの。先生はあんたなんかと二度と会わないわよ」

自動扉が開くと、矢倉は追い出される直前、まだ何か言おうとしたが、加藤が立ちはだかったので、処置なしという顔で背中を向けた。

矢倉が去っていくのを見届けてから、加藤は才所のところへもどってきた。

「ありがとう。助かったよ」

「まさか昨日の今日来るとは思いませんでした。気になったので調べてみたら、ネットに記事が出ていました。けっこう有名なジャーナリストみたいです」

才所は理事長室にもどって、加藤の仕入れた情報を聞いた。

矢倉忠彦は、現在六十七歳。出身は大阪で、あさま山荘事件で立てこもった犯人のうち、最年少の人物が自分と同い年だったことに触発されて、高校二年生のときに同級生を煽動《せんどう》して、授業をボイコットしたことで停学処分を受けた。その後、学生運動が盛んだったD大学に進学し、過激派のセクトに加入して、デモや火焔瓶《かえんびん》闘争に参加。左目の負傷はそのときのもので、眼球と動眼神経を損傷し、まぶたが下がったままになってしまった。

二十一歳のときに内ゲバ殺人事件に連座し、八カ月に及ぶ勾留の間、完全黙秘を通したものの、従犯として懲役五年の実刑判決を受けた。釈放後は地元の板金工場に勤める傍ら、論壇誌や新聞に論評を発表。フリーの評論家、ジャーナリストとして徐々に名を挙げ、四十五歳から「独立ジャーナリスト」の肩書で文筆業に入った。人権問題についての発言が多く、在日コリアンの入居差別闘争や、アイヌ文化の保護運動などに参加。スポーツを題材にしたノンフィクションも手がけ、一時期、ゲストコメンテーターとしてテレビにも出演し、過激な発言で人気を博した。

現在はホームレス支援の雑誌にコラムを連載したり、週刊誌のライターとして活動している。矢倉がなぜ、カエサル・パレスクリニックに目をつけたのかは定かでないが、批判的に捉えているのは明らかで、加藤は「厄介な人が出てきましたね」と、憂うつそうに説明を終えた。

才所はさほど心配するようすもなく言った。

「困ったお爺《じい》ちゃんだけど、目のつけどころはいいんじゃないか。経済格差が命の格差なんて、今、いちばん一般ウケするだろう」

「何をのんきなことを言ってるんです。ああいう輩《やから》は金持ちや成功者を批判することを生き甲斐《がい》にしているようなものですから、しつこいですよ」

「かまうもんか。すべての国民に平等で公平な医療なんて、夢物語もいいところさ。まじめに取り合う必要はないよ」

「そうでしょうか」

加藤は才所の対応に、不安を感じざるを得ないようだった。

22

加藤の不安は、早くも翌週の水曜日に現実のものとなった。政界の不祥事や、芸能人のスキャンダルを暴くことで知られる「週刊文衆《ぶんしゅう》」の早刷りが、その日の夕方、ファックスで送られてきたのだ。「特報記事」として、見開きの大見出しに次のようにあった。

『国民への裏切り医療　カエサル・パレスクリニックの闇』

さらには、『海外富裕層への超高額〝詐欺〟治療』『日本の皆保険制度を破壊する医療ツーリズムの金儲《もう》け主義』の小見出しが、白抜き文字で強調されている。

記事の要旨は次の通り。

・海外の患者を日本で診療する医療ツーリズムは、自由診療で行われる。文字通り自由に治療費を決められるので、保険診療より高い利益が得られる。

・そのため、医療ツーリズムが容認されると、自由診療に移行する医療機関が増え、利益率の高い海外の患者が優先されて、日本人の患者が後まわしにされる危険が生じる。

・治療に使われるのは日本の医療インフラなので、医療ツーリズムは国民への裏切り医療も同然。

・さらには自由診療で利益追求がはびこると、医療が営利主義に偏り、医療の公益性、公平性が損なわれる。これは経済格差が命の格差につながる危険性を孕《はら》む。

・中でも関西国際空港に隣接する『カエサル・パレスクリニック』は、海外の富裕層御用達で、がんに対する先進医療を、常識はずれの高額な治療費で行っている。これは取りもなおさず、金持ちだけを救う医療にほかならない。
・同クリニックは、ほかにも診療開始の前後から、許諾申請に不明瞭《ふめいりょう》な点がある可能性が指摘されている。
ファックスの表書きには、矢倉の殴り書きで次のようにあった。

『to Dr. 才所。先日は面会多謝。明日発売の「週刊文衆」の記事をお届けします。ご参考まで。from 矢倉』

才所はすぐ理事たちと加藤を呼び、対策を協議した。

「だから、言わないこっちゃない。ああいう連中はハイエナみたいに人のアラさがしをするんですよ」

加藤が不快感を露《あら》わにすると、有本は「弁護士に相談したほうがよさそうね」と冷静につぶやき、趙は「ＳＮＳの反応が心配ですね」ともらした。小坂田は「このクリニックも、いよいよ全国に名が知れ渡りますね。宣伝効果抜群だ。へへっ」と自嘲《じちょう》気味に嗤《わら》った。

才所は記事に書かれた『すい臓がんの治療費に六千二百万円』というリードを指して、加藤に言った。

「シェイク・ファイサルには、取材させないようにしてくれたんじゃなかったのか」

「りんくうタウン駅から電車に乗るところまでは見届けましたけど、そのあと、空港でまとわりついたのかもしれません」

加藤が悔しがると、小坂田はさも軽蔑《けいべつ》するように、「そりゃ、フリーのジャーナリストなら追いかけますよ。やつら、ハイエナというよりスッポンですから。飢えたスッポン」と顔をしかめた。

それを無視して、有本が才所に詰め寄る。

「許諾申請に不明瞭な点があるってどういうこと。まさか、BNCT関係じゃないでしょうね」

「あれは福地先生にお願いして許可を取ってもらったんだ。問題はないはずだ」

有本は納得できないながら、記事に踊らされるのも馬鹿らしいという顔で押し黙った。

「とにかく、明日、全体ミーティングを開いて、対策を協議しよう。基本的には黙殺でいいと思うが、こちらも意思統一をしておいたほうがいい」


翌朝、加藤からスタッフに臨時の全体ミーティングを開くことが伝えられたが、テレビの情報番組で記事が紹介されたらしく、すでに多くのスタッフが内容を承知していた。

午前九時。六階のミーティングルームに、看護師や事務系のスタッフなど総勢十八人が集まった。才所は出勤途中に買った「週刊文衆」を手元に置き、スタッフたちを見まわした。

「みんなも知ってると思うけど、週刊誌にひどい記事が出て困惑しています。記事を書いた矢倉という男は、加藤さんが調べてくれたところによると、前科持ちの偏向ジャーナリストらしい。先週、私のところにも取材に来たので追い返しましたが、みなさんの中にも取材された人はいますか」

出席者が互いの顔を見合わせると、検査技師の片岡護《かたおかまもる》がおずおずと手を挙げた。

「十日ほど前、りんくうタウン駅で、ジャーナリストを名乗る男に話しかけられました」

片岡は血液検査と病理診断を担当する技師で、クリニックで最年長の五十歳。小坂田がかつて勤めていた健診センターの元職員で、優秀かつ控えめということで、スカウトしてきた人物である。

「どんなことを聞かれたんです」

「クリニックで受け入れている患者さんのことです。どこの国からが多いかとか、どんな病気が多いのかとか。何も答えませんでしたが」

「しつこく食い下がってきたでしょう。誘導尋問みたいに聞かれませんでしたか」

片岡は気まずそうに顔を伏せて答えた。

「空港からのアクセスを聞かれて、つい電車を使う人もいると」

「それでファイサルさんが退院するとき、駅ビルの近くで待ち伏せをしていたのね」

加藤が決めつけるように言うと、片岡はますます恐縮し、「申し訳ありません」と頭を下げた。

もしかしたら、近々退院する患者がいることぐらいまでしゃべったのかもしれない。

「今後、みなさんが取材されても完全無視でお願いします。話しかけられても、いっさい相手の顔を見ず歩き通してください。いいですね」

放射線技師の山本壮太が手を挙げて質問した。

「見出しに『〝詐欺〟治療』とありますが、これって名誉毀損《きそん》に当たるんじゃないですか」

有本が答える。

「断定していれば名誉毀損だけれど、クオーテーションマークつきだと微妙で、必ずしも断定したことにはならないらしいのよ」

「でも、読んだ人はそう受け取りますよ。ペンの暴力じゃないですか」

山本は正義感が抑えられないといったようすで憤然と言った。

彼は才所が大学病院にいたとき、新卒で配属されてきた技師で、才所とは二十年来の知己だった。カエサル・パレスクリニックを開くに当たって、CCC法《トリプルシー・メソッド》の画像処理ができる技師をさがしていたとき、放射線科の画像診断の学会で再会し、その腕を見込んでリクルートしたのだった。

「ほかになければ、これで全体ミーティングを終わります。週刊誌の記事は気にする必要もないけれど、後追いするメディアも出てくるでしょう。彼らの巧妙な手口に引っかからないよう、十分に気をつけてください。以上」

そう締めくくって、全体ミーティングを終えた。スタッフには未だ公表していなかったが、才所の頭にあるのは、先日、紹介のあったブルネイの王女の診療だった。この記事が原因で、王女からの申し込みが取り消されることだけは避けたい。平静を装いながらも、彼の胸中には矢倉に対する怒りが渦巻いていた。

23

理事長室にもどり、ぐったり疲れて椅子に座り込むと、スマホにＬＩＮＥの通知音が鳴った。発信者は雅志乃だった。
《「週刊文衆」の記事、読みました。大丈夫ですか。心配しています》
才所の耳に雅志乃のアルトの声がよみがえる。
《ありがとう。心配ないです。クリニックでも対策を考えていますから》
《あの記事、だいぶやっかみが入ってるみたいですね》
《その通り。わかりますか》
自分と同じ読みの雅志乃に、思わずレスを打つ手が速まった。
《記事は無視するつもりですが、身辺を警戒したほうがいいので、しばらく会わないほうがいいかもしれない。申し訳ないけれど》
《了解。わたしも五月の公演に向けて、準備に専念していますので、お気遣いなく》

《成功を祈っています。君ならきっと大丈夫》

最後は正座でお辞儀を繰り返す雅志乃のスタンプが送られてきて、通信は終わった。

一息つくと、受付から連絡が入り、さっそく別の週刊誌から取材の依頼が入ったと告げられた。

「取材はすべて断ってください。新聞も週刊誌もテレビも、『週刊文衆』の記事絡みのものは全部」

しばらくすると、趙が理事長室にやってきて、暗い顔でぽつりと言った。

「さっそくSNSで炎上してます。ネットのニュースサイトでも、『週刊文衆』の記事がクローズアップされてますから、しばらく面倒なことになりそうですよ」

「取りあえず取材はすべて拒否ということで、ようすを見よう」

有本には昨日のうちに、知り合いの弁護士に連絡してアドバイスをもらうよう指示したが、当面は静観すべしというのがその答えだった。

その後も電話やファックス、メールを通じて、取材の依頼は当日だけで五十件を超えたが、いずれも拒否で対応した。

翌日からはクリニックの周辺にマスコミが現れはじめ、通勤途中に取材されたスタッフもいたが、全体ミーティングでの対策通り、不用意に言質を取られる者はいなかった。

翌週の木曜日には、早刷りのファックスなしに「週刊文衆」に特報記事の第二弾が出た。毒々しい太文字で書かれた見出しは、『カエサル・パレスクリニックの〝嘘〟最愛の妻を亡くした韓国人男性の嘆き』。

趙が担当し、今年の一月に亡くなった韓国人女性に関する記事だった。患者の夫、朴正安に取材したらしい矢倉は、朴が支払った一億五千万ウォンの治療費を問題にしていた。

『主治医がどう説明したにせよ、日本円にして約一千五百万円もの治療費を支払えば、患者側は病気を治してもらえると思うのが当然だ。それが確約できないのなら、前払いで高額な治療費を請求するのは、道義的にも許されない。朴氏は前払いでなければ治療はできないと、半ば脅されるように言われ、最愛の妻の命を救うため、汗水垂らして貯めた財産を投げ出したのである。にもかかわらず、妻の死後、説明を求めると、医療には不確定要素があるとか、必ず治すとは言っていないなどと、言い逃れのような説明ばかりを聞かされて、今は泣き寝入りの状態に追い込まれている』

最愛の妻の命とか、土地成金のくせに汗水垂らして貯めたとか、あざとく同情を惹《ひ》く文言を弄《ろう》し、半ば脅されるようにとか、事実に反することを臆面《おくめん》もなく書く記事に、才所は週刊誌の下劣さを見た気がした。

ところが、翌日、理事のミーティングを開くと、趙が思い詰めた顔で発言した。

「朴氏から支払われた治療費は、僕が私費で返還します。その上でソウルの朴氏に直接、土下座して、許しを請います」

「ちょっと待ってよ。そんな必要どこにもないでしょ」

すぐに有本が反応した。

「でも、僕は患者さんを救えなかったし。それに一億五千万ウォンも払えば、治してもらえると思うのも当然というのも、その通りだと思うし」

趙は矢倉の記事を何度も読み、無意識のうちに呪縛されているようだった。それは趙の善良さゆえかもしれないが、ここは放置するわけにいかない。才所は手元の「週刊文衆」を裏向けて、趙に向き合った。

「君の気持ちはわかる。だが、亡くなった患者のことでいちいち自分を責めていたら、医者の仕事は続けられないぞ。特に悪性疾患を相手にする者はなおさらだ。患者の側は、かけがえのない身内を亡くして気の毒な状況だが、医療は万能じゃない。君がベストを尽くしたのなら、それ以上は致し方ないことだ。それとも趙は、あの患者の治療に少しでも手を抜いたところがあったのか」

「それはないですよ」

「だったら、患者の死は不可抗力だ。謝ることもないし、返金の必要もない」

「そうよ」と、有本も加勢した。「患者が亡くなったからと言って、一回でも返金したら、次に患者が亡くなったときもまた返金を要求されかねないわ。ボンジェがつらい気持ちなのはわかるけど、その場の感情で特例を作るのはよくないわよ」

「……わかりました」

趙はうなだれたまま、つぶやくように応《こた》えた。

「それにしても、矢倉も一千五百万くらいで騒ぎすぎだよな。ブルネイのプリンセスなんか十億だぜ」

小坂田の発言をとらえて、才所が気になっていたことを話題にした。

「そのプリンセス・スハナの件だが、ドクター・リーからデータが送られてきたのが先月の二十五日で、今日はもう二月の十七日だ。そろそろ具体的な治療スケジュールを先方に伝えなければならない。何しろ、相手はがんで治療を待っているんだからな」

「でも、今、来てもらっても困るんじゃないですか」と小坂田。

「たしかにな。こんなにマスコミが騒いでいたら、我々も落ち着いて治療に専念できないし、プリンセス・スハナだって不安だろう。うちのクリニックで受け入れるのは、もう少し後のほうがいい」

そう言った才所に有本が首を振る。

「でも、何もせずに待たせるわけにはいかないでしょう。相手はがん患者さんなんだから」

「それなら、趙の抗がん剤治療を先にするということで、ドクター・リーのところで待機してもらおう。手術前の抗がん剤治療だと言えば、相手も納得するだろう」

「それってほんとに必要なの。患者さんのことを考えるなら、シンガポールの病院で手術してもらったほうが、手っ取り早いと思うけど」

「そういう考えもできるが、こちらの都合もあるだろ。わかってくれよ」

才所が懇願するように言うと、有本は思い切り皮肉な調子で返した。

「大人の判断をしろってことね。医療には患者さんに明かせないことがいろいろあるわね」

「これもクリニックのためですよ、有本先生。プリンセス・スハナはうちでの治療を希望しているんだし、こちらの都合で断ると、がっかりしますよ」

小坂田の説得に、有本はうなずきもしないが首を振りもしなかった。

「じゃあ、この件は、俺から連絡しておくから」

才所は席を立ちながら、テーブルの週刊誌に目を留めると、見るのも汚らわしいと言わんばかりにゴミ箱に投げ捨てた。

24

翌週の木曜日発売の「週刊文衆」には、特報記事の第三弾が大きく出た。

タイトルは『医療ツーリズムで巨万の富「カエサル・パレスクリニック」の理事長医師は宮殿《パレス》ならぬ超豪華タワマン暮らし』。

下から仰ぎ見るような角度で写真に撮られているのは、才所の自宅マンションだった。

太文字のキャプションは以下の通り。

『海外富裕層の患者から法外な治療費を受け取っているカエサル・パレスクリニックの理事長S氏が、大阪市内に所有するマンションは、地下鉄駅直結の48階建てのペントハウスで、間取りは6LDKという超豪華さ。評価額は二億四千万円。現代の王侯貴族とも揶揄《やゆ》される医療ツーリズム医師の実態とは⁉』

「これはまた、えげつない記事が出ましたね」

翌日のミーティングの席で、「週刊文衆」のページを広げたまま、小坂田が同情するように言った。

「冗談じゃないわよ。こんな個人の自宅まで公表するなんて、ひどすぎるじゃない。わたしは独り暮らしなんだから、マンションを公表されたら危なくて帰れなくなる」

有本が怒りに声を上ずらせると、小坂田も「マンションならまだいいですよ。私のところは一戸建てですからね。バレたらそれこそ人だかりができますよ。家族もいるのに」と、いつになく深刻そうに顔をしかめた。

趙が親指を立てて背後の窓を指さした。

「それより、今日も来てるでしょう。昨日の記事が出てから、プラカードを持った活動家とか患者団体みたいな連中が来て、ビラ配りをしてますよ。『金持ち優遇を許さない』とか、『公平な医療をつぶすな』とか、かなりヒートアップしています。相変わらずマスコミにつきまとわれるスタッフも多いし、これじゃあまともに診療なんかできませんよ」

「そうだな。プリンセス・スハナだけでなく、ほかの患者にもスケジュールを延期してもらおう。しかし、いつまでもというわけにもいかないし、ここらで決着をつけないと、せっかくこの五年で築き上げた信頼が崩れてしまう」

「どうやって決着をつけるの」

有本に問われても、才所は答えがあるわけではなかった。

不完全燃焼のミーティングを終え、理事長室にもどると、ＬＩＮＥの着信音が鳴った。発信者は雅志乃だった。

《お忙しいときにすみません。今、電話させてもらってもいいですか》

メッセージを読むか早いか、才所はその場で雅志乃の番号に電話をかけた。

「あ、こちらからかけなおします」

「いいから。それよりどうしたの」

容易ならぬ雰囲気に思わず早口になったが、返ってきたのは最悪の内容だった。

「さっき、矢倉さんという人が、話を聞かせてほしいと稽古場《けいこ》に来たんです。『週刊文衆』に記事を書いてる人でしょう。そやから、わたし、お断りしますと言うたんやけど、しつこくあれこれ聞かれて」

声が震えている。才所は怒りをこらえて聞いた。

「何を聞かれたんです」

「先生との関係とか、いつ知り合《お》うたのかとか、金銭的な援助を受けているのかとか」

「なんてヤツだ」

思わず怒鳴り声が出た。

「もちろん否定したんでしょう。何の関係もないと」

「そう言いましたけど、先生が踊りの会に来てくれたことや、ベトナムに行ったことまで言われて」

思わず言葉に詰まった。矢倉はどこから情報を得ているのか。才所は逸《はや》る気持を抑えて訊《たず》ねた。

「矢倉は君が私とベトナムに行ったことまでつかんでいるんですか」

「ベトナムに行ったのはわたしのことで、先生がいっしょやったことまでは知らへんかったみたいです。空港で先生といるところを見た人がいるとか、カマをかけてきたんですけど、そんなはずないと思うたから、シラを切ったら、やっぱり出任せで」

「でも、君がベトナムに行ったことは、どこから知ったんです」

「それは、わたしがうっかりと——」

雅志乃は言葉を切り、言いにくそうに続けた。

「家元に新年の挨拶《あいさつ》にも来んと、どこへ行ってたんやと聞かれたんで、舞の勉強にベトナムへと言うてしもたんです」

「じゃあ、矢倉は家元から君と私の関係を聞いたんですか」

「そうやと思います。その矢倉という人と、うちの家元がどういうつながりかは知りませんけど、ほかには考えられませんから」

海千山千の矢倉なら、あちこち嗅《か》ぎまわっているうちに、梅川流の家元にたどり着いたのだろう。雅志乃のことをよく思っていない家元が、二人の関係を実際以上に貶《おとし》めて伝えた可能性は十分考えられる。

「才所先生との関係から、わたしの過去が暴かれたら、今、準備している新企画もどうなるやわかりません。せっかく共演者とも順調に話を進めてるのに」

雅志乃は半ば涙声になっていた。過去とは刺青《いれずみ》やヤクザとの関係だろう。

「大丈夫だ。君の過去を探るようなことはぜったいにさせない。邪魔をするようだったら、矢倉を殺してやる」

思わず口にした言葉だが、ただの軽口のつもりではなかった。

「とにかく、矢倉には私が話をつけます。君は五月の公演を成功させることだけ考えて、準備に集中してください。いいですね」

そう言って通話を終えたが、才所の胸中は怒りと困惑で混乱し、しばらくスマホを持ったまま動けなかった。

25

翌週火曜日の午後、才所がプリンセス・スハナの抗がん剤治療について、趙と打ち合わせをしていると、ノックが聞こえ、小坂田が入ってきた。

「趙先生もいるならちょうどいいです。お二人にこんなものが届いてましたよ」

ニヤニヤしながら、赤や金色の模様で飾られた封書を差し出す。

「結婚披露宴の招待状のようですね。差出人の一人は草井郁夫さん。もう一人は何と読むんですか、それ」

小坂田は才所たちが封を切るのを待ちきれないようすで趙に訊ねた。

「ソン・ジミンです。日取りが決まったようですね」

小坂田に答えてから、趙は才所に笑顔を向けた。才所もうなずき、封筒の中身を取り出す。

「披露宴は四月九日。日曜日だな」

スマホでスケジュールを確認し、「会場の『李雲園《りうんえん》』は知ってるか」と趙に聞く。

「鶴橋《つるはし》の有名なコリアンレストランですよ。広間もあるから、そこを貸し切るんでしょう」

二人の会話を聞いていた小坂田が、我慢しきれないように才所に聞いた。

「草井さん、結婚するんですか」

「だから、招待状を送ってきたんだろ」

「しかし、草井さんは実の父が二カ月余り前に亡くなったばかりでしょう。それで結婚式って、おかしくないですか」

「おかしいって」

「だって、不謹慎でしょう」

「小坂田は案外古風なんだな。父親が亡くなっても、本人の結婚には関係ないだろう」

才所のあとで趙が補足する。

「草井さんの結婚話は、福地先生が亡くなる前から進んでいたんですよ。僕もあとで聞いたんだけど」

「てことは、新婦は趙先生のお知り合いですか」

「直接は知らないけど、彼女が勤めていたコリアンバーのマダムが、僕の親戚筋に当たる人でね。それで招待状を送ってくれたんですよ」

「新婦はコリアンバーのホステスですか」

「今はやめてるけど」

「じゃあ、才所先生はどうして招待されたんですか」

「才所先生にも相談に乗ってもらったからですよ」

「相談って？」

小坂田がしつこく訊ねる。才所は趙に目配せをして、ヤレヤレという顔で答える。

「今、君が言ったのと同じで、不謹慎じゃないかと新婦が気にしてたから、問題ないと言ってあげたんだよ」

「それだけですか」

小坂田はまだ腑《ふ》に落ちないようだったが、話を元にもどすようにつぶやいた。

「それにしても驚きだな。あの草井さんが結婚するなんて。だって、四十八まで独身でいたんでしょう。それが急に結婚だなんて」

「世の中には思いがけないことが起こるもんだよ」

才所の言葉を無視して、小坂田は趙に訊ねる。

「そもそも、ホステスさんとはどうやって知り合ったんです」

「詳しい話は聞いていないけど、はじめは福地先生に連れられて行った店で、草井さんが一目惚《ぼ》れしたらしい。それから店に通い詰めて、結婚まで漕ぎ着けたということです」

「へえ。あの草井さんがね」

まだ納得できないようすの小坂田が、はっと気づいたように言い足した。

「やっぱり、遺産がかなり転がり込んだんじゃないですか。結婚資金ができて、それで話がとんとん拍子に進んだとか。だとしたら、福地先生が亡くなったのは、やっぱり草井さんにとっては……」

「小坂田。そういう無責任な憶測《おくそく》は、口にしないほうがいいんじゃないか」

才所がにらむと、小坂田は軽く眉《まゆ》をそびやかしたが、まだ納得できないようだった。

「何か気になることでもあるのか」

「そういうわけではないですけど――」

小坂田は曖昧《あいまい》に口をつぐんだ。

「今、趙とプリンセス・スハナの抗がん剤治療の打ち合わせをしてたんだが、術前投与はサイラムザを使うことにした。投与期間は一カ月。プリンセス・スハナの来日は、三月の終わりか四月のはじめになると思う」

才所の説明に、小坂田がすかさず聞く。

「それまでに『週刊文衆』の騒ぎを抑えられるんですか」

「わからん」

「今よりひどくなってたらどうするんです」

「とにかくベストを尽くすよ。俺たちのやっていることは、悪いことじゃない。誠心誠意説明すれば、世間もわかってくれるよ。わかってくれなくても、正しいと思うことをやるまでさ」

小坂田は納得できないようだったが、これ以上の議論は無駄とばかりに、席を立った。趙もそれに続く。

ひとりになると、才所は自分の椅子にもどって疲れたため息をついた。

――来日まであと一カ月か。

プリンセス・スハナのことだけでなく、雅志乃のことを考えると、早急に矢倉を何とかしなければならない。しかし、才所には何の打開策もないのだった。

26

翌三月一日の午後二時。

明日発売の「週刊文衆」にはいったいどんな記事が載るのか。気を揉《も》みつつも、もう何を書かれても驚かないと、ある種の慣れも生じはじめていた才所に外線の電話が入った。

「才所先生でいらっしゃいますか。経済産業省のヘルスケア産業課で企画官をしております、種村《たねむら》逸夫《はやお》と申します」

聞いたことのない名前だったが、ヘルスケア産業課には聞き覚えがあった。種村は突然の電話を詫《わ》びたあと、慇懃《いんぎん》な調子で長々としゃべりだした。

「ご承知かとは存じますが、現在、政府は日本再興の国家戦略として、医療ツーリズムに注目しており、我が省もヘルスケア産業課が中心となって、外国人患者の受け入れを支援する一般社団法人、『メディカル・エクセレンス・ジャパン』、通称MEJを設立してまいりました。WHOの試算では、アジアの医療市場は二〇一〇年におよそ四十兆円だったのが、二〇二〇年には百二十二兆円と、三倍に膨れ上がっております。医療は今や成長産業であり、我が国でも『地方再生特区指定』で医療ツーリズムを導入し、成功した例も少なくありません。ところが今般、『週刊文衆』が医療ツーリズムについての批判記事を載せたことについて、我が省といたしましても、甚だ憂慮している次第でございまして――」

持ってまわった言い方は官僚ならではかと、才所は辛抱強く相手の用件を待った。

「本日、お電話いたしましたのは、この件に関し、才所先生がどのようなお考えでいらっしゃるか、うかがえればと思った次第です。率直なところをお聞かせ願えますでしょうか」

「たいへん困ってますよ。何ら非難されるようなことはしていないのに、あのような大衆迎合の批判記事を書かれて、大いに迷惑しています」

「才所先生におかれましては、具体的な対応と言いますか、対抗策を講じていらっしゃるのでしょうか」

「今のところは特にないですね。いわれのない非難は無視するだけです」

「なるほど。それがいちばん賢明な方策かもしれませんね」

肯定的な物言いには何か下心があるのか。そう勘ぐりたくなるような口調だった。

「ただ今も申し上げました通り、我が省といたしましては、医療ツーリズムを経済発展のきっかけと捉えると同時に、国境を越えて我が国の進んだ医療を提供するという人道的な意義も重視しておりまして、また、外国人患者の医療費は保険診療でないがゆえに、日本の医療費を押し上げることもなく、従って、『週刊文衆』の記事が批判する医療の商業主義化ではあり得ず、日本の医療全体の利益につながるものだと考えております」

「おっしゃることはわかりますが、ご用件は何ですか」

ついにしびれを切らして、才所が聞くと、種村は待っていたかのように、猫なで声に変わった。

「ずばり申し上げます。『週刊文衆』に記事を書いている矢倉氏と、公の場で討論をしていただいて、医療ツーリズムの正当性を世間に訴えていただきたいのです」

「矢倉氏と公開討論ですか。しかし、どうやって」

「お膳立《ぜんだ》てはこちらでさせていただきます。医療ツーリズムに関しましては、政治と行政が一体となって、国民の理解を得るよう努力してまいったのですが、ここに来て、矢倉氏のような人物が大衆を煽動《せんどう》して、医療ツーリズムに対する悪印象を広めていることは、誠に遺憾に存ずる次第で、ぜひ才所先生にご登場いただき、矢倉氏を論破していただければ、世間の理解も進み、医療ツーリズムの健全な発展につながると信じておるわけでございます」

「しかし、矢倉氏が受けて立ちますかね。仮に受けたとしても、相手は筋金入りの偏向ジャーナリストですよ。簡単には論破できないのではないですか」

「その点は心配ご無用です。矢倉氏もジャーナリストの端くれなら、自らが批判した相手に公開討論を申し込まれて、逃げることはしないでしょう。また、討論の中身につきましても、我が省が全力でバックアップさせていただきますので、矢倉氏がいくらきれい事を並べ立てても、現実路線ではこちらが有利に議論を進められるのはまちがいないところです。いかがでしょうか。お引き受けいただけますでしょうか」

経産省がバックにつけば、今後、カエサル・パレスクリニックが診療を続けていく上でも、プラスの影響がありそうだ。矢倉に反論するなら、これほど有効な場はないだろうし、うまくすれば矢倉を沈黙させられるかもしれない。

気持ちは受諾に傾いたが、慎重に即答を避けた。

「たいへん興味深いお話ですが、私の一存ではお答えしかねますので、理事会で協議をした上で、返答させていただきたく存じます」

「さようでございますか。わたくしどもも、精いっぱい協力させていただきますので、何とぞよろしくお願い申し上げます。それから誠に恐縮ではございますが、役所が民間の方にこのようなお願いしたことが明るみに出ますと、また国会で野党が騒ぎかねませんので、どうかこの件はご内密にお願いいたします」

「わかりました」

通話を終えたあと、才所はさっそく三人の理事を呼んで、種村からの申し出を伝えた。

「経産省はどうやら矢倉の記事に手を焼いているらしい。医療ツーリズムのイメージダウンが困るそうだ」

「それで公開討論のお膳立てをしてくれるんですか。願ったり叶ったりじゃないですか」

いち早く賛成したのは小坂田だった。

「でも、どのメディアに採り上げられるかが問題ね。週刊誌だと後出しジャンケンで、矢倉氏がまたああだこうだと言いかねないから、一発で決着をつけないとね。とすればやっぱりテレビかしら」

「超イケメンの才所先生なら、テレビ受けまちがいなしですよ」

有本に小坂田が茶々を入れると、才所は軽くため息をもらす。

「あまり目立ちたくないんだがな。趙はどう思う」

「いいんじゃないですか。うまくいけば、この騒ぎも収まるでしょうし」

趙はどことなく浮かない顔で答えた。才所が、「何か気になることでもある?」と聞くと、「どうして経産省がわざわざうらを応援してくれるのかなと思って」と首を傾げた。

「だから、それは彼らの都合だろ。医療ツーリズムを国家戦略に組み入れてるみたいなことを言ってたから」

「国家戦略! それは大変だ」

小坂田がふたたび混ぜ返すように言い、その場はそれで終わった。

27

翌日の木曜日は、例によって「週刊文衆」の発売日である。

才所はいつも通り、マンションを出てすぐのコンビニで「週刊文衆」を買い求め、車をその場に停めたままページを繰った。問題は雅志乃の件が暴露されていないかどうかだ。

雅志乃が矢倉に取材されたのが、先週の金曜日。雅志乃は記事になるようなことは何も話していないはずだが、もし矢倉が周辺取材を終えてから彼女に接近したのなら、あらかじめ情報をつかんでいるかもしれない。

矢倉の記事は、今週号にも華々しく掲載されていたが、幸い、雅志乃については触れていなかった。やり玉に挙げられているのは、過去にカエサル・パレスクリニックで治療を受けた患者の治療費だった。

『大富豪の命の値段　法外な治療費を吸い取る〝闇クリニック〟』

シェイク・ファイサルの六千二百万だけでなく、ロシアの船舶会社社長の四千八百万、インドの映画プロデューサーの五千五百万、上海の不動産王の七千六百万など、どこで調べたのか、過去の患者の治療費がほぼ正確に公開されていた。それを日本の保険診療の治療費と比べ、いかに桁《けた》ちがいであるかをあげつらっている。

才所はクリニックに着いたあと、即、種村に聞いていた携帯電話の番号にかけた。矢倉との公開討論を受けることを伝えると、種村は「ありがとうございます。それではさっそくですが」と、日程の都合を訊ねてきた。

「どうせなら早いほうがいいでしょう。医療ツーリズムのイメージダウンを防ぐためにも」

才所はプリンセス・スハナの件は口にせず、相手の都合を優先するように言った。

「恐れ入ります。それでしたら、わたくしのほうは、明日にでも我が省で作りました資料をお届けいたします。才所先生には釈迦《しゃか》に説法かもしれませんが、どうか、矢倉氏との対談でお役に立てていただければと存じます」

「わかりました。よろしくお願いいたします」

通話を終え、才所は公開討論に備えてやるべきことを考えた。

矢倉の批判の根底にあるのは、クリニックの高収入への反感と、医師に対する階級的憎悪だろう。それは感情だから、論理では論破しにくい。であれば矢倉自身が追及されて困ること、過去の不祥事や、世間の信用を失墜するような事実を暴くことで、その場の空気を有利に導くのが得策ではないか。卑劣な手段ではあるが、タイミングを見計らって、逃げ隠れできない事実を持ち出せば、矢倉はますます感情論に走って自滅するだろう。

そう考えて、才所は矢倉に関する情報を集めることにした。まずはネットで調べようとした矢先、受付から来客を知らされた。

アポイントもなく押しかけてきたのは、またも福地登子だった。受付のようすでは、とても門前払いできそうな雰囲気ではなかったので、才所は会うことにした。

今回はエレベーターの前まで迎えに行かず、応接室の扉を半分開けて待っていると、前回同様ヒラヒラのついた服に大ぶりな眼鏡の登子が、勝手知ったる我が家とばかりに現れた。

「突然にうかがいまして、申し訳ございません。実は」と、挨拶もそこそこに、ソファに腰を下ろす。

「昨夜、主人の遺品を整理しておりましたら、こんなものが出てまいりましたの。主人が亡くなった日、身につけておりましたワイシャツです。あのあと、主人の部屋に放り込んでいたのですが、昨夜、取り出してみましたら、左胸に小さな穴が開いているじゃありませんか。ご覧いただけますか」

登子はバッグからワイシャツを取り出し、才所に左胸の部分を突きつけるように見せた。

たしかに左胸のポケットの下に、一ミリ強の穴が開いている。

「これが何か」

「おわかりになりませんの。先日、うかがったとき、あたくしが主人の胸に針で突いた痕《あと》があったと申し上げましたでしょう。才所先生は心腔《しんくう》内投与の注射の痕だとおっしゃいましたが、それってワイシャツの上からするのですか。そんなはずありませんわよね。第一、先生方が治療をしてくださっていたときは、主人はこちらの患者着に着替えておりましたでしょう。だったら、このワイシャツの穴は何なんですか」

「何と言われましても――」

登子が焦《じ》れったそうに声のトーンを上げた。

「主人はワイシャツの上から何者かに、心臓を突かれたということじゃないですか」

「まさか」

「でも、この穴はまちがいなく心臓の真上ですわ。あたくしが主人の胸に見た傷は、たしかにこれくらいの大きさでした。才所先生がおっしゃった心腔内投与の注射の痕は、別にあったのかもしれません。あるいはたまたま同じ場所だったのかも」

才所はワイシャツの穴を今一度、確認した。

「たしかに、先の尖《とが》った何かで開けられた穴のようですね」

「やっぱり」

登子は才所の言葉に大きくうなずいた。

「主人はだれかに殺されたにちがいありませんわ。だって、二日前に阪都大病院で検査を受けて、心臓には異常がなかったんですもの」

登子の頭の中では、病死の可能性は限りなくゼロに近くなっているのだろう。

「奥さま、どうか落ち着いてください。私もこのワイシャツの穴が何を意味するのかはわかりかねますが、仮に何者かによって胸を刺されたとしても、これくらいの太さの針が心臓に刺さっても、人は死にませんよ。ナイフで刺されたのなら別ですが。現に、クリニックに運ばれてきたときには、福地先生の心臓は動いていたんですから」

「でも、じわじわ出血するということはございませんの」

「通常はあり得ません。心臓は分厚い筋肉ですから」

「だったら、何か毒になるようなものを注射されたとか」

「それもないと思いますよ。先日も申し上げましたが、血液検査で毒物の反応は出ませんでしたから」

登子はなおも納得できないようすで、ワイシャツを広げて持ち、左胸の穴をためつすがめつしている。

「私の説明だけではご納得いただけないようですね。あのとき、福地先生の治療にあたった医師たちを呼びますので、疑問に思われることは何でも聞いてください」

才所は受付に連絡して、趙と小坂田、ついでに有本も応接室に呼ぶよう指示した。

三人の理事たちはすぐ応接室にやってきた。趙と小坂田は福地が亡くなったときに登子に会っているが、初対面の有本はこれが福地の妻かというように視線を凝らした。

才所が三人にワイシャツを広げて見せた。

「左胸に太めの針を刺したような穴が開いてるだろう。奥さまはだれかが福地先生の心臓に針を刺した疑いがあるとおっしゃってるんだ」

「それが直接の死因ということですか」

小坂田が聞くと、登子が待っていたように、亡くなる二日前の検査で異常がなかったことをまくしたてた。

「その件は才所から聞いています。でもな、どう思います」

小坂田に話を振られて、趙が穏やかに言った。

「患者さんの側としては、検査に異常がなければ、発作が起こるはずはないと思われるかもしれませんが、医者の側からすると、あり得ないことではありません。福地先生の治療に当たった者は、三人が三人とも病気以外の異常を感じませんでした。ですから、お気の毒ではありますが、やはりお亡くなりになったのは、病気が原因と考えるのが妥当かと思われます」

「だったら、このワイシャツの穴は何なんですか」

「そうね。ボンジェの説明では、たしかに穴のことが抜けてるわね。奥さまは福地さんの胸の針痕が、ワイシャツの外から刺されたものだと疑ってらっしゃるんですね」

有本の言葉に登子がうなずく。

「もしそうだとしたら、ワイシャツに血がついていてもおかしくないのでは」

「下着にはついていたかもしれません。主人は寒がりだったので、ウールのシャツを二枚重ねていましたから。そのシャツは丸めて捨てましたが」

「なるほど。でも、蘇生処置のとき心腔内投与もしてるんですよね。それも一回じゃないのよね」

有本が確認すると、趙はちょっと記憶をたどる表情になり、「そう言えば、二回だった」と答えた。

「奥さまは、ご遺体の胸の針痕をいくつ見られたのですか」

「覚えてないわよ。しっかり見ていないから」

「もし、だれかがワイシャツの外から針を刺したのなら、心腔内投与を含め三つの針穴があることになりますね。それが記憶に残っていないというのは、どうなんでしょうか」

有本の理詰めの推論に、登子は不服そうに唇を嚙《か》んだ。

趙がさらに言う。

「もしも事前にだれかに刺されたのなら、僕が心腔内投与の注射をするときに気づくはずです。でも、そんな傷はありませんでしたよ」

「だったら、どうしてワイシャツに穴が――」

登子がまた同じことを口にし、話が堂々巡りになりかけた。

才所が改めて登子に訊ねた。

「ワイシャツの穴について、奥さまはどのように考えていらっしゃるのですか」

「だから、だれかが主人の胸を刺したのではないかと――」

「だれかというのは？」

「それは決まっているでしょう。主人が倒れたときにいっしょにいたあの男ですよ」

「草井さんですか」

才所が言い、ほかの三人も顔を見合わせた。

才所が続ける。

「でも、草井さんは先生が倒れたときは、駅の券売機で切符を買っていたのですよ。私も切符を見ましたからまちがいありません。それで先生のもどりが遅いので、トイレに行ったら、倒れている先生を見つけたと話していましたが」

「それはあの男の言い分でしょう。主人が倒れたとき、あの男がそこにいた可能性もあるじゃないですか」

趙が訝《いぶか》しそうに訊ねる。

「でも、草井さんが福地先生を刺す理由はあるんですか。何か恨みでも？」

登子は顔を引きつらせ、さらに口にするのも汚らわしいと言わんばかりに、派手なルージュの唇を強く引き結んだ。

小坂田が登子を代弁するように言う。

「やっぱり、遺産相続絡みですか」

「はあっ？」

素《す》っ頓狂《とんきよう》な声が登子の口から出た。

「どうしてあの男が主人の遺産相続に関わるんです。冗談じゃない」

小坂田が恐縮しながら登子に聞いた。

「こんなことを申し上げて、たいへん失礼かと存じますが、草井さんは福地先生とは血縁と言いますか、実は親子ではないのかという噂がございまして――」

「あの男が主人の息子？　ふざけないで。いったいだれがそんな根も葉もない噂を」

「草井さんは大学の解剖学教室の助手で、私たちが学生のときからいらっしゃったんです。そのとき、陰であれは福地先生の隠し子だと」

「やめてください。主人とあの男はそんなふうに見られていたんですか。あの男は元々、娘の予備校の同級生ですよ。主人の隠し子だなんて情けない。でも、そんな噂が立つのも主人の不徳のいたすところですわね」

小坂田はどう反応していいのかわからないようすで趙を見た。趙もなすすべはないようだった。

才所が小坂田に代わって登子に頭を下げた。

「奥さま。たいへんご無礼をいたしまして、申し訳ございませんでした。ワイシャツの穴の件は、今しばらく調査する時間をいただけますでしょうか。新たな事実がわかりましたら、すぐにお知らせいたしますので。今日のところはお引き取り願えますでしょうか」

登子は顔を背けたままだったが、ふて腐れていてもきりがないと思ったのか、「わかりました」と吐き捨てるように言い、ワイシャツを手早く畳んで、バッグにしまい込んだ。

彼女の立ち上がるのを待って、才所たちも腰を上げる。ていねいなお辞儀をしながら、才所は登子がエレベーターに乗るまで見送った。

28

「やっと帰ってくれたな。みんな、朝の忙しい時間に呼び出して悪かったな」

才所が応接室にもどると、三人の理事は彼を待っていたようだった。

小坂田がまだ信じられないというようすで言う。

「草井さんが福地先生の隠し子じゃなかったって、いったいどういうことなんです」

「だから、ただの噂だったんだろう」

「才所先生は驚かないんですか。その噂を口にしただけで、退学に追い込まれた学生もいたのに。それって福地先生が本気で怒ったってことじゃないんですか」

「知らないよ。ほかにも何かあったんじゃないのか」

「ほかにもって何です」

「だから知らないよ」

小坂田は今度は趙に顔を向けた。

「趙先生も同じですか。草井さんが福地先生の隠し子でないという事実、すんなり受け入れるんですか」

「そりゃ驚いたけど、福地先生の奥さまが嘘を言っているようにも見えなかったから」

「じゃあ、草井さんと福地先生の関係は、ただの助手と教授だったというわけですか」

「奥さんは草井さんが娘さんの同級生だと言ってただろ。その関係もあるんじゃないか」

才所が言うと、小坂田は冗談じゃないという表情で反論した。

「それで二十年以上も助手にしておいて、今になってうちへ就職の斡旋《あっせん》ですか。いったいどんな神経をしてるんですか」

それまで傍観していた有本が、冷ややかに小坂田を揶揄した。

「スグルは草井さんという人のことが、気になって仕方ないようね」

「そりゃ気になりますよ。だって、もしかしたら、草井さんが福地先生をどうにかしたって可能性もあったんですから」

その言葉に、才所が声の調子を改めて聞いた。

「小坂田は福地先生が殺されたと本気で疑ってるのか」

「隠し子だったら、遺産狙いの動機がありますからね」

「その動機は消えたわけだろう」

これで小坂田は引き下がるかと思ったら、ひとつ咳払《せきばら》いをして妙に改まった声で語りだした。

「こんなことを言うと、語弊があるかもしれませんが、実はこの前の日曜日、大学の同窓会があったんです。同級生に皮膚科の講師になった女性がいるので聞いてみたんです。我々の一年上で、皮膚科に入局したあと、自殺した女性がいましたよねって。金本《かねもと》先生というらしいですね」

趙がかすかに全身を震わせる。それを目の端で確認しながら小坂田が続けた。

「金本先生の下の名前は淑恵《よしえ》。でも、本名金淑恵《キムソクネ》」

「だから、どうなんだ」

才所の声にひるまず、小坂田は続ける。

「自殺の原因は、福地先生のセクハラだという噂ですがと聞いたら、たぶんそうだと」

「だから、どうだと聞いてるんだ。君はいったい何が言いたい」

「金本先生は、趙先生の彼女だったんですよね」

「小坂田。おまえ、まさか――」

才所が詰め寄りかけたとき、顔をこわばらせていた趙が口を開いた。

「まわりには隠していたつもりでしたが、やっぱり知られていたんですね。たしかにソクネと僕は付き合っていました。一年足らずだったけど、将来は結婚してもいいと思っていました。でも、僕の片思いだったかもしれない。だから、彼女はあんな最期を」

「福地先生が原因だったの」

自分の受けたセクハラが念頭をよぎったのか、有本が眉間《みけん》の皺《しわ》を深くした。

「騙《だま》されて、白浜《しらはま》の別荘に連れ込まれて――」

「もういい。この話は終わりだ。それより小坂田。趙のことをとやかく言う前に、おまえ自身も福地先生に含むところがあるんじゃないのか」

「何のことです」

才所に言われ、小坂田が顔色を変える。

「福地先生がここに来たとき、『もしかして、小坂田賢一の息子か』とおまえに聞いただろう。だから気になって、事情を知っていそうな人に聞いてみたんだ」

「スグルのお父さんが、福地さんと何か関係があったの」

有本が素早く応じた。才所は小坂田から目を逸らさずに言う。

「おまえの親父さんが、泉州《せんしゅう》大学医学部の内科教授だったのは俺も知ってる。その後、俺は日本を離れたから知らなかったが、親父さんは退官後、大阪府立病院機構の理事長に内定しかけていたらしいな。ところが、阪都大総長の二期目を逃した福地先生が、持ち前の政治力を発揮して、強引に府立病院機構の理事長のポストを横取りした。その後、小坂田の親父さんは、特定医療法人が経営する病院の院長になったが、半年ほどで脳出血で倒れ、寝たきりとなって三年後に亡くなった。親父さんを知る人は、口をそろえてあれは福地先生に対する怒りで血圧が上がったせいだと言ってたぞ」

「そんなことがあったんですか」と趙が意外そうにつぶやく。

小坂田は我に返ったように明るく言った。

「いやだな。私が福地先生に恨みを抱いているような言い方をして。府立病院機構の件は聞いてますが、親父もいろいろあったんです。前から血圧が高かったし、脳出血も医療法人の収益問題でストレスがハンパなかったからですよ。本人が言ってましたから」

「そうなのか」

才所が疑わしい目で見ると、有本も「スグルにも動機ありね」とうなずいた。

それに小坂田が真剣に反論する。

「私が福地先生を殺《あや》めたとでも言うんですか。バカバカしい。前にも言ったでしょう。福地先生が倒れたとき、才所先生と私は理事長室にいたんですよ。ぜったいにシロでしょう」

「自分が手を下さなくても、だれかを使うこともできるぞ。アリバイを強調しすぎるのも、かえって怪しい」

「勘弁してくださいよ。話にならない。みんなで好き勝手に妄想すればいいでしょう」

そのまま出て行こうとするのを、才所が呼び止めた。

「冗談だよ。おまえが趙のことをとやかく言うから、ちょっと嫌がらせを言っただけだ」

「ならいいですけど」

小坂田は口を尖らせながらも、どこかほっとしたようすだった。有本もヤレヤレという表情だったが、趙だけは手元を見つめたまま、顔を上げようとしなかった。

29

翌日、種村からの資料は宅配便でクリニックに届いた。

経済産業省関係の資料で、「医療インバウンドの動向」と題されたレポート、「医療ツーリズム支援フォーラム」の講演録、外国人患者の受け入れに関する内部資料などが含まれていた。ざっと目を通したが、才所にはゆっくりと読んでいるヒマはなかった。「週刊文衆」に雅志乃のことを書かれる前に、何としても矢倉の弱みを握って、記事を抑え込まなければならないからだ。

まずはネットで何か拾えないかと、矢倉に関する情報をさがしまわったが、これと言って有用な情報は見つからなかった。そこで才所は種村に電話をかけ、矢倉の情報を調べてもらえないかと持ちかけた。

「過去の不祥事とか、世間が眉をひそめそうなことはありませんかね。討論で矢倉氏の信用を失墜させるのもひとつの手だと思うんですが」

「なるほど。さっそく調べてみます。元々反体制運動に関わっていた人物だから、公安や内調に資料が残っているかもしれません」

向こうは大きな組織だから、個人で調べるより情報収集は格段に期待できるだろう。そう思って、才所はネット検索はやめにして、矢倉の著書を読んでみることにした。本に書いてあることと、週刊誌の記事に矛盾があればそれは大きな弱みになる。

才所は通販で二冊を取り寄せ、その週末に読破した。

一冊目は在日コリアンの入居差別裁判を追った『自由に住みたい』。国籍を理由に賃貸マンションへの入居を断られた在日韓国人の女性が、家主と市を相手取って訴訟を起こし、勝訴に近い和解を勝ち取るまでの記録である。どうせ家主を徹底的に貶め、被害者を一方的に擁護する偏向本だろうと思って読みはじめると、意外にも家主が過去に被った外国籍入居者による迷惑行為や、マンションの住人から寄せられた外国人に対する苦情、さらには被害者の女性の態度にも問題があったことまで採り上げてあり、書く姿勢は公平だった。

二冊目は網膜剝離《はくり》で視力を失ったボクサーの再起を扱った『再起の拳《こぶし》』。将来のチャンピオン候補として期待されていたボクサーが、試合中に網膜剝離を起こし、左目を失明する。周囲の反対を押し切って現役を続行するが、どうしても隻眼《せきがん》の不利は克服できず、一時は自殺まで考えるが、引退を決意したあと、セコンドにまわることでボクシングへの情熱を燃やし続けるというストーリーだった。そこにはボクシングにすべてを捧げる主人公への、純粋な賛歌が描かれていた。

才所は矢倉のことを、節操もなくスクープを嗅ぎまわる下劣なジャーナリストだと思っていたが、著書から伝わってきたのは、意外に真摯《しんし》な取り組みと、公平な目線だった。もしかしたら、話のわかる一面があるのかもしれない。

そう思っていた週明けの月曜日、種村から矢倉についての報告が届いた。

「ヤッコさんいろいろありましたよ。まずは結婚の破綻《はたん》ですね。二回結婚してるんですが、二回とも女性問題で離婚しています。酒癖も悪く、三年ほど前に泥酔して二階店の階段から転落し、頭蓋《ずがい》骨《こつ》骨折で一カ月ほど入院したそうです。どうです、使えそうですか」

「いろいろありがとうございます。助かります」

そう言って通話を終えたが、あまりにショボイ情報で、とても矢倉を抑え込む弱みになるとは思えなかった。それよりも、もし矢倉が話のわかる男なら、妙な小細工などせず、正面からぶつかったほうがいいのではないか。二冊の著書を読んだ印象では、むしろ彼の男気に訴えたほうが、効果があるように思えた。

才所は矢倉の名刺を取り出し、携帯電話の番号にかけた。

「突然で恐縮ですが、お話ししたいことがあるので、ご足労ですがクリニックにお出でいただくことは可能でしょうか」

「才所先生のほうからお話とは光栄ですな。明日はいかがですか。午前でも午後でもうかがいますよ」

「では、午後二時に。詳しいお話はお目にかかってから」

「了解」

矢倉は七十前とも思えない歯切れのいい受け答えで通話を切った。

翌日、矢倉は時間ぴったりにクリニックに来て、理事長室で才所と向き合った。

「わざわざお呼びだてして申し訳ありません。今日、お出でいただきましたのは、ほかでもありません。先日、矢倉さんが取材をされた梅川雅志乃さんのことです」

単刀直入に言うと、矢倉はさして驚いたふうにも見えず、黙ってうなずいた。

「雅志乃さんと私は一昨年の秋に知り合い、それからお付き合いをしています。率直に申し上げますが、矢倉さんのご想像の通り、昨年の年末から今年の正月にかけて、私は雅志乃さんとベトナム旅行に行きました」

そこまで聞かされるとまで思っていなかったようすで、矢倉は「ほう」と軽く嘆息した。

「私は八年前に離婚しており、雅志乃さんも独身ですから、お互い自由な立場で付き合っています。ただ、雅志乃さんは一部で名を知られた舞踊家ですから、いろいろ差し障りもあり、世間には知られないように気をつけています」

矢倉は黙って聞いている。才所は徐々に声の調子を強めていった。

「私が雅志乃さんに好意を抱いているのは、彼女の人間性が素晴らしいからです。彼女は上方舞がややもすれば衰退の道を辿《たど》りかねないことを憂い、必死に努力を重ねています。現代の観客に舞の美しさ、雅やかさを感じてもらおうと、果敢に挑戦を続けているのです。五月には西洋楽器とのコラボで、新しい上方舞の公演を企画しています。今はその準備に寝食をも忘れて頑張っているのです。そんなとき、私との関係で世間に悪い印象が広まれば、せっかくの努力が無駄になってしまう。私はそれを危惧《きぐ》しているのです」

「悪い印象というのは？」

「いろいろあるでしょう。特に金銭問題」

「でも、才所先生は援助などはされていないのでしょう」

「そうですが、私との関係とクリニックの高額治療を並べて書けば、世間は当然、不適切な援助を疑うでしょう。それが雅志乃さんに対する色眼鏡になるのを恐れているのです」

「なるほど」

「矢倉さんが記事のテーマとして書いているのは、あくまでこのクリニックの状況についてでしょう。クリニックから得られる報酬でタワマンに住み、同じく彼女とベトナム旅行に行ったと言われればそれまでですが、どうか雅志乃さんをスキャンダルに巻き込まないでほしいのです。クリニックや私自身のことなら、いくら書いてもらってもけっこうです。しかし、今、上方舞の再興にありったけの情熱を注いでいる雅志乃さんの努力を無にするようなことだけは、避けたいのです。お願いします」

深く頭を下げると、矢倉はしばらく沈黙していたが、やがて「わかりました」と応え、「どうぞ、頭を上げてください」と、手を差し伸べた。

「梅川雅志乃さんとは、一度しかお目にかかっていませんが、なかなか芯《しん》の強い方だなと感じました。上方舞というのは、詳しく知りませんが、伝統芸能はいずれも存続が大変そうですからね。彼女がそれほど頑張っておられるのなら、足を引っ張るような真似はいたしません。お約束します」

「ありがとうございます。やっぱりあなたは話のわかる方だ。率直にお話ししてよかった」

才所は自分の読みが正しかったことに安堵《あんど》し、雰囲気が和んだところでついでに訊ねた。

「ひとつお訊ねしてもよろしいでしょうか。雅志乃さんが私と懇意であることは、どこでお聞きになったのですか。まったく別の世界にいるような二人ですから、つながりを見つけるのは簡単ではないと思うのですが」

訊ねてから、情報源など簡単に明かすはずはないかと思ったが、矢倉は思わせぶりな笑みを浮かべてあっさりと答えた。

「ネットの情報ですよ。今、ネットをさがせば、たいていのことはわかりますから」

「でも、時間もかかるし、あてどもなくさがすのは疲れるんじゃないですか」

自分より高齢の矢倉なら大変だろうと思うと、矢倉は涼しい顔で、「検索のプロがいるんですよ」と答えた。

「才所先生と雅志乃さんとのこと以外にも、いろいろ存じ上げています。シンガポールでのご研究のこととか、ドクター・リーとの関係とかもね」

「ドクター・リーとの関係？　それはいったい、どういう」

「公開情報からだけですから、気にされることはありませんよ。そうそう、経済産業省の種村氏が言ってましたが、先生との討論は、三月中にしたいとのことでした。楽しみにしています。それでは、僕はこれで」

矢倉は長居は無用とばかりに立ち上がり、才所に握手を求めた。それは雅志乃のことは書かないという合意の握手なのか、それとも得体の知れない勝利宣言なのか。判然としないまま、才所は相手の乾いた手を握った。その瞬間、左目のまぶたがわずかに持ち上がり、灰色に濁った瞳《ひとみ》に光が走ったように見えた。

30

二日後の木曜日、才所はいつもの通り、マンションを出てすぐのコンビニで「週刊文衆」を買ったが、カエサル・パレスクリニックに関する第五報は出ていなかった。さすがの矢倉もネタ切れになったのか。それとも嵐の前の静けさか。記事は出たら出たで不快だが、出なければまたそれはそれで不気味だった。

クリニックでは午後に種村から連絡があり、公開討論は三月二十六日の日曜日にしたいと報《しら》せてきた。時間は午後二時から四時まで。場所はりんくうタウン駅に直結のスターゲイトホテル関西エアポートで、定員二〇〇人の「クリスタルルーム」を確保したという。

翌三月十日のミーティングで、才所はその旨を理事たちに伝え、種村から届いた資料について説明した。

有本がコピーを見ながら、考え込むようにつぶやく。

「矢倉氏は、これまでの記事に沿った内容で攻撃してくるんでしょうね。治療費が高額なことを前面に押し出して、聴衆の反発を引き出すんじゃないかしら」

「それについては、我々の集学的先進治療の特殊性と、治療にかかる経費やクリニックの設備費なんかを強調して、理解を得るようにするよ」

「クリニックを詐欺罪で訴えると騒いでる韓国の患者遺族のことは？」

「趙がカルテに説明内容をきちんと記録してくれてるから、問題ないだろう。いずれにせよ、こちらには経済産業省のお墨付きがあるんだ。堂々としてればいい」

それを聞いた小坂田が、気楽な調子で言う。

「お役所公認というわけですね。だけど、かえって市民の反発を買わないですかね。大阪人にはお上《かみ》が嫌いという手合いが多いですから」

「もちろん、あからさまに言うことはしないさ。におわす程度にするよ」

公開討論の目的は、矢倉を論破するだけでなく、世間を味方につけることもあった。「週刊文衆」が売れているのも、矢倉が世間の嫉妬《しっと》心や反感に取り入っているからだ。だったら、こちらも世間に歩み寄ればいい。そのためにはまちがっても上から目線や、セレブ意識を感じさせてはいけない。

一通り、公開討論について話し合ったあと、趙が「ちょっといいですか」と、発言を求めた。

「プリンセス・スハナの抗がん剤投与ですが、一度くらいは患者さんを診察しておいたほうがいいと思うので、シンガポールに行ってこようと思うんですが」

プリンセス・スハナの抗がん剤治療は、三月三日から開始され、分子標的薬のサイラムザを二週間の間隔で二回、点滴投与することになっていた。投与はシンガポールのドクター・リーのクリニックに入院して行われている。

「ドクター・リーから何か言ってきたのか」

「いいえ。才所先生には連絡ありませんか」

「ないよ。二回目の投与は来週の金曜日だろう。そのあとようすを見て、こちらに来てもらおうと思うが、矢倉との討論をすませてからのほうがいいだろう。プリンセス・スハナには少し待ってもらうことになるが」

才所が算段するように言うと、小坂田が「どうせすぐこっちに来るのに、わざわざ趙先生が診に行く必要があるんですかね」と疑問を呈した。

趙がそれに答える。

「それは診ておいたほうがいいでしょう。サイラムザには白血球減少の副作用もあるし、血栓症や消化管出血の徴候があれば、二回目の投与は延期か中止する必要があります。それに手術の前に抗がん剤を使う理由を、きちんと説明しておいたほうがいいでしょう」

趙の言い方に、才所はいつになく強引なものを感じたが、理由はわからなかった。ドクター・リーが偽りの説明をしたことを気にしているのだろうか。

「趙。念のために言っておくが、プリンセス・スハナにほんとうの病名を告げるのは、俺に任せてくれよ。ドクター・リーとの関係もあるから」

「わかっています。僕がするのは抗がん剤治療の説明だけです」

「じゃあ、そういうことにしよう。出発はいつにするつもりだ」

「早いほうがいいでしょう。二回目のサイラムザを使えるかどうかの判断も必要ですから」

「わかった。ドクター・リーには俺から君が行くことを報せておくよ」

公開討論のことを考えると、趙のシンガポール行きなど才所にはどうでもいいことだった。

31

翌週の月曜日、趙はシンガポールに向けて出発した。

その週の木曜日、加藤が技師の山本を連れて理事長室にやってきた。

「才所先生。ちょっとよろしいでしょうか」

才所がパソコンから顔を上げると、山本はうなだれたようにうつむいた。

「山本君が、ちょっと困ったことをしちゃいまして」

前日の夕方、山本が勤務を終えて帰ろうとしたとき、駅近くで記者に取材されそうになり、無視するとスマホで動画撮影をしはじめたという。それでついカッとなって手で払うと、スマホが飛んで、ディスプレイが破損したらしい。山本はそのまま改札を抜けたが、先ほどその記者から器物破損で被害届を出すと連絡があったのだという。

「被害届を出されたくなかったら、取材に応じろと言ってきてるんです。向こうにも非があるとは思うんですが、警察沙汰《ざた》にされると困ると思いまして」

「相手はどこの記者?」

「フリーライターのようです。大した記事は書いていない三流ジャーナリストです」

「そんなヤツの脅しなら、放っておけばいい」

「でも、警察沙汰になったら」

「ならないよ。そいつはどうせあちこちで同じ手を使ってるんだ」

「すごい剣幕のようでしたから、また電話がかかってくると思いますよ」

「弁償の金額だけ聞いて、支払うと言っとけばいい。それ以上、うるさく言うなら、この電話は録音していると言ってやれ」

「わかりました。ありがとうございます」

加藤が頭を下げると、山本もうなだれたまま「すみませんでした」と声を低めた。

「山本君はもういいわ。わたしは才所先生にお話があるから」

加藤に言われ、山本は中し訳なさそうに一礼して、部屋を出て行った。

「山本は優秀なんだが、ときどきカッとなるのが困るな。で、話って何」

加藤が口にしたのは、もう一人の技師、片岡のことだった。事務部からちょっと気になることがあると、報告があったという。

「検査関係の試薬やキットは、すべて片岡さんが発注していますでしょう。事務部を通しての注文ですが、事務部では使用状況までチェックできませんから、具体的なことは把握できないんです」

「それで？」

「こんなことを言うのは気が引けるのですが、架空注文とか金額の水増しとかがあっても、事務部ではわからないと」

「片岡さんがそういう不正をしているというのか。あの控えめな片岡さんが？」

ふだんから目立たず、いつも検査部にこもっているような最年長の技師を思い浮かべて、才所は首を傾げた。

「この前、片岡さんが高そうなロレックスをはめているのを見たんです。わたしの視線に気づくと慌てて袖《そで》を引っ張って隠して」

「照れくさかったんじゃないのか。片岡さんにも相応の給料は出してるんだから、ロレックスくらい持っているだろ」

「そうでしょうか」

加藤は不満そうだったが、それ以上に片岡を疑う材料もないようだった。

「今は公開討論の準備もあるし、そのあとにはブルネイのプリンセスも来るから、片岡さんの件はそれが終わってからはっきりさせよう。それより、プリンセス用のロイヤル・スイートの準備をしっかり頼むよ」

「来日の予定は決まったんですか」

「趙から連絡があって、二十七日の月曜日になるということだ。矢倉との討論の翌日だ」

趙はシンガポールに着いたその日に、プリンセス・スハナを診察したとのことだった。経過は順調で、二回目の抗がん剤も予定通り行えそうだと報告してきた。

「趙先生はいつおもどりですか」

「それが、例の朴《パク》という遺族のことが気になるらしくて、シンガポールからいったん韓国に行き、そのあともう一度、シンガポールにもどって、プリンセス・スハナといっしょにこちらに帰ってくると言ってる。韓国行きには俺はあまり賛成できないと言ったんだが、どうしても行きたいと」

「そう言えば、趙先生のことなんですけど」

話はこれで終わりかと思うと、加藤が声をひそめた。「先週の木曜日だったたか、天気がいいので看護師がスタッフルームの窓を開けると、駐車場の奥に白いベンツが停まっていて、助手席から趙先生が出てきたそうです。運転席側からも男が出てきて、二人が韓国語で怒鳴り合いをしていたと、看護師が言ってました」

「怒鳴り合い？　あの趙が？　相手は韓国人なんだな」

「黄色い中折れ帽に色の濃いサングラスをかけて、いかにも韓国ヤクザという感じだったそうです。で、その男は前にも駐車場で趙先生と話していたらしくて」

「前にも？　いつかわかるか」

「その看護師が言うには、去年の暮れ、福地先生が亡くなった日だったようです」

趙はあのとき、福地が帰ったあとに駐車場で人に会ったと言っていた。相手は趙の大叔父《おおおじ》の会社の関係者で、グループ会社でもめごとがあったとも。しかし、カエサルグループの人間にそんなヤクザのような者がいるのだろうか。

もしかして、今回、趙がシンガポール経由で韓国に行くのは、その件が関係しているのか。才所は漠然とした疑念を感じたが、具体的な中身まではわからなかった。

32

公開討論の当日。

才所は加藤のほか、急遽《きゅうきょ》、登壇することになった有本、小坂田とともに討論会場に近い控え室にいた。二人の理事が討論に参加することになったのは、種村から「週刊文衆」の編集長、田沢宏一《たざわこういち》が司会を務めると知らされたからだ。ほかに適任者がいないというのだが、田沢は明らかに矢倉の側の人間だから、中立を保てる保証はない。才所は種村に司会を頼んだが、それでは向こうが中立を疑うし、役所の人間が表に出るわけにもいかないと、やんわりと断られた。それで討論は一対一でなく、有本と小坂田を加えた三人で対することにしたのだった。

加藤が用意されたペットボトルの茶を配りながら、余裕の笑みで言う。

「三人の先生方が相手になれば、あの矢倉というジャーナリストがいくらわめいても、歯が立ちませんよ」

たしかに一対一よりは心強い。それに有本と小坂田が加勢してくれるなら、才所もさほど攻撃的にならなくてもすむ。

ノックが聞こえ、先ほどせわしなく出て行った種村がもどってきた。

「司会をお願いしています田沢編集長が、ご挨拶《あいさつ》したいとおっしゃるのでお連れしました」

種村のあとから入ってきたのは、くたびれたシルバーグレイのスーツを着た男性だった。名刺を差し出しながら、にこやかに言う。

『週刊文衆』の田沢でございます。弊誌の記事では、カエサル・パレスクリニックのみなさまに何かとご迷惑をおかけしておりますが、何分、週刊誌のことでございますので、平にご容赦のほどをお願いいたします」

ていねいに頭を下げる田沢は、五十代前半らしいが、髪は白髪が目立ち、顔にも深い皺《しわ》が刻まれている。根っからの週刊誌ジャーナリストという感じで、腰は低いが、売れそうなネタがあれば、なりふり構わず食らいつくというような貪欲さを漂わせている。

「田沢さんには東京からわざわざお出でいただきました。どうぞおかけになってください」

種村に促されてテーブルにつくと、田沢は討論の進行について説明した。

「最初に私が討論に至った経緯を説明して、そのあと、矢倉氏と才所先生に双方の主張を話していただきます。それから討論になりますが、討論がはじまりましたら、相手の発言を遮るのはご遠慮ください。矢倉氏にも同じように頼んでおります。時間は二時間ですから、間で一度、十分程度の休憩を入れます。そして、最後の五分くらいで私が討論を総括するという感じでいかがでしょう」

「いいんじゃないですか」

小坂田が気軽に答えると、才所が待ったをかけた。

「最後の総括はどうですかね。田沢さんが矢倉氏に有利な形でまとめられると、全体の印象がそちらに傾きかねません。田沢さんを疑うわけではありませんが、最後の総括はいらないんじゃないですか」

「わたしもそう思う。結論は出さずに、聴衆に判断を委ねる形で終わるほうが、公平さを保てますよ」

有本が才所に倣うと、田沢は思わせぶりな笑みを浮かべた。

「なかなか守りは堅いようですな。わかりました。総括はなしにいたしましょう。念のために申し上げますが、本日は中立の立場で司会をさせていただきますので、どうぞご安心を。これでもジャーナリストの端くれのつもりですから」

次元の低い心配は無用とばかりに、下まぶたのたるんだ目に一瞬、鋭さを滲《にじ》ませた。

テーブルの端でパソコンを触っていた種村が、「東京とつながりました」と、モニターの画面を田沢に向けた。映っているのは、平日の午後に帯で放映されている情報番組、「SO WHAT!?」のMCを務めるフリーアナウンサーの高山伸治郎《たかやましんじろう》だ。

田沢がモニターに向かい、親しげに話しかける。

「高山さん。ご無沙汰しています。今日は公開討論の司会役で、責任重大なんですよ」

「こちらこそご無沙汰しています。『週刊文衆』の記事、僕らも注目しているんです。医療ツーリズムは新しい分野ですからね。今日は率直な討論を楽しみにしていますよ」

二人は元々の知り合いらしく、リラックスした調子だった。

才所はテレビの情報番組など無視していたが、番組をチェックしていた加藤によると、「ＳＯ ＷＨＡＴ⁉」では、何度か「週刊文衆」の記事を採り上げ、はじめのころには取材の申し込みも何度かあったとのことである。

種村がモニターを才所に向けると、スピーカーから調子のいい声が飛び出した。

「才所先生でいらっしゃいますか。『ＳＯ ＷＨＡＴ⁉』の高山でございます。本日はオンラインで討論を拝聴いたしますので、どうぞ、よろしくお願いいたします」

「こちらこそ、よろしく」

才所は最低限の愛想で応《こた》えたが、テレビには期待と不信の両方を感じていた。討論がうまく運べば影響力は大きいだろう。しかし、逆の場合もまたしかりだ。矢倉は何か隠し玉を用意しているのではないか。ふと、そんな考えがよぎったが、その不安は、「間もなく開始ですので」という種村の慌ただしい声でかき消された。

33

「定刻になりましたので、公開討論、『日本の医療ツーリズムは是か非か』をはじめさせていただきます」

壇上の下手に座った田沢が、独特のしゃがれ声で言った。田沢の横には矢倉が、その横には才所、有本、小坂田の三人が、それぞれ小テーブルの前に座っている。

スーツ姿の才所たちに対し、矢倉はジーパンにネルのシャツ、コールテンのジャケットというラフな服装だった。親しみやすい恰好《かっこう》で市民の一員という印象を演出しているのだろう。「週刊文衆」の特報記事と、参加無料の効果なのか、客席はほぼ満席だった。後方にはテレビカメラも入り、前方の関係者席には報道陣の姿もある。

才所が会場を見渡している間に、田沢がおもむろにしゃべりだした。

「この二月来、弊誌では医療ツーリズムの特報記事をシリーズ化しており、本日はその筆者であるジャーナリストの矢倉忠彦氏と、『カエサル・パレスクリニック』の才所准一理事長、有本以知子理事、小坂田卓理事をお招きして、医療ツーリズムの是非について思う存分、討論をしていただきます。そもそも、医療ツーリズムと申しますのは——」

田沢は慣れた口調で、公開討論の経緯について語りはじめた。才所はその内容に偏りがないか、注意深く聞いていたが、特に問題はないようだった。

「それでは、まず矢倉さんから、ご意見を述べていただきましょうか」

矢倉はマイクを取ると、アジ演説でもするかのような口調で、医療ツーリズム批判を展開した。

「そもそも、日本は国民皆保険制度で、経済状況や居住地によらず、だれもが同じ医療を受けられるという、世界でも稀《まれ》に見る理想的な状況を実現しています。医療ツーリズムはその医療保険の枠を逸脱し、きわめて恣意《しい》的な医療状況を作り出そうとしているのです。自由診療の名の下に、医療の自由化が進められれば、医療に市場原理が持ち込まれ、株式会社同様の営利主義に堕するのは、火を見るより明らかです。そうなれば、経済格差が命の選別につながります。経済的に苦しい人は、十分な医療を受けられず、金持ちだけが医療の恩恵を受けられるという、許しがたい状況が現出するのです」

才所はポーカーフェイスを装いながら、会場の反応を注視していた。「週刊文衆」の記事を見て集まった人が大半だろうから、ほとんどがもっともだという顔でうなずいている。

矢倉の主張が後半に入る。

「私が『週刊文衆』で批判したカエサル・パレスクリニックは、海外の富裕層のみに先進医療を提供し、法外な治療費を得ています。まさに金持ちだけ救って、自分たちが儲《もう》かればそれでよいと言わんばかりです。そんな金儲け主義を許してよいのでしょうか。医療者は患者の命を救うことが使命であって、営利は二の次であるべきです。保険診療の担い手として、患者のために懸命に働くまっとうな医療者を守るためにも、自由診療の先頭を走る医療ツーリズムは、断固、抑制すべきです」

矢倉の口調は徐々に過激になり、最後は高々と理想を謳《うた》い上げる調子になった。熱気は聴衆にも伝わり、うなずく者、腕組みで怒りを表す者などが見受けられた。

「実に熱のこもったご発言、ありがとうございます。さすがは長年、人権問題に取り組んできたジャーナリストの面目躍如といったところですな」

田沢は軽快な調子で寸評を加え、続いて才所の発言を促した。

才所はマイクを取り、無言で会場を見渡してから、穏やかな口調で発言に入った。医療ツーリズムが決して営利主義ではないことを明かし、自由診療は医療保険で認められない先進医療を行うためのものであると説明した。

「医療ツーリズムは、医療に国境を設けるべきではないという発想から生まれたものです。高度な日本の医療を、海外の患者さまにも提供し、少しでも多くの命を救うことを目指しています。医療保険が使えないので、治療費が高額になるのは致し方ありません。それをもってして、富裕層だけ救えばいいのかという批判は、感情に訴えるだけの的外れな批判です。平和憲法を維持する日本は、軍事面で国際貢献が簡単ではありません。しかし、医療でならいくらでも貢献できる。外国人患者の受け入れは、人道的な意義のみならず、医療面での国際貢献とも言えるのです。アメリカが世界の警察なら、日本は世界の病院になる。それこそが、医療ツーリズムの目指すところです」

はじめは穏やかな滑り出しだったが、途中から才所自身が興奮し、最後は矢倉にも負けない熱い口調になった。

テーブルにマイクを置くと、田沢が感心するそぶりで言った。

「いやいや、ご両人とも力の入った主張で、いずれも説得力がありますな。ここからは自由な討論に移りたいと思います」

矢倉が待っていたように右手を挙げると、意外にも田沢はそれを手で制し、討論を仕切るのは自分だといわんばかりに、マイクを引き寄せた。

「お二人の熱気のまま討論に入って、会場のみなさんが置いてきぼりになってもいけませんので、ここで一度、深呼吸をして、気持ちを落ち着かせましょう。よろしいですか。はい、みなさんもごいっしょに」

田沢は大げさに深呼吸をして見せ、矢倉は出鼻を挫《くじ》かれた形になった。田沢はどういうつもりでそんなことをするのか。自分たちには有利な進行だが、才所はむしろ訝《いぶか》る気持ちのほうが強かった。

34

「では、お待たせしました。矢倉さんどうぞ」

田沢に促されて、矢倉は苛立《いらだ》ったようすでマイクを手にした。

「そもそも、医療ツーリズムは、医師法に抵触する恐れがあります。医師法の第一条には、医師は『国民』の健康な生活を確保するものだと明記され、外国人を対象とする医療を想定していないのです。ここは百歩譲るとしても、医療ツーリズムに関しては、日本医師会が定例記者会見で、反対の意向を述べています。外国人患者が高額な医療費を支払う自由診療が常態化すれば、保険診療の日本人が後まわしにされかねないという指摘です。その実態を明らかにせず、医療による国際貢献だの、日本が世界の病院になるなどと言うのは、美辞麗句を並べただけの卑劣な詭弁《きべん》としか言いようがない。さらには、才所氏が医療に経済観念を持ち込もうとすることにも、強い違和感を禁じ得ません。むかしから〝医は仁術〟と言われ、銭勘定とは無縁のはずです」

才所は慌てることなく鷹揚《おうよう》に発言を求めた。

「医療は社会保障の重要な要素であると同時に、社会の資源でもあります。日本が世界に誇る皆保険制度も、今や高額な新薬やロボット手術の出現で、必要ならいくらでも支出するというわけにはいかなくなっています。以前、問題になったオプジーボは、発売当初、年間の医療費が一人あたり三千五百万円という高額になりました。それをすべての患者さんに提供していたら、いったい日本の医療費はいくらになるのか。このままでは医療保険制度そのものが危うくなります。その点、医療ツーリズムは全額患者負担で、医療保険に負担をかけることも、日本の医療費を押し上げることもありません。医療の公共性も重要ですが、経済をないがしろにして理想を語るばかりでは、いずれ医療保険制度そのものが破綻《はたん》する危険があることを、忘れるべきではないと思います」

矢倉が素早く手を挙げて反論する。

「医療保険制度が破綻するなどという根拠はどこにあるんです。そんな脅しのような言葉で、世間をたぶらかそうとするのは卑怯《ひきょう》ですぞ。医療ツーリズムを野放しにすれば、医療が荒れるに決まっている。それは取りも直さず、金持ち優遇の医療につながる。そんな医療は断じて許されない」

「きちんとデータを示している警告のどこが脅しなんですか。矢倉さんこそ感情論で世間を丸め込もうとしているじゃありませんか。だいたい、今の保険診療ではガイドラインで締めつけられて、医師が独自の技量を発揮する余地がほとんどない」

「それはエセ医療を防ぐためでしょう。がんの免疫療法をしているクリニックをご覧なさい。効くはずもない治療に、自由診療で何百万円もの治療費を取っているじゃないですか」

才所と矢倉が司会者そっちのけになりそうになり、田沢が割って入る。

「発言は挙手をしてからお願いします。売り言葉に買い言葉では、冷静な討論にはなりませんので」

ヒートアップした二人を宥《なだ》めたあと、田沢が「そちらのお二方のお考えはいかがですか」と、有本と小坂田に話を振った。

「では、わたしから」と、有本が挙手してマイクを取った。

「医療ツーリズムは、すでにイギリスやスイスで一定の実績を挙げていますし、アジアでも、マレーシアやタイ、韓国でも積極的に進められています。医療ツーリズムには功罪もありますが、外国人患者の受け入れに反対するのは、医療における排外主義、医療鎖国とも言えるんじゃないでしょうか」

歯切れのいい有本に触発されたのか、小坂田も発言を求める。

「実際に医療ツーリズムをやっていますと、さまざまな国のドクターとも連携できて、医療に国境はないんだなということが実感できます。たしかに富裕層の患者さんが多いですが、彼らは寄附や募金で社会貢献している人がほとんどです。アメリカでは、医療ツーリズムの利益を社会還元することはふつうに行われていますし、我々のクリニックでも、及ばずながらユニセフへの寄附、海外の難民支援、自然災害の被災地への募金などで、社会貢献をさせてもらっています」

小坂田の発言の間、スマホで何やら調べていた有本が再度、挙手して発言を求めた。

「先ほど矢倉さんがおっしゃった日本医師会の定例記者会見ですが、二〇一〇年の会見でしたよ。そんな十年以上もむかしの指摘を引用しても、とても現実に即したものとは思えません。逆に、政府も医療ツーリズムには前向きであることを踏まえて、日本医師会は二〇一八年に、『外国人医療対策委員会』を発足させています。そのことに触れず、自分に都合のいい古い指摘だけを持ち出すのは、アンフェアではありませんか」

有本の発言に田沢はのけぞって見せ、「今の有本さんのご指摘にご意見はありますか」と矢倉に問うた。

矢倉は憮然《ぶぜん》とした表情で、「たしかに、日本医師会は対策委員会を立ち上げていますが、それは課題の検討を目的としたもので、決して医療ツーリズムを推進するものではありません」と答えた。しかし、歯切れの悪さは覆いようもなく、会場の風向きは矢倉に厳しいものになりつつあった。

田沢が苦笑しながら言う。

「今はネットの時代ですから、疑問に思うことがあれば、だれもがすぐ検索して答えを導き出せますな。会場のみなさんも同様に発言をチェックされているでしょうから、我々も迂闊《うかつ》なことは言えません。いやはや、たいへんな時代になったものです」

そう言ってから時間を確認し、「ちょうど一時間をすぎましたので、ここらで十分間、休憩を取りたいと思います」と宣言した。

35

休憩の間、才所は壇上から会場を眺めていたが、雰囲気は悪くはなかった。となりでは矢倉が老眼鏡をかけて、資料をせわしなくめくっている。表情は読み取れないが、機嫌は悪そうだった。

「お疲れさまです。さすがは堂に入った司会ぶりですね」

休憩が終わりに近づいたころ、舞台の袖から種村が現れ、田沢にねぎらいの言葉をかけた。続いて矢倉に向かい、「いかがですか。おっしゃりたいことは十分に話せていますか」と、愛想のよい言葉をかけた。その返事も聞かず、才所に近寄り、「先生もお疲れさまです。実に白熱した討論になりましたね」と、明るい口調で言った。そのあとで耳元に顔を寄せてささやく。

「なかなかいい展開です。後半もよろしくお願いしますよ」

才所がうなずくと、種村は姿勢をもどし、満足そうに笑った。会場にベルが鳴ると、腕時計で時間を確かめ、「じゃ、私けこれで」と舞台の袖に引き揚げた。

聴衆が席にもどるのを待って、田沢が後半の討論の開始を告げた。

休憩中に態勢を整えたようすの矢倉が、老眼鏡をはずして手を挙げた。

「『週刊文衆』にも書きましたが、私は若いころから在日コリアンの人権問題にも関わっていて、その関係で、カエサル・パレスクリニックで治療を受けた韓国人女性の夫に話を聞けました」

朴正安の件だ。矢倉が患者の死亡と高額の治療費を強調すると、会場にもそれを問題視する顔がそこここに見られた。才所は動じずに発言を求める。

「矢倉氏がおっしゃったことはほぼ事実です。ただ、治療費が高額になるのは理由のあることです」

才所は朴の妻に行った検査と治療にかかった経費を細かく説明した上で、担当医の趙が、現在、遺族に今一度、治療の経緯を説明した上で、患者を救えなかったことを詫《わ》びるため、韓国に行っていると発言した。趙がこの時期に韓国に行ったのはたまたまだったが、聴衆には強い印象を与えたようだ。

矢倉はさらに苛立ちを見せ、これまで調べた高額の治療費を具体的にあげつらった。しかし、それはすでに「週刊文衆」に発表ずみのものなので、記事を読んでいる聴衆には新味のないものだった。

記事に書いたことしか言えないのは、新たな攻撃材料がなくなったということだろう。才所はそのことに同情さえ覚えて、田沢に発言の許可を求めた。

「たしかに、我々のクリニックがいただく医療費が高額であることは認めます。しかし、それにも根拠があるのです。まずクリニックは初期費用として、二百四十億円を投資しています。クリニックの年間のランニングコストは約四十億円。クリニックには現時点で八十億円を超える負債もあります。それらを勘案し、患者さまの経済状況に応じて、治療費を決めさせていただいているのです。決して暴利を貪っているわけではありません」

才所が言い終えると、有本が発言の許可を求めた。

「わたしはアメリカの大学病院で長らく勤務しましたが、よりレベルの高い医療サービスを提供するため、高級ホテル並みの病室を用意しているクリニックは珍しくありません。そういう医療環境が、治療によい効果があるというデータも出ています。富裕層だけがよい医療を受けられる状況がよいとは思いませんが、お金を払えば快適な医療を受けられるという選択肢も、これからは必要ではないでしょうか。それも多様性のひとつでしょう」

小坂田も続く。

「私がやっている健診部門は、そもそも医療保険の適用外ですから、より高度なニーズに応えるために経費をかけることは、何ら不合理ではありません。持っているお金を、遊びに使おうと、健康維持に使おうと、それは自由ですからね。日本は豊かな国になっているのだから、医療だけがつつましい状況で我慢する必要はないんじゃないですか」

「ブルジョアの発想だ。多くの市民はそんな贅沢《ぜいたく》な考えは持っていないぞ。どこを押したらそんな思い上がったことが言えるんだ」

矢倉に思い上がりと言われて、思わず小坂田が言い返す。

「矢倉さんのほうこそ、言ってることは空想的理想論でしょう。高い治療費を取ってるから許せない、外国人ばかり相手にしているから裏切り医療だなんて、変な言いがかりはやめていただきたい。そうやって成功者を誹謗《ひぼう》するのは、次元の低いルサンチマンです」

「何だと。もう一度言ってみろ」

矢倉が立ち上がらんばかりの勢いで怒鳴った。才所は小坂田に発言を抑えるよう合図を送った。矢倉を追い詰めすぎるのはよくない。自制を失うと、雅志乃のことを持ち出すかもしれない。

その場を救ったのは田沢だった。

「ご両人とも落ち着きましょう。メディアも入っていることですし、有意義な結果を引き出すためにも、冷静な議論をお願いします」

そう言ってから才所に話を振った。

「今うかがった数字は、かなりの額だと思われますが、アメリカなどでは似たような規模のクリニックもあるとのことですね。日本には未だに〝贅沢は敵だ〟みたいな風潮もなきにしもあらずで、突出した高級施設が世間の反発を買いかねない状況もあると思います。その点についてはいかがですか」

「おっしゃる通りで、我々もできるだけ目立つことはしないようにしています。私はタワマンに住んでいることを矢倉さんにスッパ抜かれて、ひんしゅくを買いましたが」

会場からちらほらと笑いが起こる。

「有本さんはいかがですか」

「わたしなんて泉大津《いずみおおつ》市内の中古マンション暮らしですよ。車だって国産の中型車ですし」

さらに雰囲気がなごんだところで、田沢がマイクを持ち直して言った。

「ドクターがある程度、裕福な生活をしていることは、世間でも承認されていますし、タワマンにもいろんな方が住んでいるわけですから、それだけで批判の対象にすることはできませんな。弊誌が報じておいて言うのもなんですが」

才所が気を許した瞬間、田沢がわざとらしくつぶやいた。

「それにしても、初期投資が二百四十億円ですか——。大したものですな」

その言葉を待っていたように、矢倉が右手を挙げた。もう興奮は収まったのか、いやに落ち着いた声で言う。

「その二百四十億円ですが、よくそれだけの資金が集まりましたね。いったいどこから集められたのですか」

矢倉の訊《たず》ね方には、あらかじめ答えを知って聞いているいやらしさがあった。警戒しつつ才所が答える。

「一部は銀行からの借り入れです。残りはある企業から出資してもらいました」

「ある企業とは？」

「理事の趙が関係している韓国の企業グループです」

「韓国の準財閥、カエサルグループですね」

やはり知っているのだ。

「カエサルグループからの出資の割合は？」

「三分の二ほどです」

「ということは、約百六十億円ですね」

ここで矢倉はふたたび老眼鏡をかけ、資料をめくりながら勿体《もったい》をつけて話しだした。

「今回の討論に備えて、あらかじめ調べたのですが、病院とかクリニックの建設には、いったいどれほどの経費がかかるのか。手近な実例として、二〇一五年に移転した堺市《さかい》立総合医療センターで見ますと、この病院は地上九階、地下一階、建築面積は八千四百平米余りで、総ベッド数四百八十七床。これで総事業費は約二百五十八億円です。手術部にはカエサル・パレスクリニックと同じくロボット手術のダヴィンチを導入していますし、放射線科ではリニアックを含む高度な治療が可能です。カエサル・パレスクリニックが、いかに先進医療に特化した施設とはいえ、建築面積六百二十平米、地上六階、地下一階で、総ベッド数が十五床の施設で、初期投資が二百四十億円というのは、どう考えても額が大きすぎるのではないでしょうか」

才所が挙手して答える。

「その中には、私がシンガポールから持ち帰った次世代型高速シークエンサーや、新たに購入した治療機器、改良型BNCTのための直線加速器の建設費も含まれているのです。現実にそれだけかかったのですから仕方がないでしょう。それとも矢倉さんは、うまくやれば、もっと経費がかからずできるとでもおっしゃるのですか」

その問いを無視して、矢倉は老眼鏡を素早くはずし、挑むような顔を才所に向けた。

「私が言いたいのはそんなことじゃない。カエサルグループから出た百六十億円は、投資の回収という名目で、いずれきれいになってカエサルグループにもどるということです」

「どういうことです」

「おわかりになりませんか。資金洗浄。いわゆるマネーロンダリングですよ」

会場に想定外のどよめきが広がった。

「私は韓国に知人も多いので、いろいろ調べてもらったのです。カエサルグループは、表向きは大手スーパーやホテル経営などを生業にしていますが、裏では釜山《プサン》と済州島《チェジュド》で賭博《とばく》と売春、クレジットカードの偽造などを取り仕切る「東龍派《ドヨンパ》」という組暴《チョボク》、つまり反社会勢力と密接に結びついているようですね。カエサルグループから出資された資金は、この「東龍派」から流れたブラックマネーで、カエサル・パレスクリニックを通じてマネーロンダリングが行われている疑いがあるということです」

会場のどよめきがさらに広がり、そこここでざわつく声が聞こえる。

才所は手を挙げるのも忘れて反論した。

「いくら何でも、そんな言いがかりは許せないぞ。何か証拠があるのですか。あるならはっきり提示してください」

身体を捻《ねじ》ってにらみつけるが、矢倉は平然と会場に顔を向けたまま動かない。才所から見えるのは、不気味に垂れ下がった左のまぶたと、その隙間にのぞく灰色の瞳《ひとみ》だけだ。証拠などあるはずがないという思いと、もしも決定的な証拠を出されたら、言い逃れはできないという恐怖が、才所の脳裏に交錯した。

「ちょっと、今の話はどういうことなの」

有本が抑えた声で才所に聞く。その向こうで、小坂田も肥満した身体を才所に向け、混乱の表情を浮かべている。

矢倉は口を開こうとせず、張り詰めた沈黙を続けている。才所はふと韓国に行っている趙のことを思い出した。彼はほんとうに朴に説明に行ったのか。クリニックの駐車場で、趙と怒鳴り合いをしていたというヤクザ風の韓国人。それが「東龍派」の関係者なのか。

沈黙を破ったのは田沢だった。

「矢倉さん。今の話には確かな証拠があるのですか。才所さんもおっしゃるように、疑いだけでそんな話を持ち出すのは、不穏当ではありませんか」

「数字に印はついていませんからね。カエサルグループの帳簿を調べれば、カエサル・パレスクリニックに出資された資金が、どこからのものか追えるかもしれませんが、そこまではちょっと」

「やっぱり証拠はないんじゃないか。そんなでっち上げで、印象操作をするのはあまりに卑劣だ」

「しかしね、怪しいカネの動きは、まだほかにもあるんですよ」

「いい加減にしてくれ」

才所の怒りに動じず、矢倉は早口にまくしたてた。

「才所さんもご存じでしょう。カエサル・パレスクリニックが、中性子線を発生させる直線加速器の使用許可を求めた際に、原子力規制庁にある働きかけがあったことを」

「何のことです」

福地のことを言っているのは明らかだが、矢倉は何をどこまで知っているのか。

「才所さんが協力を求めたのは、大阪府立病院機構の元理事長、福地正弥さんですね。福地さんは元阪都大学総長でもあり、才所さんの大学時代の恩師でもあった。いろいろ毀誉褒貶《きよほうへん》のある人物のようですが、根まわしや案件の調整力は大学教授というより政治家並みだったようですな」

「福地先生にはたしかにお世話になったが、疚《やま》しいことなどこれっぽっちもないぞ。すべて正当な手続きでお願いしただけだ」

「そうでしょうか。福地さんという方は、政治力に秀でていた代わりに、手段を選ばない一面もあったのではありませんか。だから、敵も多かったし、特に身内というか、周囲の人間にもパワハラやセクハラを繰り返して、本人の気づかないところから、情報がもれていたようなんですよ」

「どんな情報です」

「それはこの場では申し上げられません。下手なことを口にして、名誉毀損で訴えられても困りますからね。ただ、多額のお金が動いた可能性があるとだけ申しておきましょう」

「あり得ない！」

才所は思わず叫んだが、田沢がそこに割って入った。

「矢倉さん。今の発言でも相当ヤバいですよ。名誉毀損のギリギリじゃないですか」

「事実がなければ名誉毀損でしょうが、事実なら大丈夫です」

「しかし、その福地さんという人の動きに、不審な点があるというのは事実なんですか。もしそうなら、弊誌としてもさっそく取材させてもらわんといけませんな」

田沢が言うと、矢倉は芝居がかった声で、さも残念そうに首を振った。

「それは無理というものです。福地さんはすでに亡くなっていますから。昨年の十二月に謎の死を遂げているのです、カエサル・パレスクリニックで」

ふたたび会場に驚愕《きょうがく》の衝撃が走った。

田沢が興奮した声で矢倉に聞く。

「どういうことです。福地さんはカエサル・パレスクリニックで治療でも受けていたんですか」

「いえ。急死です。それまで健康には異常がなかったのに、カエサル・パレスクリニックを訪ねて、才所さんたちに面会したあと、駅で倒れてカエサル・パレスクリニックに運ばれ治療を受けたところ、突然、心肺停止に陥ったというわけです」

「ちょっと待ってください」

才所がたまらず声をあげた。

「ことさら怪しげな言い方をするのはやめていただきたい。福地先生はたしかに昨年の十二月、うちのクリニックで亡くなられました。しかし、それはまったくの偶然で、ここにいる小坂田もいっしょに懸命の蘇生処置をしたけれど、残念ながら救うことができなかったのです。原因は不明ですが、明らかな病死で、何ならカルテを調べてもらってもいい。治療の経過も検査結果も、きちんと記録してありますから」

「それは記録してあるでしょう。あとで問題にならないようにね。専門家ならたやすいことだ」

矢倉の発言を、ふたたび田沢が止める。

「矢倉さん。そんなふうに思わせぶりな物言いはよくないですな。まるで福地さんが謀殺されたように受け取られかねませんよ」

矢倉は田沢を無視して、平然と会場を見渡している。

猿芝居だ。田沢と矢倉はあらかじめシナリオを作って、福地の死の疑惑を聴衆に印象づけようとしている。才所はそう確信したが、反論できずただ混乱するばかりだった。

有本が手を挙げ、「よろしいですか」と許可を求めた。

「今日の公開討論は、医療ツーリズムの是非を問うというテーマではじまったはずです。うちのクリニックの初期投資や、原子力規制庁への働きかけは、本題とは無関係の問題です。矢倉さんのご指摘は、事実であれば由々しき問題ですが、わたしも初耳です。確たる証拠もない状況で、これ以上議論してもおかしなことになるばかりで、先ほど田沢さんがおっしゃった有意義な結論からは遠ざかるばかりでしょう。クリニックの初期投資の話と、福地さんの件はここまでにして、本題にもどっていただけないでしょうか」

「ごもっともです」

田沢が即答し、手元の時計で時間を確かめた。

「ちょうど予定の時間も終わりに近づいておりますので、壇上のみなさんから、最後に一言ご発言をお願いして、討論を終わりたいと思います。では、まず矢倉さんからどうぞ」

指名を受けた矢倉は、胸を張るような姿勢で、自由診療による医療ツーリズムが、いかに医療の公共性を破壊し、日本が世界に誇る国民皆保険制度を空洞化する恐れが強いかと強調した。

才所は、激しい疲労を感じたが、力を振り絞り、矢倉の主張は現実を見ない理想論にすぎないと訴えた。さらに、そういうきれい事こそが、医療保険制度を危うくし、日本の医療に悪しき平等性を持ち込んで、医療の多様化を妨害していると指摘した。

有本は「今、才所先生が全部言ってくれたので、付け足すことはありません」と言い、小坂田も「偏った正義感だけで、医療ツーリズムや自由診療を批判していては、日本は世界の潮流から後れを取るばかりです」と、主張するに留《とど》めた。

人数的には三対一だが、討論の勝敗は、明らかに矢倉に有利に終わった。矢倉の最後の追及で、カエサル・パレスクリニックには見逃せない疑惑があるようだという印象だけが残った。

田沢は事前の打ち合わせ通り、総括をすることなく、討論の終了を宣言した。

矢倉は田沢に近寄り、握手をしながら言葉を交わしている。その後ろ姿からは、満足そうな笑顔がたやすく想像できた。

「控え室にもどりましょう」

有本に促されたが、才所はすぐには立ち上がれなかった。公開討論で矢倉の主張を論破するつもりが、カエサル・パレスクリニックに対する新たな疑惑を引き起こしてしまった。いったい何のための公開討論だったのかと、才所は後悔と屈辱の思いを持て余した。

36

才所がようやくの思いで壇上から降り、有本、小坂田とともに控え室に行くと、加藤が心配そうな顔で待っていた。

「才所先生。お疲れさまでした。お顔の色が悪いようですが、大丈夫ですか」

「ありがとう」

倒れ込むようにテーブルのパイプ椅子に座ると、加藤がすぐさま新しいペットボトルの茶を紙コップに注いで差し出した。

「それにしても、矢倉氏の発言は何なんですか。根も葉もないでっち上げを言いふらして、まるでうちのクリニックが、韓国の反社会勢力に荷担しているようじゃありませんか。あれで名誉毀損にならないんですか」

才所は答える気力もないまま、紙コップに手を伸ばす。

「ジュン。まさかとは思うけど、さっき矢倉氏が言っていたカエサルグループの件、うちにブラックマネーが流れ込んでいた可能性は、実際、あるの?」

有本が才所の正面に座って聞く。小坂田も横に座って、才所を見ている。

才所はコップの茶を飲み干し、大きく息を吐いてから答える。

「あるわけないだろう。資金は趙が直接、彼の大叔父に頼んで決裁してもらってるんだ。韓国では名士の趙の大叔父が、身内の趙にそんなややこしい金を使わせるわけないじゃないか」

「カエサルグループが、釜山や済州島の反社会勢力とつながりがあるのは知ってたの」

「知らない。趙からもそんなことは聞いていない」

小坂田が自分でペットボトルの茶をコップに注いで言う。

「それにしても、うちの建設費用が、あの立派な堺市立総合医療センターに匹敵するほどだとは思わなかったな。えらく高い買い物だったんじゃないですか」

「建設会社はどこだったの」

「ベガ・コーポレーション。関西で病院やクリニックの建設を手広くやっているところだ」

「そこを選んだ理由は？」

「福地先生の紹介だよ」

才所は有本の追及にうんざりしたようすで答えた。それでも有本は詰問の手を緩めない。

「入札とかはしなかったの」

「するわけないだろ。公共事業じゃあるまいし。クリニックの構想の段階から俺は福地先生にいろいろ相談していたんだ。福地先生も乗り気になって協力してくれていた。先生が勧める業者は断れなかったんだよ」

「設計事務所も？」

「そうだ」

「どうりで経費が跳ね上がったわけね。多額のお金が動いた可能性があるというのは、もしかして、原子力規制庁への働きかけも関係してるの？」

「それも福地先生にお願いしていたことだから、俺にはわからないよ。もういいだろ」

才所が何かを追い払うように手を振ると、小坂田がこめかみに食い込んだ銀縁眼鏡を持ち上げながら言った。

「公開討論は、医療ツーリズムの好感度を上げるために仕組んだのに、逆に印象を悪くしてしまいましたね。種村氏もこんなことになるとは思ってなかったんじゃないですか」

「そう言や、種村さんはどこにいるんだ」

才所があたりを見まわすと、加藤が訝りながら答えた。

「種村さんなら、休憩が終わると帰りましたよ、どうしてもはずせない予定があるとかで、才所先生にも断ってあると言って」

聞いていない。いや、休憩のときに種村は「じゃ、私はこれで」と言ったが、あの言い方ではその場を辞する言葉としてしか受け取れなかった。事前にあれほど熱心に準備をしていたのに、結末を見ずに帰ってしまうのはおかしい。

「ちょっと連絡してみる」

才所はスマホを取り出し、通話履歴から種村の番号に発信した。すると、「おかけになった電話は電波の届かない場所にあるか、電源が入っていないためかかりません」というメッセージが流れた。

ファイルから種村の名刺を取り出して、所属先の直通電話にかけてみる。日曜日だが、だれかが出るかもしれない。ところが、呼び出し音の代わりに聞こえたのは、「おかけになった電話番号は現在、使われておりません」というメッセージだった。

「どういうことなんですか」

小坂田が悪ふざけにでも遭ったような顔をし、スマホで何かを調べていた有本が、「これを見たらわかるわ」と声をあげた。

「経済産業省の幹部名簿。種村さんて、たしかヘルスケア産業課の企画官だったわよね」

画面をスクロールして調べていく。

「ヘルスケア産業課は商務情報政策局ね。あった。企画官、ヘルスケア産業担当、女性の名前が書いてある」

「それは最新のデータか」

「去年の十二月一日付よ」

「てことは、種村氏は何者」

小坂田が椅子からはみ出した身体を持ち上げて座り直す。

「ジュンは種村氏と何度も打ち合わせしてたんでしょう。おかしいと思わなかったの」

「相手は東京だから、会ったのは今日がはじめてだったし、電話だけじゃ――」

いや、思い当たることはあった。種村は役所が民間人にこんな依頼をしたことが明るみに出ると、野党がうるさいので内密にと言い、連絡も個人のスマホとショートメールに制限していた。あれは経済産業省に直接連絡させないためだったのか。

小坂田が種村から届いた資料のコピーをパラパラとめくり、「いかにもそれらしいけど、今はネットからいくらでも引っ張ってこられるんだろうな」と自嘲《じちょう》した。

「矢倉は知ってるのだろうか。ちょっと確かめてくる」

才所は疲れも忘れたように立ち上がり、廊下に出て矢倉の控え室に向かった。部屋番号を確認して、ノックの返事も聞かずに扉を開ける。中には矢倉とメディア関係らしいスタッフが三人ほどいた。

「矢倉さん。あなたは種村氏が経産省の官僚じゃないことを知っていたんですか」

いきなり問われた矢倉は、戸惑いの表情で才所を見返した。それが自然な反応か、芝居なのかは見極めがつかない。

「どういうことです」

怪訝《けげん》そうな顔で聞く。

「だから、彼は経産省の人間なんかじゃないんですよ。討論の途中でいなくなって、今は連絡もつかない。経産省の名簿にも名前が載ってない」

「そんなこと、私に言われても困りますよ。ご心配なら、経産省に問い合わせたらいいでしょう」

「田沢さんはどこにいるんです。控え室はこちらじゃないんですか」

「田沢さんは帰りました。東京にもどって一仕事あるとおっしゃってましたから」

ハメられた。矢倉、田沢、種村はグルなのだ。公開討論を仕掛けて、自分たちを公の場に引きずり出し、最後に疑惑を突きつけて、世間の耳目を集めようとする策略だったのだ。

「田沢さんもあなたも種村氏も、はじめから私を騙《だま》していたんですね」

「何のことです。聞き捨てなりませんね。証拠でもあるのですか」

本気で怒っているように見せているが、下手な芝居だ。

才所は己の迂闊さと騙されたことへの腹立ちで、矢倉から目を逸《そ》らして部屋を出た。

自分たちの控え室にもどり、一部始終を告げた。小坂田は、「まんまと騙されたというわけです

か」と自棄気味に言い、有本も、「それにしても大がかりなことをするわね」とあきれた。加藤も、

「矢倉さんも知ってたんでしょう。許せません。やり方が卑怯ですよ」と、憔悴《しょうすい》している才所を慰めた。

才所は田沢の名刺を取り出し、携帯電話の番号にかけた。呼び出し音は鳴るが応答しない。才所からの電話と知って、無視しているのだろう。

苛立ちと疲労で不快な脂汗を浮かべながら、才所はスマホの発信を止めた。

「また『週刊文衆』の特報記事がはじまりますね。こりゃ長丁場になりそうだ」

小坂田がため息まじりに吐き捨てると、有本も嗤《わら》うしかないという調子で続いた。

「『SO　WHAT!?』の高山伸治郎が正義ぶって、甲高い声で疑惑を追及なんて言うのが目に浮かぶようだわ」

そのあとで、思い出したようにつぶやく。

「ボンジェはあのとき、どうしてわざわざ経産省がうちを応援してくれるのかなって言ってたわね。さすがに用心深いわ」

そう言えば、あのとき趙だけが乗り気でなかった。さっきは趙もいいときに韓国に行ってくれたと思ったが、このタイミングで彼が日本にいないのは、果たして偶然だろうか。

才所は得体の知れない不審にとらわれたが、この疑念は有本にも小坂田にも言えなかった。

37

翌日、念のためにホテルに確認すると、会場費の支払いは種村個人がしたとのことだった。金額

は二時間で十八万円。それくらいなら週刊誌の経費としては安いものなのだろう。

午前中にもう一度、田沢の携帯電話にかけると、今度は応答があった。

「昨日はお疲れさまでした。なかなか有意義な討論でしたな」

何喰《く》わぬ受け答えに、才所は思わず声を荒らげた。

「ふざけるな。あんた、種村という男とはどういう関係だ」

いきなりの詰問にも動じず、田沢は「何のことですか」ととぼけた声を出した。東京へ逃げ帰って安全を確保したとでも思っているのか。相手が確信犯なら問い質《ただ》してもシラを切られるだけだ。才所は怒りを抑え、努めて冷静に言った。

「今回のやり口は汚すぎる。不適切な記事が出たら、法的な手段も辞さない覚悟ですから、そのつもりでいてくださいよ」

「どうぞご心配なく。私どもは事実しか書きません。これでもジャーナリストの端くれのつもりなんで」

何がジャーナリストだ。ハイエナのようにネタを嗅《か》ぎまわって、雑誌を売ることしか考えていないくせに。そう吐き捨てたかったが、どうせ相手は鉄面皮だ。相手にするだけ時間の無駄だと、才所は通話を切った。

この日はシンガポールからブルネイの王女、プリンセス・スハナ・ビンチ・アフマドの一行が到着する予定だった。

才所は昨日の公開討論のことは考えないようにして、受け入れ準備に神経を集中した。

プリンセス・スハナの治療は、ぜったいに成功させなければならない。破格の治療費もそうだが、王女の満足が得られれば、ブルネイ王室とのつながりができ、今後も治療の依頼が得られるだろう。治療費は前例に倣うだろうから、クリニックの収益は一気に増加する。そう考えれば、昨日の不愉快な討論になど構っているヒマはないと、才所は気持ちを切り替えた。

「加藤さん。プリンセス・スハナの病室は準備できてる？」

五階のナース・ステーションに行き、心なしか早口になって訊ねた。

「もちろんです。ご覧になりますか」

加藤だけでなく、ナース・ステーションにいるほかの看護師たちも、王族の来院に興奮しているようだった。

加藤とともに南端のロイヤル・スイートに行くと、病室はセミダブルのベッドを入れた角部屋で、二方向に大きな窓がついている。手前のリビングには豪華なソファセットとサイドボード、ティーテーブルが備えてある。さらにはミニキッチンと広い浴室、トイレがあり、病室というより一流ホテルのスイートルームといった設《しつら》えだ。

「完璧《かんぺき》だね。これなら王女にもご満足いただけるだろう。お付きの人の部屋は？」

「メイドさんは二人と聞いていますので、手前の病室にベッドを二脚入れてあります」

「一行の到着は午後二時すぎのフライトだから、入国審査をすませて出てくるのは、三時半くらいだろう。出迎えは加藤さんが行ってくれるね」

「空港からハイヤーを三台、予約しています。趙先生もごいっしょでしょうから、すぐにわかると思います」

「了解」

才所は満足げにうなずき、階段で自分の部屋にもどった。

午後三時四十分。加藤からハイヤーで出発したと連絡があり、才所は一階のロビーに下りて一行を待ち受けた。有本と小坂田には、応接室で待つよう言いつけてある。
ほどなく黒塗りのハイヤーが、クリニックの玄関前に滑り込んできた。先頭の車から順に、プリンセス・スハナの両親と加藤、続いてプリンセスと彼女をシンガポールで診ていた趙、さらに二人のメイドと、荷物運びらしいボーイが降りてきた。
《ようこそいらっしゃいました。カエサル・パレスクリニックの理事長をしておりますジュンイチ・サイショです》
英語で挨拶をして、プリンセス・スハナの両親と握手を交わす。大柄で濃い口ひげを蓄えた父親アリ・サーレハ・ビン・アフマドは、キャメル色のスーツ姿、小太りの母親は頭から胸元まで覆う金茶色のスカーフに、身体をすっぽり覆う紫のロングドレスをまとっている。プリンセス・スハナも同じスカーフで上半身を覆い、柔らかそうなベージュ色のツーピースを着ている。浅黒い肌に、目鼻立ちのくっきりした美人で、二十八歳にしては幼い印象だった。
《ようこそ。プリンセス・スハナ。このクリニックに来たからには、もう何の心配もいりませんよ》
才所がにこやかに握手を求めると、彼女はおずおずと握り返し、蚊の鳴くような声で、《スハナと呼んでください》と言った。
《それじゃスハナ。みなさんを応接室に案内します。エレベーターにどうぞ》
才所が親しみを込めて言い、ムスリムらしくスカーフで髪を覆ったメイドたちと、背の高いボーイを残して、一行は六階の応接室に向かった。
部屋で有本と小坂田が出迎える。

《理事のイチコ・アリモトです。お目にかかれて光栄です》
有本が軽く膝《ひざ》を折って父親に挨拶すると、小坂田もジャパニーズ・イングリッシュ丸出しで、
《私の名前はスグル・オサカタ。ドクター・アリモトと同じく理事です》と自己紹介をした。
アリ・サーレハは二人と握手を終えたあと、全面窓に目をやり歓声をあげた。
《素晴らしい眺めだ。海と空港がすぐそこに見える》
《そうです。スハナさんの病室からも、滑走路がよく見えます。どの患者さんも、離陸する飛行機を見て、病気がよくなって国へ帰る日を待つのです》
才所はにこやかに言ったが、母親もプリンセス・スハナも暗い表情を解かなかった。ドクター・リーから聞かされた病状を深刻に捉えているせいだろう。それは偽りだが、ドクター・リーとの関係があるので簡単には訂正できない。
全員がソファに座ると、加藤が銀色のワゴンを押して入ってきて、蓋《ふた》付きの湯飲み茶碗《ぢやわん》でお茶をサーブする。
《日本の緑茶です。気分がリラックスしますよ》
才所は手本を示すように湯飲みの蓋を取り、気持ちよさそうに飲んだ。アリ・サーレハもそれに続くが、母親とプリンセス・スハナは手を出そうとしない。
湯飲みをもどしてから、才所はできるだけ明るい調子で説明に入った。
《さっそくですが、治療スケジュールをご説明いたします。明日からまず血液検査やX線撮影、心電図などの基本的な検査を受けていただきます。午後には全身麻酔で胃カメラをさせていただきます。胃カメラはシンガポールでも受けたでしょうが、最新の状況を知りたいのでご辛抱ください。明後日はCTスキャン、MRI、PETの検査を、当クリニック独自のCCC法《トリプルシー・メソッド》で行います。そ

の結果を踏まえて、その翌日、三月三十日に手術を行います。手術は最新式のロボット手術を予定していますので、腹部を切開することなく、傷も最小限に抑えられます。何かご質問はありますか》

アリ・サーレハが低い声で聞く。

《CCC法とは、どんなものなのか》

《〝キャンサー・セル・キャプチャー〟の略で、がんを細胞レベルで可視化して、体内から一掃するための検査です》

《ドクター・リーが、ドクター・サイショはがん細胞を一個たりとも逃がさないと言っていたのはこのことだったんだな。スハナ、おまえのがんは、ドクター・サイショがすべて取り除いてくれるんだ。よかったな》

アリ・サーレハが娘の手に自分の手を重ねると、プリンセス・スハナはわずかに表情を緩めた。母親はバッグからハンカチを出し、そっと目元に当てる。

《手術の前日、検査の結果を見て、最終的な治療方針を決めたいと思います。がんという病気は複雑で、刻々と状況が変化します。ドクター・リーのところで受けていただいた分子標的薬の効果も期待できると思います》

才所が言ったのは、もちろんドクター・リーの偽診断をを正すための布石である。ステージⅡなら有本はBNCTをしないだろう。フルコースの治療を期待しているアリ・サーレハを納得させるのはむずかしいが、ここは取りあえずスルーする。

《それでは病室にご案内します。ご家族がすごせる部屋もありますので、ごゆっくりおすごしください。ご両親のお泊まりは、スターゲイトホテル関西エアポートですね。クリニックからなら歩い

て十分もかかりません。メイド二人はスハナさんの手前の部屋に寝泊まりしていただきます》

立ち上がると、アリ・サーレハも腰を上げ、才所に再度、握手を求めた。

《いろいろ配慮していただき、心から感謝する。ドクター・サイショ、あなたは私どもの希望だ。よろしくお願いします》

《治療にはベストを尽くします。まずは検査の結果をお待ちください》

力を込めて握手を返し、加藤に病室への案内を命じた。

一行を見送ったあと、応接室を出たところで才所が趙を呼び止めた。

「ちょっと部屋に来てくれるか。帰ってきてすぐのところ、悪いんだけど」

「わかりました」

有本と小坂田は自分の部屋に消え、趙は疲れた表情で才所の後に従った。

「そこに座ってくれ。海外出張、ご苦労だったな」

ソファ席を勧めて、自分も向き合って座る。趙のようすを慎重に見極めながら、才所はわざと砕けた言い方をした。

「昨日の公開討論は大変だったよ。矢倉がでっち上げみたいなことを言い出してな。最後は何だかわけがわからない大混乱さ」

「どんなことを言ったんですか」

「朴という患者遺族のことを蒸し返して、詐欺医療扱いさ。だけど、君がちょうど説明に行ってくれてたから、効果的な反論ができたよ。で、朴の感触はどうだった」

「納得まではしてくれませんでしたが、僕がわざわざソウルまで出かけたことは評価してくれたようです」

「詐欺罪で訴える云々《うんぬん》のことは？」

「それは、もう少し考えると言ってました」

どことなく歯切れが悪い。

「ところで、韓国には何日から何日まで行っていたんだ」

趙が日本を出たのは三月十三日。二週間前の月曜日だ。二日後に現地から連絡があり、プリンセス・スハナの二回目の抗がん剤治療は十七日。あまり長い間、韓国に行っていたとすれば怪しい。

「シンガポールを出たのは、二回目の抗がん剤治療を終えた翌日の十八日でした。もどったのは四日前です」

才所はざっと空で計算して言う。

「ということは六日間、韓国にいたということになるな。朴に説明するのに、そんなに日数がかかったのか」

「そういうわけでは——」

言い淀《よど》んでから、弁明するように答える。

「朴さんに説明したのは二日だけです。あとは向こうの親戚に会ってました。大叔父にもお礼方々会ってきました」

「うちのクリニックのことで、何か言ってたか」

「別に。日本にいるグループの社員からようすは聞いてる、順調のようだなと」

才所は慎重に趙のようすをうかがった。ここは奇襲をかけるのがいいかもしれない。才所は相手の反応に注視しながら言った。

「〝ドヨンパ〟というのを知っているか。東の龍の派と書くらしいが」

趙はかすかに眉根《まゆね》を寄せ、珍しく嫌悪の滲んだ目線を向けた。

「昨日、矢倉がそんな名前を出したんだ」

「どういう話で出たんですか」

「矢倉が言うには、カエサルグループが、その〝ドヨンパ〟とつながっていて、うちに出資してくれた資金がブラックマネーだというんだ。投資を回収することでマネーロンダリングをしてると」

色白の趙の顔に翳《かげ》りが見え、声のトーンが下がる。

「マネーロンダリングだなんて、そんなことはないと思いますよ。〝ドヨンパ〟のことは聞いたことがあります。詳しくは知りませんが、カエサルグループと多少関係はあるかもしれません。ホテル経営でカジノとかもやっているので、致し方ないことです。でも、大叔父が僕をややこしい話に巻き込むことはないはずです」

「そうだろうな。で、もうひとつ聞きたいんだが、君がシンガポールに行くと言い出す前に、韓国の人間と駐車場で会っていただろ。たまたま看護師が見ていたらしくて、相手は去年、福地先生が訪ねて来たあとにも、君と会っていた人のようだと言うんだが」

趙はふたたび険悪な表情を浮かべ、目を逸らした。これ以上、追及すると何か剣呑《けんのん》な状況になりそうで、才所は緊張したが趙は口を閉ざしたままだった。

才所が改めて言う。

「君がプライベートでだれと会おうとかまわないが、もし、何か困っていることがあるのなら、できるかぎり力になるよ。余計なことを言ったのなら許してくれ」

「別にいいです。前にも言いましたが、その人はカエサルグループの人間で、会社のもめ事を僕のところに持ち込んでくるので、追い返したんです」

「それならいい。この話は終わりにしよう」

趙がいつもの穏やかな表情にもどるのを待ってから、才所は声を低めた。

「実は、君に改めて頼みたいことがあるんだ。君にしかできないことなので、協力してほしいんだが」

表情は穏やかなままだ。才所はこれなら大丈夫だろうと用件をささやいた。

38

プリンセス・スハナが来日した日の午後、テレビの情報ライブ「SO WHAT!?」でMCの高山伸治郎が、カエサル・パレスクリニックの疑惑を取り上げた。矢倉も緊急出演という形でコメンテーターの席に座り、前日の公開討論で暴露した話を得々と繰り返した。

才所はプリンセス・スハナ一行の出迎えで放送を見ていなかったが、チェックを頼んでおいた看護師が、夕方遅くに加藤とともに理事長室に来て、親の悪口でも言われたかのように憤慨しつつ報告した。

「ほんとにひどい言い方で、あることないこと、さも事実のように思わせぶりに言って、あんなのテレビで許されるんでしょうか。MCの高山は深刻ぶって、もしこの疑惑が事実なら許しがたいなんて、わたし、あの人、大っ嫌いです」

若い看護師の口ぶりに、才所は思わず頬が緩む。

「矢倉はどうだった」

「同じですよ。ありもしない疑惑を持ち出して、それを自分の手柄みたいに言って、また国民に対する裏切り医療だとか、医療の公共性に反するとか、自分こそ正義の味方で、巨悪を許さないって感じで、アンタいったい何様よって言いたくなりました」

「テレビはいつもそうなんだ。どうしようもない。ありがとう」

看護師をねぎらうと、加藤が横から報告した。

「『SO WHAT!?』のディレクターから、取材依頼の電話がありましたが、当然、断りました。でも、まだうちに関する報道は続くみたいですよ。誤解を招くような内容に対して、抗議する必要はないでしょうか」

「放っとけばいいさ。抗議なんかしたら、それをとっかかりにまたあれこれ聞いてくるだろうし、疑惑だけじゃそのうちネタ切れになるだろう。それより、今はプリンセス・スハナの治療のほうが重要だ。雑音に惑わされないで、プリンセス一行への対応に不備がないよう、スタッフをしっかりまとめてくれ」

「わかりました」

実際、興味本位のテレビ番組になど、気持ちを乱されているヒマはなかった。ドクター・リーの偽診断のせいで、クリニック内で余計な調整をしなければならない。有本が不同意のままでは、カエサル・パレスクリニックのウリである〝集学的先進治療〟が成立しない。だから、まずは彼女を納得させることが先決なのだった。

帰る間際、才所がロイヤル・スイートの病室をのぞくと、プリンセス・スハナと両親が、リビングのソファに座って、もう一時間ほど会話も交わしていないというような顔で黙りこくっていた。ホテルからケイタリングで取り寄せた夕食も、ワゴンに載せられたまま、保温トレイの蓋も取られていない。

才所はことさら明るい笑顔を作ったあと、両手を合わせて懇願するように言った。
《みなさん、お願いですからそんな深刻な顔をしないでください。ここまで来たら、あとは我々にすべてお任せで結構です。だから、元気を出してください。患者さんには希望こそが、何よりのエネルギー源ですよ》
才所が励ますと、アリ・サーレハは大きくうなずき、《そうだな。スハナ、大丈夫だ。明日から頑張ろう》と、娘の肩に手をやった。
才所がきっぱりと首を振る。
《いえいえ、プリンセス・スハナは頑張る必要はありませんよ。頑張るのは我々ですから》
冗談っぽくウィンクをすると、ようやくプリンセスの顔に笑みが浮かんだ。

39

翌日、午前から検査がはじまり、採血や心電図、胸部と腹部のX線撮影を終え、いったん病室で休んでもらったあと、午後には趙が胃カメラの検査を行った。

才所は自分の部屋で待機していたが、午後三時すぎ、趙から連絡があり、内視鏡の検査室に来てほしいと言われた。

廊下に出たところで小坂田といっしょになり、互いに顔を見合わせると、小坂田はいつになく硬い表情で聞いてきた。

「何かあったんでしょうか。趙先生、妙に焦ってたみたいですけど」

「わからない。とにかく下に行こう」

エレベーターで二階の内視鏡検査室に行くと、有本が先に来て二人を待っていた。プリンセス・スハナは、すでに病室にもどったらしく、検査用の診療台は無人だった。

三人が揃うと、趙は壁際のモニターに、今しがた終えた胃カメラの動画を映し出した。早送りで腫瘍《しゅよう》の部分を映し出し、画面を静止させる。

有本が身を乗り出して声をあげた。

「何、これ。前にドクター・リーが送ってきた画像とぜんぜんちがうじゃない」

映し出された腫瘍は、クレーター状の周堤《しゅうてい》が崩れ、粘膜が不規則に乱れていた。

「これならボールマン2型じゃない。3型ですよ。あーあ、明らかに周囲への浸潤もありそうだし」

小坂田がモニターを見ながら首を振った。才所も画像を見つめ、信じられないとばかりに腕組みをする。

「趙。もう少し画像を進めてくれ」

才所の指示で静止を解除すると、映像は腫瘍の周囲を映し出し、さらに中央の潰瘍《かいよう》部分をクローズアップにした。

「たしかにボールマン3型だな」

才所が唸《うな》ると、有本が納得がいかないとばかりに趙に言った。

「でもおかしいじゃない。シンガポールでサイラムザを二回投与してるんでしょう。それなのにどうしてボールマン2型が3型になるの」

「どうしてって言われても困りますよ。僕だって驚いてるんです。だから、みんなに来てもらったんです」

「もう一度、ドクター・リーから送られてきた胃カメラの画像を見てみよう」

才所が趙に言い、ラップトップのパソコンを起動させて、プリンセス・スハナの電子カルテを呼び出した。ディスプレイに胃カメラの画像を表示する。

「この画像だとわかりにくいが、よく見たら周堤の境界はそれほどクリアじゃない。わずかに崩れかけているようにも見える。それがこの一カ月で、さらに崩れたんじゃないか」

「分子標的薬の抗がん剤を二回も投与したのに?」

有本がまだ納得できないというような目を才所に向ける。

「がんが理屈通りに治療に反応しないのは、イチコもわかってるだろう。分子標的薬でも、どの症例にも有効だとはかぎらない。大事なことは現実に対応することだ。この状態だと、遠隔転移があるかもしれない。そのときは適切な治療を考え直す必要もあるだろう」

「じゃあ、プリンセス・スハナの一行にはどう説明するつもり」

「もちろん正しい診断を告げるさ。スキルスタイプのボールマン4型ではなく、潰瘍型のボールマン3型だとね」

その説明なら、まだしもドクター・リーの顔をつぶすことにはならない。ボールマン3型も4型も、どちらも浸潤のあるタイプだし、説明のしようによっては、素人の患者側には大きなちがいはわからないだろう。

才所が密かに肩の荷を下ろした気分になっていると、小坂田が今一度、モニターを見ながら言った。

「明日の検査が見ものですね。もしかしたら、ほんとにステージⅣだったりして。こりゃドクター・リーの呪いだな」

「小坂田。冗談にも患者さんの不幸を面白がるようなことは言うな。まして、相手は不安でいっぱいの若い女性なんだから」

才所がたしなめると、小坂田はイタズラを咎《とが》められた子どものように肩をすくめた。

翌日の水曜日は、朝からプリンセス・スハナのCTスキャン、MRI、超音波診断が行われ、午後にはCCC法《トリプルシー・メソッド》を用いたPET検査が行われた。陽電子放出核種であるF18《フッ素》を組み込んだリガンドを投与し、約一時間、がん細胞に取り込まれるのを待って、PET装置で画像検出する。

才所たちがミーティング・ルームで待っていると、技師の山本から検査の結果が出たと、IP無線で連絡があった。

「どれどれ、拝見するとしますか」

小坂田がいつもの調子で軽く言い、パソコンの電子カルテに送られてきた画像をクリックした。ほかの三人も同様に画像を開き、有本が真っ先に声をあげた。

「この集積、大動脈周囲リンパ節じゃないの」

青紫色に描出された人体の腹部に、薄い黄緑色の内臓が浮かび上り、胃がんと思われる場所に赤い塊が写っている。それは想定内だが、そこから身体の中心に向けて、いくつかの赤い点が光っている。大動脈の周囲にあるリンパ節への転移だ。

「それだけじゃないです。側面の画像を拡大してみてください。腹膜にも二ミリ程度の集積がいくつか見られますよ」

いち早く拡大画像を確認したらしい趙が低く言った。

胃がんのリンパ節転移は、第1群から第3群に分けられ、大動脈周囲のリンパ節は第3群に分類される。胃がんの分類ではステージⅣと判定される。

「山本君が拡大画像の処理をしてくれているんじゃないか」

才所が言うと、電子カルテに『腹膜拡大』と名前のついたファイルが送られてきた。四人がそれぞれのパソコンで開き、小坂田が「あちゃー」と、顔をしかめた。拡大画像には、細かな転移が赤い砂をまいたように散っていた。

「まちがいなくステージⅣだな。おそらく一カ月前にも細胞レベルでは転移があったのだろう。図らずもドクター・リーの偽診断が、実は正解だったということだ」

明らかな転移の画像に、有本も反論できないようだった。

「抗がん剤の術前投与が無効だったとなれば、ＢＮＣＴで叩《たた》くしかないんじゃないか」

才所に言われ、有本は「そうね」とうなずいた。

「サイラムザがだめでも、タキソテールやトポテシンは期待できるかもしれません。免疫チェックポイント阻害剤もまだ使っていませんし」

趙が才所にうかがいを立てると、有本が、「まずは手術でしょう。そのあとでＣＣ法で使ってみたら」と、横から言った。

「そうだな。まずは手術で胃切除をして、状況によってタキソテールを使ってみよう。術後の傷が落ち着くのを待って、ＢＮＣＴだな」

有本に目をやると、彼女はふたたびうなずいた。

「よし。じゃあ、その線でプリンセス・スハナと両親に説明しよう」

才所は理事たちとともにロイヤル・スイートに向かい、待ち構えていた患者とその家族に向き合った。

《検査の結果が出ました。ドクター・リーからも説明があったかと思いますが、スハナさんの胃がんは、胃から離れたリンパ節に転移があるので、ステージⅣの状態です。もちろんあきらめる必要はありません。胃がんそのものは手術で切除し、リンパ節への転移には、がん細胞をターゲットとした新たな抗がん剤を投与し、最終的にＢＮＣＴという方法ですべて取り除けると思います》
《スハナは助かる可能性があると考えていいんだな》
《もちろんです》
《ありがとう。我々はドクター・サイショを信じている》
才所はうなずき、胃がんのタイプがドクター・リーの言っていたボールマン４型ではなく、３型であることを説明した。予想通り、アリ・サーレハはそんなことはどうでもいいという反応で、ドクター・リーの偽診断にこだわるようすはなかった。
才所は難関をひとつ突破した思いで、明るく言った。
《では、明日の午前にスハナさんの胃切除術を行います。胃は全摘ではありませんから、時間はさほどかかりません。頑張りましょうね》
そう言ってから、今気づいたように訂正する。
《おっとまちがい。頑張るのは私でした。スハナさんは、眠っているだけで大丈夫。すぐに終わります》
前日同様、茶目っ気を浮かべてウィンクすると、プリンセス・スハナは曖昧《あいまい》に微笑んだ。

40

プリンセス・スハナの胃切除術は、三月三十日の木曜日、午前九時から予定通りに行われた。

この日の朝、才所は出勤途中のコンビニで「週刊文衆」を買ったが、予想通り、矢倉との公開討論が四ページの大きな記事で報じられていた。ざっと目を通すと、マネーロンダリングや、原子力規制庁への働きかけに関する件は、疑惑として暴露されたとあるが、才所が断固、否定したことも明記してあった。

「これなら目くじらを立てるほどでもない」

才所はひとりごちて、そのままクリニックに向かった。運転を追尾型のレーダークルージングにして、プリンセス・スハナの手術の脳内シミュレーションをする。手術の段取りをイメージするのは毎度のことで、思い浮かべるのは最悪の事態と、想定外の状況だ。それにより心の準備を調え、突発事が起きても、冷静に対処できる気持ちの余裕が生まれる。

プリンセス・スハナは睡眠剤のおかげで前夜はよく眠れたと言い、朝は午前六時に起きて、メイド二人とともにりんくう公園まで散歩をしたとのことだった。

七時前には両親がやってきて、落ち着かないようすで才所の到着を待っていた。プリンセス・スハナは前日までの不安そうなようすが消え、手術当日を迎えて逆に度胸が据わったかのようだった。

手術はダヴィンチXiカスタムによるロボット手術で、胃がんの部位が胃前庭部《ぜんていぶ》なので、全摘ではなく幽門側切除術《ゆうもんそく》ですむ予定だった。

麻酔がかけられ、カメラアームを挿入すると、ゴーグル型のモニターに3Dの内視鏡映像が映し出される。二十八歳のプリンセスの腹腔《ふくくう》内は、内臓脂肪も少なく、肝臓のエッジもシャープで、胃の表面を包む漿膜《しょうまく》も瑞々《みずみず》しい。

胃の前に垂れ下がっている大網《たいもう》を切り開き、脂肪がフリルのように周囲を取り巻く横行結腸を下方に避けると、胃の表面が露《あら》わになる。この胃には見覚えがある。通常より白っぽく、枝分かれの少ない血管がくっきり見える。そして、がんによって歪《いびつ》になった胃角のくびれ。才所の脳裏に、かつて自分がロボット手術をした患者の胃がよみがえる。あれはジョンズ・ホプキンス大学病院で、はじめて最初から終わりまで操作用のコックピットを任された胃がんの手術だった。たしか三十二歳の黒人女性だ。顔は思い浮かばないが、年齢と胃の映像ははっきり記憶している。十四年前のアメリカ人女性の胃と、ブルネイ王女のそれが瓜二つであることの偶然に、才所は不思議な感慨を覚えた。国籍とか皮膚の色とはまったく無関係の内臓の類似。それこそが生物としての人間の特徴ではないか。

才所は雑念を振り払い、イメージング・システムを近赤外線に切り替えて、腹腔内と胃の表面を確認した。蛍光プローブで標識されたがん細胞の煌《きら》めきはない。助手を務めるアルバイト医と、ビジョンカートを操作する看護師には、詳しい話はしていないので、特に疑問を持つこともないだろう。

イメージング・システムを元にもどし、鉗子《かんし》と電気メスを使って、十二指腸の遊離にかかる。通電のたびに飛び散る飛沫とかすかな煙。おたふくの頰のように膨れてくる小腸。若いプリンセスの鼓動は力強く、かつリズミカルに内臓を拍動させる。

半透明のドレープを広げたような結合組織を、電気メスは次々と切り裂いていく。腹腔内は強烈なライトに照らされ、わずかに血を滲ませながら、臓器を覆う膜が剝《は》がされる。十二指腸が露出されると、左側腹部のポートから自動縫合器を挿入して、まず肛門側《こうもんそく》を離断した。縫合器を開くと、断端にステープルが並び、断面は焼灼《しょうしゃく》されて白く凝固している。

続いて右腹部のポートから自動縫合器を挿入して、胃の吻側《ふんそく》を切り離す。リンパ節郭清はせずに、がんを含む胃の下部三分の二をサージカルバッグに入れ、臍部《さいぶ》の切開を三センチに延長して、がんの部分を取り出した。

順調な経過である。あとは胃の上部と、空腸の側面を吻合するビルロートⅡ法の再建をすればいい。右側のポートから、リング状にステープルを配置した環状自動吻合器を入れ、胃の大彎《だいわんそく》側と空腸の側面を吻合する。さらに周囲を連続縫合で閉じ、出血のないことを確認して、念のためドレーンを挿入して操作を終えた。

例によって、ダヴィンチの離脱とポートの閉鎖は助手のアルバイト医に任せて、操作用のコックピットを出る。

「お疲れさまでした。今日のオペもスムーズでしたね」

看護師のねぎらいに笑顔で応じ、手術室を出る。

六階に上がったところで、有本が声をかけてきた。

「もう終わったの。早いわね」

「若い患者のオペは楽勝さ」

「腹膜転移はどうだったの」

「近赤外線で見たけど、山本の拡大画像の通りだったよ」

「大動脈周囲のリンパ節転移もそう？」

「ああ」

「じゃあ、傷の治りを待って、ＢＮＣＴをはじめるわ。それまではボンジェの化学療法ね」

「よろしく頼む」

才所は理事長室に入り、パソコンを起動して、テレビのアプリを開いた。まだ昼前だったが、どのチャンネルも二日前に発生した名古屋《なごや》の美容クリニックの院長殺害事件の報道で持ち切りだった。

一昨夜の午後八時半ごろ、名古屋市中区の栄《なかくさかえ》にある美容クリニックに男性が乱入し、院長を人質に立てこもる事件が発生した。犯人は恋人が美容整形を繰り返した後、結果に悩んで自殺したことを根に持ち、院長を十時間近く監禁したあと、持ち込んだ猟銃で射殺し、クリニックにガソリンをまいて火をつけ、自らも焼死した。

昨日の水曜日、才所はプリンセス・スハナの検査と説明にかかりきりで、テレビなど見るヒマはなかったが、フォローを頼んでおいた看護師によると、「SO　WHAT!?」はこの事件の報道で持ち切りで、矢倉はコメンテーター席に座ってはいたが、ほとんど発言の機会もなかったとのことだった。

部屋で軽い昼食を摂《と》ったあと、才所は念のため、午後三時からの「SO　WHAT!?」にチャンネルを合わせたが、案の定、今日も番組は冒頭から名古屋の美容クリニック院長殺害事件を取り上げ、現場からの中継や、識者の分析などが続いた。その話題が終わったあとも、レギュラーの特集や海外のニュースが続き、カエサル・パレスクリニックの話題は出なかった。当然、コメンテーターの席にも矢倉の姿はない。

最後まで見終わると、才所はテレビなんてこんなもんだと、冷ややかに笑った。これで政府のお偉いさんが、女性蔑視《べっし》か戦争肯定の失言でもしてくれたら、カエサル・パレスクリニックの曖昧な疑惑など、だれも見向きしなくなるだろう。

才所は満足げにテレビのアプリを終了し、今一度、プリンセス・スハナの電子カルテを開いて、腹膜転移の拡大画像を見直した。

41

　プリンセス・スハナの術後経過は良好で、発熱もなく、出血も滲出液《しんしゅつえき》もなかったので、翌日の午後には腹腔《ふくくう》内に留置したドレーンを抜いた。導尿のカテーテルも抜き、歩行も許可して、夕方には病室の浴槽で下半身浴をしてもらった。

　土曜日には排ガスがあり、流動食の食事をはじめた。才所は土日もクリニックに顔を出し、ていねいに診察をして、付き添っているアリ・サーレハ夫妻を安心させた。

　週明けの月曜日、趙がタキソテールとオプジーボの治療を開始した。吐き気や下痢などの副作用もなく、血液検査で白血球の減少もなかった。

《すべては順調です》

　才所が説明すると、プリンセス・スハナとアリ・サーレハ夫妻は「サンキュー・ベリー・マッチ」と繰り返した。あなたは名医だとか、治療の成功を信じていたとか、よけいなことを言わないのは、王族故の奥ゆかしさか。

「SO　WHAT⁉」は才所の予測した通り、月曜日もカエサル・パレスクリニックの疑惑を蒸し返すことはなかった。やっと平穏な日々がもどったと思った翌日、歓迎されざる相手から電話がかかった。福地登子である。

　またクリニックに押しかけてくるのかと思いきや、今度はご足労だが才所に出向いてもらえないかという申し入れだった。

「クリニックではとてもお話しできないことなので」

声をひそめる登子は、まるで電話の盗聴を恐れているかのようだった。特段の予定もなかったので、才所は昼過ぎにクリニックを出た。

登子が指定したのは、地下鉄御堂筋線《みどうすじせん》のなんば駅、南改札の前にあるカフェだった。クリニックから南海線一本で行ける場所なのは、まだしも登子の配慮かもしれない。

ブリティッシュスタイルのカフェに入ると、奥の四人掛けの席から、いつも通り派手なブラウスに大ぶりな眼鏡をかけた登子が、分厚い手を振った。

「お忙しいでしょうに、急にお呼び立てしまして申し訳ございません」

向かい合って座ると、コーヒーを注文するのももどかしげに、「さっそくですが」と話を切り出した。

「この前から才所先生のクリニックがテレビや週刊誌で取り沙汰《ざた》されていることは存じております。あたくしはさほど興味を持っていなかったのですけど、娘の真理恵が先週出た『週刊文衆』の記事を見て、公開討論ですか、そこで主人が亡くなったことに、何か疑問があるというような話があったそうで」

「はあ」と曖昧《あいまい》に応じると、登子はバッグからB6版ほどの小ぶりのノートを取り出した。

「思い立って主人の遺品を整理してみましたら、こんなものが出てまいりましたの」

何年も使い込んだようなノートで、表紙に油性ペンで大きくマル秘と書いてある。

「主人が密かに記録していたものらしくて、ちょっと公にできないことが書いてあります。主人が存じ上げている方々の秘密というか、人に知られては困るようなことが、備忘録のように書かれておりますの」

「拝見できますか」

才所が言うと、登子はノートを手前に引き寄せ、「いろいろ差し障りがありますので」と、防御の態勢をとった。そしてページを繰って、目当ての場所を開いた。

「ここに気になる書きつけがございまして、『アリモトイチコ』というのは、そちらさまの理事の女性でしょう」

差し出されたノートを見ると、次のようにあった。

『アリモトイチコ　京洛大学病院　患者死なせアメリカに逃亡　竜崎《りゅうざき》情報』

有本の名前の前には星印がついている。

才所が顔を上げると、登子はノートを手元に引きもどして声をひそめた。

「あたくし、どうもおかしいと思っておりましたの。先日、クリニックにうかがいましたときも、有本さんは妙に理詰めであたくしの言い分を否定なさっていたし、主人が倒れたとき、彼女はたしか早退したとかで、クリニックにはいらっしゃらなかったのでしょう」

「だから――？」

「早退したからといって、家に帰ったとはかぎりませんわよね。つまり、主人がトイレで倒れたとき、その場に居合わせた可能性もあるのではありませんか。たとえば、トイレで待ち伏せをするなりして」

才所は軽く笑い、登子の疑惑を否定した。

「冗談でしょう。第一、福地先生が駅でトイレに行くことは、だれにも予想できないことですからね。待ち伏せはあり得ません」

「なら、あとをつけて、主人がひとりになる機会を狙っていたのじゃないですか。それで針のようなもので心臓を一突きした。ワイシャツに残っていた左胸の穴が、何よりの証拠ですわ」

「またそれですか。その穴がなぜ開いていたのかは私にもわかりませんが、先日も申し上げた通り、針で突いたくらいで心臓は止まりませんよ。何かの毒物でも注射したのなら別ですが、血液検査では何も検出されなかったのですからね」

「でも、その有本という女性にはアリバイがないのでしょう」

「アリバイ？」

探偵小説じゃあるまいしとあきれる反面、そんな用件で自分は呼び出されたのかと、才所はうんざりした。

「クリニックでも似たような話は出ましたが、アリバイもない代わりに、福地先生を襲う動機もありませんよ」

「いいえ。このノートに書いてあることが動機です。有本という女性は、京洛大学病院で患者を死なせる医療ミスを犯して、それで日本にいられなくなってアメリカに逃げたのじゃありませんか。その秘密を主人に知られたものだから、口封じを考えたのでしょう」

「ちょっとお待ちください。奥さまは以前、草井さんのことを疑っておられたのではなかったですか」

「だから、あの人とその有本という女性が示し合わせて、主人を襲ったのじゃありませんか。二人がグルになっていたのなら、主人がひとりになる機会を待つ必要もありませんし」

登子の頭の中では有本による福地殺害のストーリーが組み上がっているようだった。

「想像力が逞《たくま》しいのは結構ですが、そんな理由で簡単に人を殺《あや》めることができるものでしょうか。露見したら逮捕され、長期刑に服さなければならず、これまでのキャリアも実績も、すべて棒に振ることになるのですよ。いくら過去に患者が死亡する医療ミスがあったとしても、殺人を犯してまで秘密を守るのは、どう考えても割に合いません」

「でも、大きな声では言えませんが、政治家や大学関係者、行政のトップに近い方々が、このメモで主人にいろいろ便宜を図っていますのよ。たとえば、ほら」

登子はふたたび太い指でページを繰り、目当ての箇所を才所に示した。そこには、阪都大学理事の職員に対する暴力事案、大阪府の幹部のセクハラ、国会議員や原子力規制庁の事務局長への賄賂と思われる金額なども記載されていた。

「それに、これ。丸に『才』の字は先生のことじゃありません? 『ベガ』から矢印で『1、000万』とありますけど」

示されたページを見て、才所は思わず笑った。そんなものを見せられたら、笑う以外にない。

「これじゃまるで私がその『ベガ』とやらから、一千万円を受け取ったみたいじゃないですか。困るな、そんな誤解を生むメモを書かれたら。そもそもその『ベガ』っていったい何です」

まさか登子はクリニックを建てた建設会社の名前まで知らないだろうと、カマをかけると、案の定、彼女は「さあ」と首を傾げた。

しかし、これ以上話を長引かせるのは得策ではない。才所は福地のノートになど興味はないというそぶりで登子に言った。

「それではクリニックにもどって、有本があの日、早退したあとどうしていたのか聞いてみますよ。そのメモにある患者死亡の件についても」

「くれぐれも慎重に願いますよ。どうせ相手はシラを切るに決まっていますから。それで、もしその女のアリバイがないとわかったら、ご連絡をいただけますか。あたくしも次の方策を講じますから」

「わかりました」

そう言って、才所は席を立った。テーブルの勘定書きに手を伸ばしかけると、登子が素早く右手で押さえた。支払いは任せることにして、軽く一礼して出口に向かう。

——次の方策？

登子の最後の言葉が気になった。しかし、所詮《しょせん》、探偵小説まがいの空想を弄《もてあそ》ぶ有閑マダムに、できることはかぎられているだろう。

そう考えて、才所は南海線のなんば駅からりんくうタウンにもどった。

42

クリニックにもどる途中、才所は福地登子の言い分を思い出してため息をついた。

有本のアリバイを証明しないことには、登子は納得しないだろう。前に小坂田がアリバイ云々《うんぬん》と言い出したとき、有本はアリバイの証明など無理だと言っていた。どうすれば、登子を納得させられるか。

福地が残したというマル秘のノートも問題だった。ベガ・コーポレーションからの一千万円。そもそもは福地が押しつけてきたも同然なのだから、高々一千万円くらいで非難されるいわれはない。しかし、福地が亡くなった今となっては、それを証言してくれる者もいない。すべては致し方ない事情があってのことで、ほかに対応のしようもなかったのだ。だが、福地があんなメモを書いているとは思わなかった。

せっかく「ＳＯ　ＷＨＡＴ⁉」や「週刊文衆」の報道が一段落しそうなのに、次から次へと厄介事が起こる。いつになれば平穏な日々を取りもどせるのか。

りんくうタウン駅からクリニックに続く回廊を歩いているとき、ふと閃《ひらめ》いた。有本のアリバイは、事実である必要はないのだ。とにかく登子を納得させればいい。ドライブレコーダーに記録が残っていたとか、あの日、帰りに寄ったコンビニのレシートがあるとか。いや、本人に理由を考えてもらうほうがリアルだろう。

才所の足は早まり、クリニックに帰るや有本の部屋に行った。

「ちょっといいか。実は今、福地夫人に呼び出されて、変な話を聞かされてね」

「何なの、いきなり」

訝《いぶか》る有本に、今し方登子から聞かされた推理を話した。途中から有本はまじめに聞くのは時間の無駄という顔になり、才所が話し終えると、即、言い捨てた。

「バカバカしい。どうしてわたしが草井さんと組んでまで、福地さんを襲わなきゃいけないのよ」

「福地夫人の妄想の起点は、イチコがあの日、早退したけれど自宅にもどらなかった可能性があるということなんだ。君がマンションに帰ったことが証明できれば、夫人も納得せざるを得なくなる」

「それは無理って、前にも言ったでしょう」

「だから、適当な理由を作ればいいんだよ。何かもっともらしい説明はないか」

「嘘のアリバイを作れっていうの？」

また有本の潔癖性だと、才所は舌打ちをしそうになる。しかし、ここで機嫌を損ねると、ますます意固地になるだろう。

「イチコが不本意なのはわかるよ。だから、君に嘘の説明をしろとは言わない。俺が勝手に言うことだから、知恵を貸してほしいんだ。福地夫人の疑念を終わらせるために、何か有効な説明を考えてくれないか」

「まあ、そういうことなら」

有本は渋々というようすだったが、いったん受け入れると頭の切り替えは早かった。

「それならこういうのはどう。あの日の午後は、同じマンションの知り合いの部屋にお茶に呼ばれたということにしたら。同じ階に白川《しらかわ》さんていうおばさんがいて、健康相談を兼ねてよく呼んでくれるのよ。彼女だったら、仮に証言を頼んでも受け入れてくれると思う」

「よし、それでいこう。口裏合わせにも応じてくれるなら完璧《かんぺき》だ」

有本は口裏合わせという言葉に眉《まゆ》をひそめたが、提案を取り消すことまではしなかった。

「ところで、わたしが福地さんを襲う動機になったという過去の秘密って何なの」

先の説明で、端折《はしょ》って伝えたマル秘ノートが今になって気になったようだ。

「たしか『京洛大学病院　患者死なせアメリカに逃亡　竜崎情報』と書いてあった。思い当たることはあるか」

「竜崎情報って、解剖学の竜崎教授だわね。わかった、そっちからの話か」

有本は得心したようにうなずき、これ以上の不快はないというため息をもらした。

彼女の説明はこうだった。

京洛大学病院の放射線科に勤務していたとき、手術不能の悪性リンパ腫《しゅ》の患者を受け持ち、放射線治療を行うとかなりの腫瘍《しゅよう》が縮小した。有本は根治を目指して、許容範囲ギリギリの線量で照射を続けた。患者は五十六歳の男性で体力もあったが、治療の途中で放射線性肺炎を合併し、不幸にして亡くなったのだった。

「わたしが京洛病院で担当した中で、治療が原因で亡くなったのはその患者さんだけよ。でも、これは病気の根治を目指したからで、線量を控えていたら、せっかく根治の可能性があるのにあきらめることになる。だから、わたしは強線量に賭《か》けたの。患者さんも家族も納得していたはず。でも、患者さんが亡くなると、奥さんが半狂乱になって、こんなことになるなら強い治療なんかしなければよかった、わたしが強く勧めたから夫は亡くなったって、騒ぎだしたの。病院長のところまで押しかけて、主治医の医師免許を剝奪《はくだつ》しろって無茶なことを言って、一時期、大騒ぎになったのよ。この患者さんが亡くなったのは、医療ミスでも何でもない。それは結果論で、これを判断ミスだと言うのなら、予知能力のある医者しか治療できないことになるわ」

「そうだな」

「わたしがボルチモアに行ったのも、この騒動から逃げたからじゃない。渡米は前から決まっていて、たまたま時期が重なっただけよ。『アメリカに逃亡』なんて、邪推もいいところだわ」

「しかし、福地先生はなぜこの話を知ってたんだろう」

「竜崎先生から聞いたのよ。あのころ、解剖学の教室にわたしの同級生がいて、その男が告げ口したんだと思う。告白してきたのを振ったのを根に持って」

なるほどと、才所は納得する。

「原子力委員会の許可のことで、わたしが福地さんに呼び出されたことがあったでしょう。ホテルで会食したあと、この患者さんのことを持ち出して、秘密を公にされたくなかったら部屋に行こうって。でも、疚《やま》しいことなんかこれっぽっちもないから、公表したいのならどうぞって突っぱねてやった。そしたらあの貧相な顔に卑屈な笑いを浮かべて、悔しそうにしてたわ」

その夜、才所は福地の自宅に電話をかけて、有本のアリバイを登子に説明した。

登子は疑わしそうに聞いていたが、「信用できないのでしたら、白川さんという婦人に、確かめてみたらどうですか」と促すと、「そこまではけっこうです」と引き下がった。

「それでも、あの人の疑いが晴れたわけじゃありませんからね。自作自演ということも十分考えられるんですから」

あの人とは草井のことだろう。登子は福地の死を、あくまで病死とは認めないようすだった。

43

プリンセス・スハナは、手術後の抗がん剤治療にもよく耐えて、食事も普通食になり、昼間は両親とともに桜の名所である岸和田城《きしわだ》や、永楽《えいらく》ダムにまで出かけるほどの回復ぶりだった。

《ドクター・チョが行う抗がん剤治療は今週で終了し、来週からはドクター・アリモトがBNCTの治療をはじめます。これであなたの身体内から、がん細胞は完全に除去されることになります》

趙と病室を訪れた才所が、穏やかな笑顔で言うと、リビングのソファに座ったプリンセス・スハナは、「サンキュー」と小声で応《こた》えた。

病室を出てから趙が才所に聞いた。

「抗がん剤の効果はチェックしなくていいですか」

「いらない。抗がん剤で大動脈周囲のリンパ節転移がすべて消えていたら、またイチコがBNCTは不要と言い出さんともかぎらんからな」

才所の皮肉に趙は返事をせず、自分の部屋にもどっていった。

才所も理事長室に入り、デスクの前に座るとスマホが振動し、受付から来客を告げられた。予定はないはずだがと思うと、聞きたくもない名前を告げられた。矢倉だ。アポなしの面会は断るようにと伝えると、受付と矢倉がやり取りをする気配があって、ふたたび受付が困惑した声で、「重要な用件があるので、どうしてもお目にかかりたいとおっしゃっています」と伝えてきた。

不愉快だが、理事長室や応接室に招き入れるとつけあがるから、才所は自ら一階に下りることにした。エレベーターがロビーに着くと、相変わらずむさ苦しい身なりの矢倉が、ショルダーバッグを肩にかけ、ハンチング帽から白髪まじりの髪をはみ出させて立っていた。才所の姿を認めるや、思わせぶりな笑顔で一礼する。

「お忙しいところ、突然にうかがいまして申し訳ありません。その節は公開討論でお世話になり、ありがとうございました」

「挨拶《あいさつ》はいいです。約束なしで来られると困るんですがね。前にも申し上げたはずです」

「今日は耳よりな情報を得ましたので、確認に参ったのです。いわゆるネタを当てるというやつですな。この場合は、前もって面会を申し入れますと、事前に守りを固められたりしますので、本音を聞き出すためにアポなしでうかがうのが、ジャーナリストの常道になっていまして」

「それはそっちの都合でしょう。こちらは迷惑なんです。で、その耳よりな情報というのは何です」

不機嫌そのものの口調で訊《たず》ねながら、自分が劣位に立っているのを才所は感じた。優位であれば、黙って追い返せばいいだけだ。矢倉もそれを十分承知しているようすで、低姿勢を装いながら、

「立ち話も何ですから、こちらに座らせてもらいますよ」と、最初の訪問時と同様、ソファに腰を下ろした。

「実は、先日、福地登子さんにお目にかかりましてね。福地正弥さんの奥さんです」

「いつです」

「先週の金曜日に」

才所が登子に呼び出されたのは、三日前の火曜日だ。しかし、そのとき登子は矢倉のことを言わなかった。おそらく口止めされていたのだろう。登子が「次の方策」とにおわせたのが、矢倉のことにちがいない。矢倉と登子が組めば厄介なことになると思う反面、登子がこれまで持ち込んだ疑惑はすべて論破したはずと、才所は自分を落ち着かせた。

「私も福地夫人には何度もお目にかかっています。この間も難波《なんば》に呼び出されたところです。彼女からの情報が〝耳よりな〟とおっしゃるのでしたら、残念ながら空振りだと思いますよ」

余裕を見せつつ先手を打つと、矢倉はショルダーバッグから取材ノートを取り出し、パラパラとめくった。

「才所先生は奥さんに、福地正弥さんの死因を、心筋梗塞《こうそく》の可能性が高いと説明されたそうですな。しかし、奥さんがおっしゃるには、福地さんは亡くなる二日前に、大学病院で心臓の検査を受けていて、心臓の病気が原因で急死するはずがないと、主治医の教授から言われたとのことです。福地さんが倒れたあと、このクリニックで脳の検査を受けて、異常がないこともわかっている。呼吸も正常に保たれていたようですから、窒息ということも考えられない。であれば、やはり病死は考えにくいのではありませんか」

「それはうちでも議論になりましたが、直近の検査で異常がなくても、急性の発作は起こり得ますよ。すべての発作に前兆があるわけではありませんから」

「奥さんは、福地さんの胸にあった針を刺したような痕《あと》にも、不審を抱いておられたようですが」

「だから、それは心拍の再開を狙って、ボスミンというアドレナリン製剤を心腔《しんくう》内に直接投与したときにできた注射痕《こん》ですよ」

「福地さんの主治医だった教授によれば、通常、そのような投与は極細の注射針を使うので、皮膚に注射痕が残ることはないと言われたそうですが」

登子は自分が抱いた疑問を、洗いざらい矢倉に伝えたようだ。

「その件も福地夫人には説明しましたが、極細の針では薬液の注入に時間がかかるので、敢えて太い目の針を使ったのです。別に特別なことではありません」

「その針が死因につながった可能性はありませんか」

「心腔内投与は止まっている心臓を動かすために行ったのですよ。死因になるなんて、話が逆でしょう」

「そうでしょうか」

矢倉はそれまでとちがい、簡単に納得するようすを見せずに続けた。

「奥さんは、福地さんが亡くなった日に着ていたワイシャツの左胸にも、注射針が貫通したような穴を見つけたとおっしゃっていました。私も現物を見せてもらいましたが、たしかに何かを刺したような穴でした。だから、奥さんは福地さんの左胸にあった注射痕が、ワイシャツの上から刺されたもの、すなわち、このクリニックで蘇生の処置を受ける前に刺されたのではないかと、疑っていらっしゃいました」

「ワイシャツの件は私たちも確認しました。なぜ、そんなところに穴が開いているのかはわかりませんが、それと福地先生の急死とは関係などあるはずがない。それとも、ワイシャツの穴が福地先生の急死の原因だという根拠でもあるのですか」

いい加減うんざりだったし、早く決着をつけて、この煩わしさから解放されたかった。

矢倉は追及のネタもここまでだったのか、少しの間、考えるように右目だけ宙にさまよわせた。

才所はダメを押すように言い募った。

「百歩譲って、だれかが福地先生の左胸を針のようなもので刺したとしても、トイレで倒れてから、このクリニックに運ばれてくるまでの間は、心臓は正常に動いていて、そのあとで急に心停止になったのですよ。そんな時間差攻撃のようなことが可能ですかね」

「私もその説明がつかなかったのです」

でしょうと相槌《あいづち》を打ちかけて、矢倉の右目がふたたび自分に向けられたことに、才所はたじろいだ。

「才所先生。奥さんの話を聞いたあと、私もいろいろ調べてみたんです。偶然かもしれませんが、福地さんが若いころウィーンに留学していたということがヒントになりましてね。ハプスブルク家の皇后エリザベートの暗殺事件です。ご存じでしょう」

才所は答えない。

「旅行好きだったエリザベートは、スイスを旅行中、レマン湖のほとりでイタリア人アナキストに襲われ、胸を刺されます。しかし、彼女は倒れたものの、そのまま起き上がって湖を渡る船に乗ります。そして襲われてから約二十分後、意識を失い、船上で死亡したのです。遺体は解剖され、死因は〝心《しん》タンポナーデ〟と判明しました。そういう病気があるらしいですね。私も知りませんでしたが、心臓から徐々に出血した血が、心臓を包む心膜の間に溜《た》まって、その圧迫で心臓が止まる状態です。襲われた直後には特段の変化もなく、時間がたってから心臓が止まる。これは福地さんのケースと同じではありませんか」

「まさに、と言いたいところですが、どうでしょう」

才所は矢倉との間合いを計りながら、余裕を装って続けた。

「皇后エリザベートの件は、私も存じています。たしかに、彼女は心臓を刺されたにもかかわらず、重大な傷に気づかなかったようです。衝撃があまりに強かったことと、当時の分厚いドレスが胸を締めつけていたため、出血が表に出なかったせいでしょう。おっしゃる通り、その後、心タンポナーデを起こしたようですが、それはテロリストの凶器が先を尖《とが》らせたヤスリだったからです。ものの本で実物の写真を見ましたが、先端の太さはおよそ五、六ミリです。それくらいの傷だったから、出血が止まらず、心膜内に血液が貯留した。しかし、福地夫人が持ってこられたワイシャツの穴は、高々一ミリ強でしたよ。仮にその太さの針で心臓を傷つけたとしても、通常なら心臓の出血はすぐに止まるでしょう。たまたま針が冠状動脈を傷つけたのなら別ですが、まさか服の上から冠状動脈を狙って針を刺すことなど、到底、不可能ですからね」

今度は矢倉が口をつぐんだ。ふたたび目を逸《そ》らすが、先ほどとは異なり、その表情に力はなかった。

才所が落ち着きを取りもどして言う。

「ほかにも福地先生のケースと異なるところはありますよ。エリザベートは矢倉さんがおっしゃった通り、襲われてもすぐには意識を失わず、船に乗っているのです。福地先生はトイレで意識を失って、クリニックに運ばれてきたのです。仮に胸を針で刺されたとしても、それくらいでは意識を失うことはない」

矢倉は答えない。反論の余地がないのだろう。

「エリザベートの事例を持ち出したのは、ワイシャツの穴からの発想でしょうが、仮に福地先生が襲われたとして、いったいだれが犯人だと言うんです」

才所の問いに、矢倉は呻《うめ》くように答えた。

「福地さんの奥さんは、その場にいた草井という人物が怪しいと言っていました」

「私は彼に同情しますよ。なまじ福地先生のそばにいたばかりに疑われて。あの人は私が医学生のころから福地先生の助手を務めていて、長年、苦労してきたんです。それなのに福地夫人はなぜか彼を毛嫌いして、ずっと疑いの目を向けている。福地先生が亡くなったときも、草井さんは解剖することを主張したのに、夫人が反対して、遺体を連れ帰ったんですからね。もしも草井さんが犯人だとしたら、解剖を求めるはずがないでしょう」

才所は当初の劣位から、徐々に優位に立ちつつあるのを感じた。逆に、矢倉は立往生に追い込まれている。二人の間の沈黙が、形勢の逆転を告げていた。

「突然、ご主人を亡くされた福地夫人のお気持ちはお察ししますが、医学が常に人の生き死にの理由を説明できるわけではありません。不可解に見えても、現実は現実です。矢倉さんにとっても、腑《ふ》に落ちないところがおありかもしれないが、徒《いたずら》に人を疑うことはジャーナリストの本意ではないでしょう」

「わかりました」

矢倉はうなずき、取材ノートを閉じるかと思いきや、別のページを繰って顔を上げた。

「福地さんの件は、ひとまず保留ということにします。今日、うかがったのは、もう一つ、お聞きしたいことがあったからです」

「まだ、何か」

才所は苛立《いらだ》った声でいい、これ見よがしに腕時計に目をやった。

「手短に話します。才所先生がシンガポールにいらっしゃったときに所属されていたセルノス・ラボ。米国資本のバイオメディカル系の研究所ですね。先生が今、このクリニックの目玉にしていらっしゃるＣＣＣ法《トリプルシー・メソッド》は、この研究所で開発されたそうですね」

「よくご存じですね」

「前にも申し上げた通り、検索のプロが見つけてくれましてね。先生に関することなら何でも上げてくれと頼んでいたので、玉石混淆《こんこう》ですが、中には興味深い情報もあるんですよ」

才所の脳裏に不快な信号が灯《とも》る。優位とか劣位とかではすまない決定的な危機の予感だ。

「見過ごせないものもありました。今から八年前ですか。セルノス・ラボのマシュー・ハンという研究者が、不慮の死を遂げていますね。交通事故らしいが、不審な点もなきにしもあらずだとか。もちろんご記憶ですよね。ハン氏は先生の共同研究者だったのですから」

「マシューはうつ病だったんです。事故は気の毒だったが、それがいったい私とどういう関係があると言うんです」

思わず声が尖った。人の周囲を嗅《か》ぎまわって、何が面白いんだ。怒りが噴き出しそうになるが、矢倉の半ば閉じた左目を見て、才所は自制した。

矢倉が改めて冷静に言う。

「どう関係があるかはわかりません。だから、調べてみようと思っているのです。ドクター・リーにもお目にかかりたいですし」

「ドクター・リーに？　なぜ」

「才所先生とは、浅からぬ縁のある人でしょう。先生の彼《か》の地でのご研究についても、いろいろ取材させていただこうと思っています。それに、ドクター・リーやセルノス・ラボの周辺に、最近、韓国の反社勢力の人間が出没しているという情報もありますしね」

才所は声を低めて訊ねた。

「矢倉さん自身が、シンガポールに取材に行くんですか」

「どうしようかと迷っていたのですが、今日の才所先生の反応を見て行く気になりました。どんな情報が得られるか、それはわかりませんがね」

「いつ出発するんです」

「まあ、そのうちに」

矢倉は無精ひげの顎《あご》をひと撫《な》でし、取材ノートを閉じて立ち上がった。

「お忙しいところ、お時間をいただきました。ありがとうございました」

一礼してハンチング帽をかぶり、背を向ける。

才所の脳裏には、怒りと危機感と激しい自己嫌悪が渦巻いていた。

44

矢倉が帰ったあと、気がつくと才所は六階の自室のデスクの前に座っていた。エレベーターに乗ったことも、自室の扉を開けた記憶もない。それほど才所は動揺し、ブラックホールに吸い込まれたような混乱に陥っていた。

彼の意識を吸い込んでいたのは、マシュー・ハンに関する記憶だった。

――僕には研究者としての良心がありますから。

色白で頰がこけ、黒い直毛を刈り上げ、知的な目をしていたマシュー。才所より二歳年上だったが、才所には常に礼儀正しく接してくれた。韓国名は韓民載《ハンミンジェ》。

才所がマシュー・ハンの名前を知ったのは、まだジョンズ・ホプキンス大学病院にいたころだった。低侵襲外科でロボット手術の腕を磨いていたが、いくら微細な手術ができても、肝心のがん細胞が見えなければ、すべてを取り除くことはできない。がんの手術は、言わば取りすぎと取り残しの闘いである。

腫瘍や転移したリンパ節を切除しても、がん細胞の取り残しがあれば、がんはいずれ再発する。だから拡大手術をすれば、手術そのものが患者の命を縮めたり、術後の生活に支障をきたす。拡大手術が無謀であることは、これまで外科医がいやというほど経験してきたことだ。

そこでたどり着いたのが、がん細胞の可視化というアイデアだった。がん細胞の存在が目視できれば、取り残しはなくなるし、余分な臓器を取ることもなくなる。

術前の検査で可能性があるのはＰＥＴ検査だった。ＣＴスキャンやＭＲＩでは、腫瘍が最低でも五ミリ前後の大きさにならなければ見つけられない。その時点で腫瘍には億単位のがん細胞が含まれる。それでは到底、細胞レベルの診断とは言えない。

ＰＥＴ検査は、がん細胞が取り込む陽電子の放出を特殊なカメラで捉えることによってその存在を明らかにする。ただし、今あるＰＥＴ検査は、正常細胞にも取り込まれるブドウ糖を利用するため、精度に欠ける。正常細胞には取り込まれず、がん細胞にだけ標識できる物質が必要だった。

そんな物質をさがしていたとき、マシュー・ハンの論文が才所の目に留まった。マシューの専門は、リガンド合成に関する研究だった。リガンドとは、細胞表面にあるタンパクと特異的に結合する物質で、各臓器のがん細胞で作られるタンパクを同定し、それに対応するリガンドを合成すれば、細胞に目印をつけることができる。

才所はシンガポールのセルノス・ラボに所属するマシューに手紙を書き、自分のアイデアを伝えると同時に、共同研究を持ちかけた。マシューは返事で、自分の基礎研究が臨床に応用できる可能性に興奮していると書いて寄越し、ぜひいっしょにやりたいと伝えてきた。そのときセルノス・ラボにはポストの空きがなかったので、才所はシンガポール総合病院に外科医としての職を見つけ、セルノス・ラボには客員研究員の肩書で、マシューとともにがん細胞の可視化の研究に取り組みはじめた。

成果は簡単には得られなかったが、才所は自分のアイデアに自信を持っていたし、マシューも研究には大いに期待していた。マシューは優秀かつ冷静で、裕福な家庭に育った者特有の正直さを備えていた。税理士だった父親の仕事の関係で、十二歳のときに家族ともども韓国から移住して、シンガポール国立大学の生物学科を卒業。その後、生物・医学系の研究機関であるバイオポリスの研究員となったあと、三十四歳でセルノス・ラボの主任研究員に抜擢《ばってき》されたのだった。

共同研究で大事なことは、お互いが同じゴールを目指していることだが、些細《ささい》な食いちがいで、研究者同士がもめることはままあることだ。研究の進展を急ぐ才所が、次の段階へ進もうとしたとき、確実な結果を求めるマシューが何度も待ったをかけた。はじめのうちは譲歩したが、研究期間が延びるに従い、才所は苛立った。

――君には新しい治療法を待っている患者の気持ちがわからないのか。

それに対して、マシューが口にしたのが、〝研究者としての良心〟だ。

――確実なエビデンスを得ずに、臨床に持ち込むのは研究者の良心に反します。

才所はそれを自己満足だと否定した。言い返そうとするマシューを才所が遮った。

――治療法がなくて絶望している患者は、日々、死の恐怖に向き合っているんだ。彼らに必要なのは医学的に確実なエビデンスなんかじゃない。希望だ。彼らには時間がないのだから。

それでも納得しないマシューに、才所は言い募った。

――もし、君自身が、あるいは君の奥さんが、がんで治療法がないとしたらどうだ。いや、君の最愛の娘さんが、不治の小児がんになってみろ。新しい治療法があるのに、研究者が良心とやらにこだわって、治療に待ったをかけたとしたら、君は受け入れられるか。助かる可能性があるのに、みすみすそれに目を瞑《つぶ》って、家族の死を受け入れるのか。

マシューは黙り込み、首を縦にも横にも振らなかった。

二人の食いちがいは、研究者と臨床医との根本的な差異だった。マシューはラボで考え込み、才所とも口を利かず、黙り込むようになった。

才所はがん細胞の可視化をCCC法《トリプルシー・メソッド》と名づけ、早期の実用化を目指した。治療を待つ患者のため、家庭も顧みず、すべての時間を研究に注ぎ込んだ。そのためアメリカで結婚した妻は、才所が苛立つうちに離婚訴訟を起こし、多額の慰謝料を求めた。時間が惜しい才所は、言いなりに離婚と慰謝料を受け入れた。

そこまでして、才所はCCC法の実用化を推し進めようとしたが、マシューは断固として反対した。二人の議論は平行線になり、完全に暗礁に乗り上げる形となった。

マシューは才所の企みにより、精神的に追い詰められてうつ病になった。セントラル・エクスプレスウェイでノーブレーキのままカーブに突っ込み、亡くなったのはそれから間もなくだった。事故なのか、事故を装った自殺なのかは不明だったが、遺書などはなかったので、警察は事故として処理した。

葬儀にはもちろん参列したが、マシューの妻は才所の弔意に強い怒りの目で応じた。恨まれていると感じたが、それも致し方ない。

慌ただしく研究成果をまとめ、才所が帰国したのは、それから四カ月後だった。

矢倉が帰ったあと、マシューの記憶が才所に時間を忘れさせ、何分か、あるいは何十分か、体外離脱したかのように、才所はデスクの前に座り続けた。

　スマホがＬＩＮＥの着信を告げたとき、アプリを開くまではほとんど無意識だったが、トークの発信者を見て、はっと我に返った。久しぶりの雅志乃からのメッセージだった。

《第一回の上方舞ライブ「梅川雅志乃・生生流転《しょうじょうるてん》」の日取りが決まりました。五月七日の日曜日午後二時から。会場は大阪市中央区徳井町《とくいちょう》の山本《やまもと》能楽堂。オーボエとチェロとのコラボです。先生には招待状をお送りしますね》

　才所はマシューの記憶を消し去り、即座に返信を打ちかけた。しかし、言葉が浮かばず、次のように打った。

《今、電話してもいいですか？》

　返信を待つヒマもなく、雅志乃からの着信があった。

「こちらからかけようと思ったのに」

「いいえ。わたしもお電話したかったんですけど、先生がお忙しかったらあかんと思うて」

　柔らかな関西弁に、思わず癒される。

「今度の催しは上方舞ライブと銘打ったんだね」

「舞踊公演とかリサイタルとか、いろいろ考えたんですけど、古臭いのはいややし、ちょっと軽いノリのほうがええかと思うて」

「オーボエとチェロで上方舞なんて、斬新な組み合わせだね。奏者はどんな人」

「オーボエは古くからの友人で、関西センチュリー交響楽団のメンバーの女性です。チェロはいろいろなオーケストラと共演しながら、ソロでも活躍してはる優秀な若手です。二人に曲を書いてもろて、わたしがそれに振付をしました」

「テーマの生生流転はどこから思いついたの」

「先生が前に、地唄舞は話の筋がわかりにくいと言うてはったから、物語性を廃した舞にしようと思うたんです。パンフレットにも書きますけど、『生生流転』はトリの大作で、『誕生』『模索』『失望』『昇華』の感情を、演奏と舞で表現するつもりです。目指してるんは普遍的な感情表現です。どれだけ伝わるかわかりませんけど」

「そんな新作を発表したりしたら、家元は怒るんじゃない？」

「家元のことはもうええんです」

雅志乃が不貞腐《ふて》れたように言い、才所は思わず「ハハハ」と笑った。

「やるからにはぜったいに成功させなあかんよって、よけいなことに気ぃつこてるヒマはないんです。毎日、工夫と練習のし詰めで、ご飯食べてるときも、寝床に入ってからでも、アイデアが湧いたらすぐ鏡の前に立つんです」

スマホからは雅志乃の一方ならぬ意気込みと、覚悟のようなものが伝わってきた。

「でも、身体はしっかり休めたほうがいいよ。疲れすぎると煮詰まって、いいも悪いも判断できなくなるだろうから」

「自分の身体は自分でようわかってるつもりです。とにかく、上方舞ライブまでやるだけのことをやって、悔いを、残しとうないんです」

最後の一言の前に、一瞬、声が途切れた。不自然な息継ぎだ。興奮しているのか。それとも――

「雅志乃。やっぱり疲れてるんじゃないか。眠れないのなら、軽い眠剤を処方してあげるけど」

「大丈夫です。今、わたしの研ぎ澄まされた感性を、今度の上方舞ライブにすべて注ぎ込みたいんです」

「わかった。応援しているから、私にできることがあれば何でも言ってくれ。成功を祈ってる」

無理をするなとか、もっと休めなどと言っても、聞く耳は持たないだろう。それだけ雅志乃は今度の上方舞ライブに賭けている。

そう思う一方で、才所は雅志乃の声に考えたくもない徴候を感知した。打ち消そうにも打ち消せず、ふたたびブラックホールに吸い込まれたようになって、時間の感覚を失った。

45

壁一面に張り巡らされた光沢のある純白の布が、豪華なひだ模様を作っている。

白いクロスをかけた丸テーブルには、バラをアレンジしたテーブルフラワー、グラスと食器類、それに大皿に盛ったキムチと、片栗粉をまぶした朝鮮飴《あめ》、薄切りにした煮豚の皿が並んでいた。

「キムチや蒸し豚は、智旻《ジミン》が腕によりをかけて用意したものですよ。結婚披露宴では、その家の自慢の手料理で客をもてなすのが流儀なんです」

才所のとなりに座ったチマチョゴリの中年女性が、笑顔で説明してくれた。

「草井さんのほうは何か出しているんだろうか」

逆どなりの趙に聞くと、片手を口元に当てて低く答えた。

「草井家からは何もないみたいですね。今日の披露宴はぜんぶ智旻の身内で取り仕切っているようですから」

在日コリアンが多く住む大阪市生野《いくの》区、通称「猪飼野《いかいの》」にほど近い韓国料理店「李雲園」の広間には、総勢八十人ほどの招待客が、十の丸テーブルに分かれて座っていた。女性は赤やピンクや紫といった派手なチマチョゴリ、男性はほとんどがスーツだが、中には普段着のようなジャケット姿もちらほら見受けられる。

金屛風《びょうぶ》の前の長テーブルには、両脇にハングル文字のリボンを垂らした花輪、中央にユリやガーベラをふんだんに使った盛り花が飾られている。新郎新婦の席を空けて、向かって左側に、防虫剤のにおいがしそうなモーニングを着た老人と、地味な留《と》め袖《そで》姿の老女が座っていた。草井の両親だろう。草井が福地の隠し子という噂は、やはり事実ではなかったのだと、才所は改めて思う。

右側に座っているのは、シックなブルー系のチマチョゴリを召した美しい女性だった。才所がその女性を目で示しながら趙に聞く。

「ヨンジャママは何歳なんだ」

「僕より三つ上ですから、たしか四十六です」

「見えないね。ジミンさんと姉妹だといっても十分通用するだろう。さすがは現役のママだな」

着席する前に趙に紹介された文永子《ムンヨンジャ》は、新婦・孫《ソン》智旻が「シオン」という源氏名で勤めるコリアンバー「セリカ」のマダムで、今日は智旻の親代わりとして出席してるのだった。智旻とは十歳ちがいらしいが、ゆで玉子のようにつるんとした頰は、とても四十歳を超えているように見えない。

「ヨンジャママは君とどういう関係だっけ」

「父方の祖母の姪《めい》の娘です。いわゆるはとこです」

紹介されたとき聞いたが、すぐにはイメージできなかった。

「ジミンさんは、またホステスに復帰したそうだね」

「草井さんが先月で大学を退職して、次が決まらないらしいですからね」

趙が表情を曇らせる。才所も言葉を途切れさすと、左前方に陣取った司会者が、明るい声で披露宴の開始を告げた。

「それでは新郎新婦のご入場です。みなさま、盛大な拍手でお迎えください」

広間の照明が消え、定番のウェディングマーチが流れると、臨時の控え室にされた個室から、草井と智旻がスポットライトを浴びながら登場した。智旻は純白のドレス風のチマチョゴリで、胸に白バラのブーケを持ち、ベールの代わりに同じく白バラの髪飾りをつけている。草井はいかにも貸衣装らしい黒のタキシードをぎこちなく着込み、戸惑いながら新婦とともに一礼する。髪を調え、いつも半開きの唇もしっかり閉じて緊張の面持ちだ。拍手だけでなく、派手な指笛も響く中、二人はテーブルの間を巡回するように歩いて、ようやく金屏風の前に着席した。

司会者が新郎新婦を紹介したあと、乾杯の発声を任された才所が、マイクを持って立ち上がった。

「私が新郎の草井郁夫さんと出会ったのは、今から二十二年前、私がまだ医学部の学生のころでした。草井さんは当時、解剖学教室の助手で、我々学生が実習をするときに、いろいろ指導して、質問にもていねいに答えてくれました。草井さんはたいへん有能な助手で、教授も彼を頼りにして、多くの学生からも慕われていたことを思い出します――」

当たり障りのないスピーチで、最後に、「これほどタキシードの似合わない新郎も珍しいですが」と笑いを取り、「それでも人柄は最高です」と持ち上げて、そつなく乾杯の唱和を求めた。

料理は韓国料理店らしく、ナムルと海鮮マリネの前菜からはじまり、スープは豆腐チゲ、続いてサムギョプサル、サワラのピリ辛煮込み、プルコギなどが供される。飲み物はビールやマッコリのほか、香りの強い高麗人参《こうらいにんじん》酒も出て、次第に歓談の声が高まっていく。

「韓国式の結婚披露宴はどうですか」

となりの中年女性が才所に聞く。

「素晴らしいですね。料理もお酒もおいしいですが、招待客がみんな家族のように、新郎新婦を祝福しているのが伝わってきます」

「そうでしょう。わたしは智旻が十代のころから知ってるけど、あの子はこれまで苦労の連続だったから、今度こそ幸せになってほしいわ」

女性は智旻の中学時代の担任教師で、卒業後も智旻と連絡をとってかわいがってきたのだという。今度こそ幸せにというのは、智旻の結婚が二度目であることを踏まえての言葉だろう。

趙によれば、済州島出身の智旻は不幸な生い立ちで、彼女を溺愛《できあい》していた父親が四歳のときに交通事故で亡くなり、その後、親戚を頼って猪飼野に来たが、母親も智旻が十六歳のときに子宮がんになって、地元の病院で一年後に亡くなった。親戚の家にも居づらくなって、民団系の高校を出たあとは、天涯孤独に近い状態になったのだという。十八歳からコリアンバーで働きはじめ、二十二歳のときに客で来ていた在日韓国人の寿司職人と結婚した。一時はホステスをやめていたが、夫のDVがひどくて四年で離婚。生活のためふたたびホステスになって、知り合いの伝手《つて》を頼って「セリカ」で働くようになった。

それから十年、自分は一生、ひとりなのかと思っていたところに、草井が現れ、熱心に通った挙げ句、プロポーズをしたのだった。

草井がはじめて「セリカ」に来たのは昨年の七月で、そのときは福地がいっしょだったらしい。福地は常連客の名前を挙げて、「一度、遊びに行こうと思っておったんだ」と言いながら、ホステスたちにも気前よく奢《おご》ったが、以後は顔を見せなかったという。

福地と来店したとき、草井はほとんどしゃべらず、まるで福地の従者のようだったが、たまたま横に座ったシオンこと智旻に一目惚《ぼ》れしたらしく、その後は週に一度、多いときには二度、三度と来店するようになった。はじめはホステスと客の関係だったが、草井が不器用ながら、髪飾りやピアスなど素朴な贈り物を持って来るうちに、智旻も次第に心を開くようになった。草井には並々ならぬ決意があっただろうし、智旻にも今度結婚するならとにかく優しい男という思いがあったようだ。

そして、昨年十一月のはじめ、ついに草井は智旻にプロポーズをし、智旻も即答はしなかったが、拒絶する素振りも見せなかった。草井は智旻の気持ちが固まるまで待つつもりのようだったが、ことはそう簡単には運ばなかった——。

料理と酒が進むにつれ、席を立って新郎新婦に祝福の言葉を述べ、酒を勧める客が増え、客同士も立ったまま大声で歓談しはじめた。となりの元担任教師も、いつの間にか席を立ち、智旻の両手を取って、涙ながらに喜びを分かち合っている。ほかにもチマチョゴリの女性が入れ替わり立ち替わり智旻の前に集まり、さながら派手な色彩の群舞の様相を呈している。草井の前には、「セリカ」の常連客らしい在日韓国人が数人立ち、「幸せになれよ」だの、「シオンを泣かせたら俺が許さん」だの、耳を塞ぎたくなるような声で怒鳴っている。

ゴールドのカップでマッコリを飲んでいた趙が才所に聞いた。

「草井さんはどうして才所先生を頼ったんですか」

「福地先生が吹き込んだみたいだ。きっと悪いようにはしないとか何とか言って」

「皮肉な話ですね」

「趙はどうしてジミンさんに肩入れするんだ」

「ヨンジャママからいろいろ聞いてますからね。やっぱり幸せになってもらいたいんです」

「それは草井さん次第だろうな」

デザートに蜜豆とアイスクリームが出ると、グラスを持ってうろうろする客、笑いながらハグをする客が入り乱れ、椅子に座っているのは半分くらいになった。

「ところで、二人の新婚旅行はどうなってるんだ」

「すぐには無理みたいですね。草井さんの仕事が決まって、少し余裕ができるまでは行けないんじゃないですか」

「そうか」

才所は金屏風の前の二人に目をやった。智旻の前には相変わらずチマチョゴリ姿の女性が群がり、手を取り合って泣いている。その横で草井が茫然《ぼうぜん》と会場を見ている。勧められた酒で目の縁を赤くしているが、唇はしっかりと閉じたままだ。

やがてスピーカーから韓国民謡らしき音楽が流れだし、全員が手に手を取って踊りだした。才所と趙も誘われて立ち上がり、見よう見まねでステップを踏む。草井と智旻、永子はもちろん、草井の両親も引っ張り出されて手をつなぎ、広間に二重三重の輪ができる。輪の中央に躍り出て、滑稽《こっけい》な身振りをする男性、指笛を鳴らす者、新郎新婦にクラッカーを打ちかける者もいる。

草井は智旻と永子にはさまれ、つないだ手を高く持ち上げ、活き活きとした表情で笑っていた。ようやく幸せをつかんで、自分の人生を取りもどした目だ。彼はどんなことをしてでも、この幸せを守ろうとするだろう。

いつまで続くのかと思うほどの盛り上がりの中で、才所は草井を見つめながら、期待に満ちた微笑みを浮かべた。

週明けの月曜日。

一回目のBNCTを開始したプリンセス・スハナのようすを、才所が見に行くと、リクライニング式の点滴ベッドに横たわった彼女は、か細い声で才所に聞いた。

《このオレンジ色の点滴が、わたしのがんの細胞を壊してくれるんですね》

《その通り。中性子線《ニュートロンビーム》によって起こる核分裂のエネルギーは、がん細胞だけを破壊するから、正常細胞にはいっさい危害を加えません。そうだよな、イチコ》

横に控えていた有本は、《もちろん》と両手を広げる。このあたりの所作はアメリカで臨床を経験した者特有だろう。

有本が行う改良型のBNCTは、患者のがん細胞の表面にある固有のアミノ酸トランスポーター（アミノ酸を細胞内に取り入れるタンパク）を同定して、そのアミノ酸とホウ素を結合させたリガンドを作成することにより、通常のBNCTよりも精度を高めたものだ。ただし、原子炉ではなく直線加速器を使うので、中性子線の照射領域が限られるため、一度に広範囲の治療はできない。プリンセス・スハナの場合も、大動脈周囲のリンパ節、右腹膜の転移、及び左腹膜の転移と、三回に分けて治療を行う予定だった。

リクライニングの点滴ベッドから未だ不安そうに見上げるプリンセス・スハナに、有本が優しく説明した。

《点滴が終わったら、二時間ほど待って、照射室に移っていただきます。中性子線の照射は約一時間です。照射と言っても、痛くもなければ痒《かゆ》くもありません。中性子線は目には見えませんから、少し長めのおまじないみたいなものです。退屈でしょうが、ウトウトしている間に終わりますよ》

《身体が熱くなったりしないのですか》

《それもありません。もしそうなら、冬は暖房費が節約できるんですが》

有本の軽口に、プリンセス・スハナはかすかに笑い、才所も、《夏は身体が冷えるといいね》と応じた。

あとは有本に任せて、才所は六階の自室にもどった。

パソコンを開き、メールを確認する。トルコとブラジルから、新たな治療依頼が届いていた。トルコの化粧品会社の会長は肝臓がん、ブラジルの農場主は陰嚢《いんのう》がん。いずれもステージⅣで、アメリカやヨーロッパの病院で治療を断られたらしい。治療費のオファーは、ともに日本円にして五千万円を超えている。これなら受け入れはスムーズに行くだろう。「週刊文衆」の報道以来、しばらく新規の治療依頼を断っていたが、その後、マスコミの騒ぎも収まり、患者の治療も従来通り、再開していた。

ただ、才所が気にしていたのは、矢倉のシンガポール行きだった。

彼は何を取材に行くつもりなのか。フリーのジャーナリストが、自腹を切ってシンガポールまで行くからには、相応の成果が期待されるのだろう。あるいは、「週刊文衆」あたりが取材費を出しているのか。だとしても、十分なネタの見込みがあってこそのはずだ。

矢倉がマシュー・ハンのことを知っていたのは意外だった。ドクター・リーにも会いたいと言っていたが、もしもみだりに過去を掘り返すようなことをすれば、ドクター・リーも黙ってはいないはずだ。いずれにせよ、矢倉のことは知らせておいたほうがいいだろう。

才所はスマホを取り出し、ドクター・リーの番号にかけた。
《おお、ドクター・サイショ。調子はどうだ》
相変わらずの上機嫌で、肥満した体軀《たいく》のこもり声がスマホから飛び出す。
まずはプリンセス・スハナの手術が無事に終わったことを伝え、抗がん剤治療を追加したのち、今日からBNCTの治療をはじめたと報告した。診断をボールマンの4型から3型に替えたことは敢えて伝えない。
《すべて順調ということだな。で、退院はいつごろになる》
ドクター・リーの念頭には、早くも退院後に支払われる治療費と、そこから得られる紹介料がちらついているようだった。
才所はドクター・リーが過剰に反応しないように、慎重に言葉を選んで言った。
《問題がなければ、退院は二週間後くらいになるでしょう。それより、ちょっと気になることがあるんです。カエサル・パレスクリニックのことを嗅ぎまわっていた矢倉というジャーナリストが、ちょっと不穏な動きをしそうで》
《不穏な動き?》
せっかちなドクター・リーの声が苛立つ。
《セルノス・ラボでの私の研究について、取材すると言ってるんです》
《何の取材をするというんだ。素人に専門的なことがわかるのか》
《あなたやセルノス・ラボの周辺に、韓国の反社勢力が出没しているとも言ってました。何かお気づきではないですか》
《コリアン・ヤクザ? そう言やこの前、あんたのところのドクター・チョが、プリンセス・スハ

ナの抗がん剤治療のようすを診に来たとき、おかしな連中と会ってたみたいだな》
《ドヨンパとかいう連中ですか》
《それは知らん。だが、ドクター・チョはプリンセス・スハナを診察に来たと言いながら、あちこち出歩いていたようだからな》
《韓国へも行ったでしょう》
《突然、クレームの連絡が入ったから、対応に行くと言っとった》
《突然ではありませんよ。前からもめていたんです》
《しかし、彼はそう言っていたぞ。だから日数がかかったのだと》
趙はなぜそんな言わずもがなの嘘を言ったのか。
才所の不審を汲《く》み取るように、ドクター・リーが言い添えた。
《まさか、今さらプロフェッサー・フクチの関係じゃないだろう。彼は去年の十二月にあんたのクリニックで急死したそうだからな。フハハハ》
《それもチョが言ったんですか》
《新聞に出てたんだよ。小さい記事だったが》
たしかに福地正弥の死亡記事は、新聞の訃報の欄に出ていた。しかし、ドクター・リーがシンガポールでそれを目にすることがあり得るのか。
《矢倉が言うには、八年前のマシュー・ハンの死にも、不明な点がなきにしもあらずだと》
《あんたの共同研究者だった男だな。彼は事故死だったんだろう。警察もそう処理したはずだ》
《矢倉はシンガポールに行って、あなたにも取材するつもりのようなんです》
《何を取材するんだ》

《とにかく過去をでっち上げてでも、私を陥れようと企んでいる男なので、不用意なことは言わないでいてほしいんです》

《あんたのアブノーマルな女の好みとかか》

下卑た冗談に舌打ちをしたい思いで、才所は声を強めた。

《矢倉がいつ出発するかわかり次第、また連絡します。狡猾《こうかつ》なヤツですから、くれぐれも口車に乗せられないようにしてくださいよ》

《心配するな。チンピラジャーナリストが何を聞きに来るか知らんが、俺には関係ない。ま、高みの見物をさせてもらうよ。ワハハハ》

気楽な笑い声がスマホからもれる。溺《おぼ》れかけている犬がいても、ニヤニヤ笑いで見下ろし続けることのできるドクター・リーの冷酷な饅頭《マントウ》顔が、目に浮かぶようだった。

47

一回目のＢＮＣＴを終えたプリンセス・スハナは、発熱もなく、無事に病室にもどった。その日は夕食も完食し、見舞いに来ていた両親を安心させた。

翌日も特に変わりはなかったが、翌々日の朝、彼女は食欲がないと言って、朝食に手をつけなかった。しかし、特段の異常もなかったので、午前中に、再度、ＣＣＣ法《トリプルシー・メソッド》を用いたＰＥＴ検査が行われた。前々日のＢＮＣＴの効果を判定するための検査である。

モニターに映し出された拡大画像を診て、有本は満足げに言った。

「転移が疑われた大動脈周囲のリンパ節は完全に消失している。ＢＮＣＴの効果は抜群ね」

プリンセス・スハナは昼食も食べたくないと言ったが、心配したアリ・サーレハ夫妻が、メニューを卵入りの甘いパン粥《がゆ》に変更させ、少しでいいから食べるようにと促した。

彼女は両親が見守る中、ボウルに半分ほどのパン粥を何とか口に運んだが、最後の一口を呑《の》み込んだあと、すべてを嘔吐《おうと》した。

急遽《きゆうきよ》、看護師長の加藤が呼ばれ、加藤は部下の看護師に吐物を片付けるよう命じ、隣室にいるメイドに患者着を取り換えさせながら、才所に連絡した。

駆けつけた才所は、ベッドサイドでアリ・サーレハに理由を聞かれたが、即答はせずに、《まず、診察を》とプリンセス・スハナの腹部を触診した。触診など実際にはほとんど意味はないが、何もせず大丈夫ですと言うより、手順を踏んだほうが説得力が出る。

プリンセス・スハナの腹部は柔らかく、腹膜炎のときなどに起こる筋性防御もない。嘔吐の理由は、どうせストレスか何かだろうから、触診のあとの打診でも、特別な異常はないはず――。そう思いかけて、右の季肋部《きろくぶ》（肋骨の下部）に、かすかな濁音を聴取して、才所は手首の動きを止めた。

改めて右肋骨の下縁に人差し指と中指を当て、患者に深呼吸を促す。皮下脂肪の薄い皮膚の下に、わずかに上下する臓器を感じた。肝腫大《かんしゆだい》だ。

《もう一度、大きく息を吸って》

強めに指を当てると、プリンセス・スハナが眉間《みけん》に皺《しわ》を寄せた。圧痛のサインだ。単なるパフォーマンスのつもりが、思いがけない所見を得てしまった。

まさかと思いながら、プリンセス・スハナの下まぶたを押し下げ、白目を確認する。眼球結膜の黄染はない。黄疸《おうだん》は出ていないということだが、急性肝炎であることは、疑い得なかった。困ったことになったなと思うが、まだ悲観するには及ばない。

才所はアリ・サーレハに向き直り、過度に深刻にならないよう気をつけながら言った。
《少し肝臓が腫《は》れているようですね》
《どういうことなんだ》
《軽い炎症が起きているようです。食欲不振や嘔吐の原因は、肝臓の炎症でしょう。もちろん、心配はありません。ただし、少しの間、食事は控えたほうがいいでしょうから、カロリーの高い点滴をはじめます》
アリ・サーレハは妻と顔を見合わせてから、改めて才所に訊ねた。
《肝臓に炎症が起きた理由は何だ》
《すぐにはわかりません。血液検査で調べてみます》
《一昨日の中性子線の治療が原因ではないのか》
《それは考えにくいです。ドクター・アリモトにも聞いてみますが、おそらく関係を否定するでしょう》
《しかし、一昨日の治療を受けるまで元気だったのに、急に悪くなったのは、治療の副作用と考えられるのではないのか》
アリ・サーレハは浅黒い頬を強張らせて、牛のように大きな目に不安と不信を浮かべた。スカーフで胸元まで覆った妻も、恐怖の面持ちで才所を見つめている。
《肝炎の原因はこれから調べます。ウイルスの可能性もありますから》
《ウイルス？　まさか。どこで感染したというのだ。妻も私も肝炎のウイルスなど持っていない。ほかの家族も同様だ》
アリ・サーレハは顔色を変え、太く結んだネクタイを緩めながら否定の素振りを見せた。

才所はドクター・リーから送られてきた検査結果を思い出して、穏やかに前言を取り消した。

《ウイルスが原因というのは一般論です。スハナさんの場合は、ドクター・リーのクリニックで受けた血液検査で、肝炎ウイルスはネガティブという結果が出ていますから》

《そうだろう。ウイルスなどあり得ない》

アリ・サーレハは鼻息荒く言い、ベッドに力なく横たわる娘を見おろした。

才所は両親をリビングに移動させ、加藤に中心静脈栄養の準備をさせた。点滴のバッグには、制吐剤と鎮静剤を入れ、プリンセス・スハナには、《安静にしていればすぐによくなりますから》と言い残して、才所は自室に引き揚げた。

検査技師の片岡に、肝機能全般の検査を至急で行うよう告げ、念のために肝炎ウイルスも迅速検査に出すよう指示した。画像診断担当の山本には、腹部のＣＴスキャンと超音波診断をオーダーした。

才所は三人の理事を自室に呼び、プリンセス・スハナが急性肝炎らしいことを告げた。

「今朝は食欲がないって言っていたから、神経の細い子だなと思っていたら、肝炎だったのね。それなら食べられなくて当然だわ」

午前中に彼女を診察した有本が苦笑いを浮かべた。

「十億円の治療費は、おいそれとは手に入らないということですかね」

小坂田が皮肉を飛ばすと、趙は深刻な顔で、「原因は何でしょうね。輸血もしていないし、医療器具からの感染も考えられないし」と、やはりウイルス感染を念頭に置くつぶやきをもらしたので、才所がそれを否定した。

「ウイルス性はないだろう。ドクター・リーから送られてきた検査結果で、肝炎ウイルスは陰性だったんだから」

「アルコール性肝炎も考えにくいですしね。彼女はイスラム教徒なんだから」

小坂田が混ぜ返すように言うと、趙はまじめな調子で続けた。

「それなら薬剤性ですか。しかし、肝炎の原因となるような抗がん剤は使ってませんよ。ＢＮＣＴでも使わないでしょう」

「もちろんよ」

「だったら、自己免疫性ですかね」

「それもないんじゃない。ほかの自己免疫疾患を抱えているわけじゃないし、新たな自己免疫を引き起こす要因もないんだから」

趙と有本のやり取りを聞きながら、才所はアリ・サーレハの濃い口ひげの下で歪《ゆが》んでいた部厚い唇を思い出した。

「困ったことに、父親は一昨日のＢＮＣＴの副作用じゃないかと疑ってるみたいなんだ」

「何それ。あり得ない。論理的にも、ＢＮＣＴが肝炎を引き起こすなんて考えられない」

即座に有本が否定した。

「だから、困ったことにと言っただろ。俺も考えにくいと説明したけど、父親は素人だからな。時間的なことだけで因果関係を感じるんだ」

「雨乞いで雨が降った、抗生剤で風邪が治ったってヤツですね。へっへっへ」

小坂田が軽薄な笑いをもらすと、有本がきつい目でにらんだ。

「とにかく、肝炎の程度が問題だ。黄疸は出ていないが、取りあえず絶食にして、ＴＰＮ（中心静脈栄養）を入れた」

妥当な処置だと三人がうなずくと、山本からCTスキャンと超音波検査の画像を電子カルテに送ったという連絡が来た。才所がパソコンでプリンセス・スハナの電子カルテを開く。三人の理事が立ち上がってデスクの向こうにまわり、モニターをのぞき込んだ。

「肝腫大は季肋部下二横指《おうし》というところね」

有本の指摘は、才所の触診の通りだった。

「胆石や胆道閉鎖はないようですね。腹水もなしと」

趙が少しでも明るい材料をさがすように言う。

「肝臓が腫れてるのならいいでしょう。萎縮《いしゅく》してたら逆に怖いですからね」

「縁起でもないことを言うな」

才所が小坂田の軽口に半ば本気で怒る。

「あとは、肝酵素がどれくらい上がっているかだわね」

画像診断がまずまずの結果だったので、有本がモニターから身を引き、それを合図に三人はもとの席にもどった。

ほどなく短いノックが聞こえ、片岡がプリントアウトした検査結果を持って入ってきた。無言のまま足早に才所に手渡す。

「AST、510、ALT、487、ビリルビンは3・5——。結構な値だな」

ASTとALTは肝炎の指標となる酵素で、基準値はいずれも40から50以下。ビリルビンは黄疸の検査で、基準値は1・5以下。才所を含め、片岡のようすからすでによくない結果を予測していたらしい理事たちは、さほど驚かなかったものの、予断を許さない状況は明らかだった。

「ビリルビンが3・5なら、黄疸が出てもおかしくない値じゃない。ほんとに眼球結膜の黄染はなかったの」

才所が黙って首を振る。有本とて才所の診察を疑ったわけではなく、別の危険を想定しての確認だった。診察したときに黄疸が出ていないのに、血液検査でそれが出ているということは、肝機能の低下が、現在進行形で進みつつあることを示唆するからだ。

「肝酵素はどこまで上昇するんでしょう。１０００程度で収まってくれればいいんですが」

趙がつぶやくと、小坂田は雰囲気を変えようとしてか後頭部を叩《たた》きながら言った。

「参りましたね。肝酵素は１２００くらいまで行くかも。でも、急性肝炎はばーっと酵素が上がる代わりに、下がるときもすっと落ち着くんじゃないですか。三、四日でピークをすぎれば、あとは基準値内にもどりますよ」

「だったらいいけど」

有本が小坂田に冷ややかな視線を向ける。趙は思案顔で憂うつそうにつぶやいた。

「急性肝炎は安静にして、回復を待つ以外に手がないのがもどかしいですね」

趙の言う通り、肝炎には直接有効な治療法はない。

「取りあえず、両親に結果を説明してくる。イチコもいっしょに来てくれるか」

才所は有本を伴って、五階のロイヤル・スイートに向かった。

アリ・サーレハ夫妻は、娘のそばを離れがたいようすで、ベッドサイドに付き添っていた。才所は二人をリビングに呼び、応接ソファに向き合って座った。

《血液検査の結果が出ました。肝炎の程度は中等度です。もしかしたら、軽い黄疸が出るかもしれませんが、それは肝炎の場合、よくあることですから心配はいりません。点滴には肝庇護剤《かんひござい》と、自己免疫性の肝炎を想定してステロイドも入れています。万一、状況が悪化することがあっても、治

療手段はいくらでもありますから、どうぞご心配なく》
肝庇護剤もステロイドも、さほどの効果など望めない。黄疸が出ることもわかっているし、それがまずい状況であることも明らかだ。しかし、今はとにかくアリ・サーレハ夫妻の不安を拭《ぬぐ》い去ることを優先しなければならない。才所はいかにも余裕を感じさせるような口調で説明したが、それは自分自身が不安であることの裏返しだと感じていた。
《肝炎の原因については、ほかの医師たちとも検討しましたが、今のところ明確な理由はわかっていません。もう少し経過を見たいと思います》
《一昨日の治療の副作用ではないのか》
アリ・サーレハが遠慮のない声で訊ねた。このあたりはやはり日本人とはちがう。
《ミスター・アリ・サーレハ。その可能性はありません》
有本が一歩前に出て、大柄なアリ・サーレハを見上げるようにして断言した。
《BNCTには肝臓に負担をかける要素がありませんし、中性子線による核分裂も、一昨日の治療では肝臓から離れた大動脈周囲のみで起こっていますので、肝炎を引き起こすことは、論理的にあり得ません》
《しかし、私の娘は昨日まで元気で、食欲もあったのだ。一昨日の治療が原因でないとするなら、ほかに何が考えられるのか》
《それはまだわかりません。これから必要な検査を進めれば、明らかになる可能性はあります。しかし、急性肝炎の場合は、原因が不明のことも少なくないのです》
有本の弁解に、アリ・サーレハはいかにも不本意だとばかりに荒い鼻息をもらした。有本も同様に不満を顔に表している。才所はとっさに割って入った。

《原因については、わかり次第ご説明します。お二人のご心配はよくわかりますが、もう少し時間をください。今は安静が大事ですので、眠っているスハナさんに呼びかけたりして、無用な刺激はくれぐれも避けるようお願いします》

取りなすように言ったが、アリ・サーレハ夫妻の不安と不信は解消されないようだった。

48

その日、才所は万一に備え、空いている病室を当直室代わりにしてクリニックに泊まった。患者が重症化して泊まり込むなどというのは、開院以来はじめてのことだ。しかし、治療にベストを尽くしていることを示すためには致し方ない。

幸い、その日の夜はプリンセス・スハナの容態に変化はなく、午後十一時ごろまで病室にいたアリ・サーレハ夫妻も、あとは才所に任せてホテルにもどった。

ところが翌朝、午前六時二十分にプリンセス・スハナは絶食にもかかわらず、緑色に変色した胃液を吐いた。早朝から病室に来ていたアリ・サーレハ夫妻は、動揺してすぐに才所を呼んだ。そして、吐物を受けたタオルを見せながら言い募った。

《娘がこれを吐いた。何も食べていないのに。こんなもの見たことがない。いったい何なのだ。点滴には、吐き気を抑える薬が入っているのだろう。それなのになぜ吐いたのか》

《緑色は胆汁の色です。十二指腸から逆流したのでしょう。急性肝炎ではよくあることです。制吐剤も投与していますが、残念ながら、吐き気が強いときは薬で抑えきれないことも稀《まれ》ではないのです》

才所は苦しい説明で夫妻を納得させようとしたが、二人の不安を消し去ることはできなかった。状況を変えるため、ベッドの患者に話しかける。

《スハナさん。わかりますか。診察をさせてもらいますよ》

鎮静剤は肝臓に負担をかける恐れがあったので、午前零時からの点滴には鎮静剤を入れていない。それでもプリンセス・スハナは朦朧《もうろう》状態だった。その彼女の下まぶたを押し下げ、眼球結膜を診る。血走った白目が明らかに黄色く染まっている。肌が浅黒いので目立たないが、黄疸はかなり進行しているようだ。

午前七時すぎ。プリンセス・スハナの容態が気になったのか、有本と趙が出勤してきた。二人いっしょにロイヤル・スイートに来て、ベッドをのぞき込む。

「呼吸が荒いわね。呼びかけても応じないのは、意識障害かも」

有本がアリ・サーレハ夫妻に聞き取られないよう日本語で低く言った。趙も同じく日本語で才所に問う。

「熱発《ねっぱつ》もあるんじゃないですか」

「六時の検温で38・9度だったから、座薬を入れた。今は7度台に下がってると思う」

《ドクター・サイショ。娘はどんな状態なのだ。このままで大丈夫なのか》

アリ・サーレハが、日本語の会話に不安を抑えきれないようすで説明を求めた。

《大丈夫です。急性肝炎はピークを越えるまで、さまざまな症状が出るのです。ピークがすぎれば、すぐに平常にもどりますから》

《ピークはいつ越える。早くピークを終わらせる治療はないのか》

《今は考えられるかぎりの治療をしています。肝臓を保護し、肝細胞の再生を待っているのです。

ご心配はわかりますが、人間の身体の回復には時間がかかるので、どうか今しばらくご辛抱ください》

アリ・サーレハは眉間に深い皺を寄せたまま、まだ何か訴えたいようすだったが沈黙した。そして、現状を受け入れざるを得ないと観念したのか、才所たちから目を逸らして、ベッド柵を強く握りしめた。

《ああ、かわいそうなスハナ……》

才所は無言で一礼したあと、有本と趙を促してロイヤル・スイートを出た。

「あのようすじゃ、まだ油断できないわね」

「ウイルスの検査結果は出たんですか」

「まだだ。片岡さんは今日の午前中には出ると言ってた。出たらまた連絡するよ」

才所は二人の理事に答え、ひとまず自室に引き返した。扉を開けるや、奥の全面窓から朝の光に輝く海が視界に飛び込んだが、今は見る気になれない。

窓に背を向け、倒れ込むように椅子に座る。右手を眉間に強く押し当てて考えた。

――スハナの肝臓は回復するだろうか。いや、悲観的になってはいけない。治療する者にこそ希望が必要だ。しかし、現実の可能性を知る医師が、虚《むな》しい希望にすがるわけにはいかない。そんなものはまやかしだ。それにしても、なぜ今の段階で急性肝炎を発症したのか……。

右手を顎肘《ひじ》に変えてウトウトしていると、ノックが聞こえ、定時をすぎて出勤した小坂田が、ばつが悪そうに顔をのぞかせた。

「プリンセス・スハナの容態は、イマイチのようですね」

有本たちから嘔吐や発熱のことを聞いたらしく、声が縮こまっている。

「イチコと趙をミーティングルームに呼んでくれるか。もうじき片岡さんが検査結果を持ってくるだろうから」

「了解」

小坂田が顔を引っ込めたあと、才所は自分に気合を入れるように弾みをつけて立ち上がった。ミーティングルームに入ると、三人の理事たちはいつもの席に座っていた。

「ジュン。お疲れのようね。焦ってもプリンセス・スハナの肝臓はすぐには再生しないわよ」

「わかってる」

自嘲《じちよう》を込めて答えると、小坂田が有本を持ち上げるように言った。

「有本先生は常に冷静ですね。私も見習わなきゃ」

趙がそれを無視して、「たしか、新患の依頼が二件ほどあったんですよね」と、話題を変えた。

才所は億劫《おつくう》そうに三日前の記憶を呼びもどす。

「トルコの肝臓がんと、ブラジルの陰嚢がんだ。どちらもステージⅣだが、うちのポリシーは理解しているみたいだから、受け入れはスムーズに行くと思う」

「治療費の相場は呑み込み済みってヤツですね」

小坂田が片目をつぶって見せた。

「失礼します」

ノックと同時に扉が開き、片岡が入ってきた。才所に近づき、プリントアウトした検査結果を手渡す。数値を見たとたん、才所の顔色が変わった。

「ＡＳＴ、１８６０、ＡＬＴ、１４９２、ビリルビンは14・3だ……」

「ちょっと、二日目でその値は、劇症肝炎じゃないの」

タブーを口にしたかのような衝撃が、当の有本を含めた四人を襲った。

趙がなんとか気を取り直して聞く。

「プロトロンビン時間と、ＩＮＲはどうです」

二つとも急性肝不全の指標となる止血機能だ。才所は虚《うつ》ろに視線を動かし、目の前の数値を読み上げる。

「プロトロンビン時間、32パーセント、ＩＮＲは２・３」

「だったらまちがいない。劇症肝炎だ」

ふだん軽口の多い小坂田も、神妙に声を低める。

劇症肝炎とは、炎症が連鎖反応的に広がって、肝臓がほぼ機能停止に陥る病態である。発症率は急性肝炎のうち一から二パーセントと低いが、いったん発症すれば、致死率は七〇パーセントに及ぶ。どう対応すればいいのか。才所だけでなく、三人の理事たちは知識があるが故の恐怖に襲われているようだった。

「でも、おかしいじゃない」

緊張を破ったのは有本だった。

「特別な原因もなしに劇症肝炎になるなんて、理解できない」

「それでしたらこちらを」

それまで気配を消したように黙っていた片岡が、もう一枚の紙を才所に差し出した。肝炎ウイルスの検査結果である。才所は信じられないとばかりに声をあげた。

「ＨＢＶ（Ｂ型肝炎ウイルス）のｅ抗原がプラスだって？　おかしいじゃないか」

ｅ抗原はＢ型肝炎ウイルスの増殖と感染力の強さを示すもので、劇症化のリスクが高いことも意味する。

「ドクター・リーからの報告では、肝炎ウイルスはB型もC型もマイナスだったんじゃないの」

有本に言われるまでもなく、才所もその結果は把握している。

「プリンセス・スハナの検査データでは、肝炎ウイルスだけでなく、ＨＩＶ（エイズウイルス）もコロナウイルスも、もちろん梅毒スピロヘータもマイナスだったんだ。だから、うちでは重ねて検査はしなかった。ドクター・リーのところの検査が、偽陰性だったと考えられるか」

才所の問いに趙が答えた。

「それはないでしょう。ドクター・リーは感染症に神経質で、僕が行ったときも信頼のおける検査ラボを使っていると言っていましたから」

片岡がふたたび遠慮がちな声を出す。

「今回の検査では、HBc-IgM 抗体が高値ですから、ＨＢＶの感染は、最近起こったものと思われます」

「どういうこと？」

有本が即座に訊ねた。

「HBc-IgM 抗体は、感染の初期に多量に検出され、慢性化するに従って、値が下がります。スハナさんの場合は強陽性ですから、感染はさほど以前ではないということです」

「感染してから抗原検査が陽性になるのには、どれくらいのタイムラグがあるんですか」

趙が聞くと、片岡は畏《かしこ》まりつつも、検査技師としての自信を垣間《かいま》見せながら答えた。

「感染時のウイルス量にもよりますが、通常は一カ月から一カ月半たちませんと、陽性にはなりません」

「つまり、ドクター・リーのクリニックでの検査は、感染してから陽性になるまでの間に行われたというわけか」

才所が腕組みのまま、毛筋ひとつほどの不幸な偶然に思いを馳《は》せて唸《うな》った。有本は「やっぱり、ウイルス性だったのね」と、BNCTにかけられた疑いが晴れるとばかり、納得の表情になる。

「だとすると、感染経路はやっぱりアレですかね」

小坂田がふだんの軽薄さをにじませつつ、品のない笑みを浮かべた。ウイルス性肝炎が性感染症であることを踏まえての類推だ。

「そうとはかぎらないですよ。タトゥーを入れたとか、ピアスを開けたとかも考えられますからね」

「いずれにせよ、ご両親に確かめる必要はあるわね」

それはまずいと才所は思った。アリ・サーレハが昨日、ウイルスの感染に異様に神経質になっていたのを思い出したからだ。

「相手は未婚のプリンセスだぞ。ピアスを開けたかどうかくらいならまだしも、性行為やタトゥーのことなんか聞けるわけないじゃないか」

「どうしてよ。このままじゃ、あの父親はBNCTの副作用を疑い続けるじゃない。こちらには守秘義務もあるのだから、率直に聞けばいいわよ」

有本はBNCTの潔白を証明するためにも、ウイルス感染が原因であることをはっきりさせたいようだった。才所はプリンセス・スハナのプライバシーに関わることを聞いて、アリ・サーレハとの関係が悪化することを危惧《きぐ》しているのだが、そのあたりの機微は、有本には通じない。

「わずかですが、B型肝炎ウイルスは経口感染の可能性もあります。セックスやタトゥーの可能性に限定しなくてもいいんじゃないですか」

趙が言うと、小坂田が反論した。

「いや、感染はやっぱりアレだろ。才所先生の診察でもタトゥーは見当たらなかったみたいだし、ピアスもかなり以前のもののようだからな。でも、親は認めないだろうね。娘がウイルス持ちのボーイフレンドと不適切な関係にあっただなんて」

それを無視して、才所が有本に問いただした。

「今さら感染経路を確定したところで、治療に何か影響が出るのか」

「今後の治療方針を決めるのにも、できるだけ情報が多いほうがいいわ」

「しかし、今はとにかくプリンセス・スハナの救命が第一だろ。肝炎の原因がウイルスであることは、両親にきちんと伝える。ドクター・リーのクリニックで検査が陰性だったのは、陽性化する前に検査が行われたからだと言えば、両親も自分の胸に手を当てるだろう」

才所が断を下すと、有本も不承不承ながら、「仕方ないわね」と引き下がった。

「それより、劇症肝炎の疑いが濃厚なら、先の対策をしないと」

小坂田が言うと、才所がすぐに反応した。

「俺もそれを考えてるんだ。このまま肝酵素が上がるようなら、血漿《けつしよう》交換が必要になるだろう。腎《じん》臓《ぞう》への影響を考えれば、人工透析もしなければならない」

「うちの設備では、対応は無理ですね」

趙が不安をもらし、有本も、「転院させるのなら、早いほうがいいわ。阪都大学病院か、国際医療センターに」と応じた。

「いや。転院はさせない。最後までこのクリニックで診る」

「このままだと肝移植が必要になるかもしれないのよ。だったらより高度な治療ができる施設に移すべきじゃないの」

「今の段階で白旗を挙げるのは時期尚早だ。うちでできるかぎりの治療をやってみよう。それが医療ツーリズムでやってくる患者への責任だ」

「そんなこと言ったって、うちじゃ血漿交換も透析もできないじゃない」

「だから、設備を整える。納入業者に連絡して、早急に必要な治療機器を手配してもらう」

「一人の患者のために、何千万もする機器を購入するんですか」

小坂田がほかの理事たちに顔を向けると、趙が「十億の治療費ですから」と答えたが、小坂田は「先にもらっているなら別ですけどね」と、皮肉な口ぶりで返した。

さらに有本も別の疑問を呈する。

「急に注文して業者はすぐに用意できるの。在庫があるかどうかもわからないし、治療機器を動かす技師だって必要でしょ」

「だから、みんなで協力してやるんだ。今なら間に合う」

「ジュン。あなた意地になってない？　自分のプライドとか、クリニックの名誉とかにこだわっているのなら、わたしは反対よ。医師として最優先すべきは、少しでも患者の命が助かる可能性を選ぶことでしょう」

有本の冷静な口調に、才所は一瞬、怒りを爆発させかけたが、それをこらえ、自らを落ち着かせるようにひとつ息を吐いた。

「俺も純粋にプリンセス・スハナの救命を考えてる。肝酵素の上昇はたしかに急激だが、まだ発症して二日目だし、出血傾向も出ていない。彼女は年齢的にも若いから、治療機器さえ調えば、自力で回復する可能性は決して低くない」

「だから、その治療機器がすぐに調うのかって、聞いてるんじゃない」

有本のほうが感情的になりかけたとき、壁際に控えていた片岡が遠慮がちに口を開いた。

「血漿交換と人工透析の装置なら、うちに検査機器を納入しているタウロス社が扱っているかもしれません。そこになくても、関連業者に連絡して納入させられると思います」

才所をはじめ理事たちがいっせいに片岡を見た。ふだんは縁の下の力持ち的存在で、全体ミーティングでもめったに発言することのない片岡が、今はまるで重要人物のように注目を集めている。

しかし、才所の脳裏には、加藤から聞いた架空注文や金額の水増しの問題が、無音のアラームのように明滅した。

しかし、今はそれにこだわっている場合ではない。

「じゃあ、片岡さんはすぐに業者に連絡してください。緊急事態でとにかく急ぐと」

「わかりました」

才所の独断だったが、異を唱える者はいなかった。

片岡は一礼して、素早くミーティングルームを出ていった。

49

翌日の金曜日、プリンセス・スハナの肝酵素は、ＡＳＴが２２３０、ＡＬＴが１９８０まで上がり、ビリルビンも19・4まで上昇した。肝臓で代謝されない血液中のアンモニアのせいで、肝性昏《こん》睡《すい》と呼ばれる状態になり、特徴的な手の震えもはじまった。

《スハナは大丈夫なのか。どんどん状態が悪くなるではないか》

アリ・サーレハには、B型肝炎ウイルスの感染が原因だと伝えたが、ドクター・リーのクリニックでマイナスだったものが、カエサル・パレスクリニックでプラスになったということは、このクリニックで感染したのではないかと、逆に疑われた。

血漿交換の装置と人工透析器は、片岡の手配で、翌土曜日に納入業者からクリニックに届けられた。才所はそれを両方ともプリンセス・スハナの病室に運び入れ、さらには人工呼吸器、心電図、酸素飽和度モニターなども設置して、最高レベルの治療が可能な状態にした。

「ロイヤル・スイートが、急遽、ロイヤルＩＣＵ（集中治療室）になりましたね」

ものものしい治療機器を見て、小坂田がいつもの軽口を叩いた。

呼吸管理のため、プリンセス・スハナは人工呼吸器につながれ、血漿交換と人工透析も、土曜日の午後から開始された。それにより、肝酵素とビリルビンやアンモニアは一定程度下がったが、まだまだ予断を許さない状況が続いていた。

ウイルスの感染が原因だとわかった時点で、才所は趙に最新の治療法を調べさせ、インターフェロンやステロイドのパルス療法に加え、抗ウイルス作用のある核酸アナログ製剤を投与し、さらには意識障害を軽減するため、脳浮腫に対する治療も行った。

才所は翌日曜日もクリニックに泊まり込み、治療にかかりきりになった。空いている時間は、藁《わら》にもすがる思いで劇症肝炎に関する論文をネットで読めるだけ読み、プリンセス・スハナの状態に合致する症例をさがして、可能なかぎりの治療を試みた。

しかし、治療はやればやるだけいいというわけではない。投薬などはむしろ相互作用で、多剤併用が逆に容態を悪化させる場合もある。どの薬を、どれくらい、どの組み合わせで、どのタイミングで使うか。またはいつやめるか。量の増減、組み合わせの変更など、医師は毎回、微妙な判断を迫られ、その都度、決断していかなければならない。診療ガイドラインなどのマニュアルもあるが、重症の場合は個々の患者の容態に応じて、随時、内容の調整が必要だ。一人の患者に複数の治療は試せないので、どれかひとつを選ばざるを得ない医師は、常に患者の命がかかった賭けに直面しているのも同然となる。

その賭けに勝ち続ける医師が、名医と呼ばれるのだろう。だが、勝率一〇〇パーセントは望めない。患者の体質や体力、病気の経過、状態から先を読み、わずかな変化を察知して、迷いつつも経験と勘に頼って判断を下す。優秀な医師が、豊富な知識とエビデンスをもとに選んだとしても、所詮、行える治療法はひとつだ。それが吉と出るか凶と出るかは、患者と医師の運次第ということになる。

週が明けても、プリンセス・スハナの容態は改善せず、血漿交換と人工透析で時間を持たせているだけで、肝臓の崩壊が決定的となれば、一刻も早く肝移植をしなければ、彼女を救うことはできない。

だが、現実問題として、その状態になったからといって、即座に肝移植ができる病院に搬送が可能ともかぎらず、また生体肝移植で両親のいずれかがドナーになるとしても、事前の検査には日数を要するし、またこれほど危険な状況の患者を、病院側が受け入れてくれるかどうかもわからない。

有本は週明けのデータを見て、再度、プリンセス・スハナを転院させるべきだと主張したが、才所はそれを「主治医は俺だ」のひとことで拒否した。それはすなわち、治療の結果については、才所が全責任を負うということだ。有本とて、転院させれば必ず救命できるという確信もない状態で、無理に意見を押し通すことは控えたようだった。

アリ・サーレハは娘をアメリカの病院に移送することを考え、自らのルートで海外の専門家に意見を求めたようだが、いずれも海外への移送は自殺行為だと言われて、思いとどまった。ドクター・リーにも連絡したらしく、やはりカエサル・パレスクリニックで治療を受けるのがいちばんだと諭され、転院を断念したらしかった。

ドクター・リーからは折り返し才所に連絡が入り、《いったいどうなってるんだ》と聞いてきた。《一回目のBNCTのあと、急性肝炎を発症したんです》と伝えると、《道理で親父がBNCTを疑っていたわけだ》と、アリ・サーレハが未だ、有本の治療に疑念を抱いているらしいことを告げられた。

《劇症肝炎は手ごわいが、血漿交換と人工透析をはじめたんだろ。だったら、何とか凌《しの》げるんじゃないか。ほかの病院なんかに行かれたら、あんたのところだって困るだろう》

ドクター・リーが現状での治療継続を勧めたのは、治療費と紹介料を考えてのことのようだった。

アリ・サーレハは目の下にどす黒い隈《くま》を浮き上がらせて、才所に言った。

《ドクター・サイショ。スハナの命運はあなたにかかっている。娘のために新しい治療装置を導入してくれていることには感謝している。スハナの命を救ってくれたら、治療費は三百万ブルネイ・ドル上乗せしよう。だから、お願いだ。私の最愛の娘を助けてくれ》

《ミスター・アリ・サーレハ。お金の問題ではありません。私は自分のプライドをかけて、治療にベストを尽くしているのです。どうか、私を信じてください》

その言葉は、自分自身に向けたものでもあると、才所は自覚していた。自分を信じろ。やるだけのことをすれば必ず患者は救える。そう思わなければ、緊張の糸が切れて、すべてを投げ出しかねなかった。

今、プリンセス・スハナの体内では、ウイルスが肝細胞を破壊し、肝細胞から酵素が血液中にだだ漏れになっている。肝細胞は懸命に分裂増殖を繰り返し、肝臓の再生を図っている。ウイルスが肝臓を滅ぼし尽くすか、肝細胞の再生力が勝つか。やるべき治療の手を尽くした今は、プリンセス・スハナの肝細胞の力に期待するほかはなかった。

——何とか肝細胞が勝ってくれ。

祈るような気持ちになっている自分に気づき、才所は自己嫌悪に陥った。それが医師のすることか。やるべきことをやり尽くしてなお、祈りたい気持ちになっている自分の非力、心の弱さ。しかし、どうやって自分を支えればいい。医療に人間の命が操れるのか——。

才所はベッドサイドに立ち、フルの治療装備をつけられて横たわるプリンセス・スハナを見下ろして、ほとんど朦朧となりながら、自分が何を望んでいるのかもわからなくなりかけていた。

才所が「主治医は俺だ」と宣言して以来、有本を含め、ほかの理事たちは口出しをしなくなり、ただじっと経過を見守っていた。船頭多くして船山に上るの愚を避けるためだ。

才所にとってはつらい日々の連続だったが、それでもあきらめず、気力を振り絞ってベストの治療をさぐり続けた——。

プリンセス・スハナの容態がわずかに快方に向かいだしたのは、血漿交換と人工透析をはじめて六日目の四月二十日だった。それまで高止まりしていた肝酵素が下がりはじめ、プロトロンビン時間が、劇症肝炎からの復帰の目安となる40パーセントをはじめてクリアした。

まだ予断を許さない状況だったが、肝細胞の再生とウイルスによる破壊のスピードが、逆転したのは明らかだった。あとは炎症の再燃さえなければ、肝機能は徐々に回復する。これこそ本物の希望だと、才所は胸が熱くなる思いだったが、すぐにはアリ・サーレハに楽観的な報告はしなかった。

自信があるときこそ、慎重に振る舞うのが彼の流儀だからだ。
そんなとき、シンガポールのドクター・リーからふたたび電話が入った。
《その後、プリンセス・スハナの容態はどうだ》
《まだ油断はできませんが、なんとかピークは越えたと思います》
《あんたならこのピンチも乗り越えられると思っていたよ。ところで、前に言ってたヤグラとかいうチンピラジャーナリストの出発日は、わかったのか》
《まだです。わかり次第連絡します》
矢倉の動向については、調査会社を通じてシンガポール行きの日程をつかむよう依頼してあった。その調査会社から連絡があったのは、プリンセス・スハナの容態がさらに改善して、血漿交換と人工透析からの離脱を考えはじめた翌週月曜日の夕方だった。
矢倉のシンガポールへの出発日は四月二十七日。調査会社がその情報をつかんだのは、矢倉が講師を務めるカルチャースクールの受講者からで、その日から講義を休んで、一週間の予定でシンガポールに行くと話したからだった。
才所はすぐにドクター・リーに連絡し、再度、注意喚起をした上で、現地での矢倉の動きを知らせてくれるよう依頼した。

50

その後、プリンセス・スハナの肝臓は徐々に快方に向かい、翌二十五日には酵素の値がＡＳＴ、ＡＬＴともに５００を切り、ビリルビンも８・２まで下がった。意識も回復して、朦朧としながらも受け答えができるようになって、両親を喜ばせた。
さらに二日後、プリンセス・スハナは口から食事が摂《と》れるようになり、無事、血漿交換と人工透析から離脱することができた。
《ドクター・サイショ。あなたはやはり名医だ。一時はスハナの命をあきらめかけたが、神は我々を見捨てなかった。すべては神の思《おぼ》し召しだ》
威厳を保ちつつ礼を述べるアリ・サーレハの目には涙が浮かび、青黒くやつれた頰には、ここ二週間ほどの憔悴《しょうすい》ぶりがうかがえた。それは才所も同じだったが、彼にはスハナ回復とはまた別の気がかりがあった。この日、矢倉がシンガポールに出発したからだ。
矢倉はシンガポールで何を取材するのか、どんな心算があって、わざわざシンガポールまで行くのか。
そう思っていると、翌日の夕方、ドクター・リーからスマホに連絡が来た。
《あんたが言ってたヤグラというチンピラジャーナリストが、今日さっそく俺のところに来たぞ。アポなしで面会を求めて、ブロークンな英語で情報のバーターだと言うから会ってやった》
《バーターって、どんな情報を交換するというんです》
《ブラフさ。俺に面会をOKさせるための手管だ。卑劣なヤツだよ。ジャーナリストなんて手合いは、だいたいそういうもんだが》
ドクター・リーによると、矢倉が面会の交換条件として提示したのは、カエサル・パレスクリニックの日本での報道内容とのことだった。
《それで、矢倉はどんなことを聞いてきたんですか》
《まずはあんたと俺の関係だ。いつ、どこで、どうやって知り合ったのかとか、俺のクリニックとカエサル・パレスクリニックはどんな連携をしているのかとか聞いてきた。ヤツはウチからあんたのクリニックに、患者を紹介していることも知っていたぞ。あんたがしゃべったのか》
《言うわけないでしょう。矢倉はプロを雇ってネットの情報を漁《あさ》ってるんですよ》
《ヤツは俺が医療ツーリズムで法外な金儲《もう》けをしているのではないかと追及してきた。アメリカのクリニックに紹介した患者で、ちょっとトラブルになったケースを持ち出して、倫理的に問題があるんじゃないかと言うから、どこでそんな情報を得たんだと聞いたら、情報源の秘匿で答えられないとぬかしやがった》
聞きながら、才所は歯噛《が》みする思いだった。こうなんでもかんでも掘り起こされると、ネットの情報はもはや凶器だ。
《それから、マシュー・ハンのことも聞かれたぞ》
《何と答えたんですか》
《ドクター・サイショの共同研究者ということは聞いているが、それ以外は知らんと答えたら、おかしいですね、あなたはミスター・ハンを通じて、ドクター・サイショと知り合ったのではないですかと来やがった。はじめから知っていて聞いてるんだ》
知らないふりで質問し、ごまかすと事実を突きつけて動揺させる。捜査機関もよく使う手だ。
《ヤグラはマシュー・ハンの事故死についても、根掘り葉掘り聞いてきた。特にあんたが、彼の事故死から四カ月でシンガポールを離れたのが腑に落ちないと言っていた。それはたまたまだろうと言っておいたがね》
《マシューの死は、うつ病が原因の事故死だったと、警察も納得していたじゃないですか。私の帰国とどう関係があると言うんだ》

《知らんよ。とにかく、ヤグラはその件も徹底的に調べると言っていた。マシュー・ハンの遺族にも話を聞きに行くそうだ》
《勝手にすればいい》
吐き捨てるように言いながら、才所の思いは不安と自信の両極端に揺れた。
《ヤグラはプロフェッサー・フクチのことも聞いてきた。それはだれだととぼけたら、ここに名前があると、蛍光マーカーで印をつけたコピーを出してきた。ずいぶん前に俺が取材を受けた雑誌の記事だ》
それはシンガポールで出ている「プロスペリティ」という経済専門誌で、早くから医療ツーリズムを推奨していたドクター・リーに、記者がインタビューしたものらしかった。
《プロフェッサー・フクチとはどうやって知り合ったのかと聞かれたから、仕方なしにあんたの名前を出した。ごまかしたって、また事実で問い詰めてくるだろうからな》
たしかに、福地をドクター・リーに引き合わせたのは才所だった。当時、大阪府立病院機構の理事長だった福地が、シンガポールに出張してきたとき、才所は自分が考える医療ツーリズムのクリニックに協力を得るため、二人を接待したのだった。
《ヤグラはプロフェッサー・フクチの死にも不自然なものを感じていると言っていた。あんたにとって、彼はいろいろな面で不都合な存在だったのではないかと言っていた》
《冗談じゃないですよ。プロフェッサー・フクチは私の恩師ですよ。クリニックの開設にも世話になったし、恩のある相手を不都合に思うはずないじゃないですか》
《俺は知らんよ。ヤグラはカエサルグループが、あんたのクリニックをマネーロンダリングに使っている疑惑もあるし、こちらの韓国系の反社会的集団と関わりがあるのじゃないかとも言っていた。

元々のクリニックの構想からして、不正な金の動きがあったんじゃないかと疑っているみたいだった。それを俺の口から言わそうとするから、断固、知らんと突っぱねたがね》

才所は矢倉の顔を思い浮かべて、怒りが全身を駆け巡るのを感じた。

しかし、と、才所は考える。矢倉はなぜ、次から次へと手の内を明かすような話をドクター・リーにしたのか。

——陽動作戦か。

つまりは、ドクター・リーから才所に話が伝わることを見越した上で、あることないことをでっち上げ、揺さぶりをかけて、ボロを出させる作戦にちがいない。

ドクター・リーが続ける。

《ヤグラは俺のクリニックも気に入らんらしくて、そうとう金がかかっているなとか、こんな贅沢《ぜいたく》はふつうの稼ぎではできないとか、さんざん嫌みを言って帰って行った。シンガポールでも低収入の連中が、富裕層に抱く攻撃的な感情は、ともすれば俺たちの生活を脅かしかねん》

《心配しなくてもいいですよ。彼が言っているのは、すべて根拠のないでっち上げです。英語もロクにできない老いぼれのジャーナリストに、大それたことができるわけがないでしょう。滞在費だってかかるだろうから、そのうち日本に帰りますよ》

《まったく目ざわりなヤツだ。あんたも厄介な男に絡まれたもんだな》

ため息交じりに言うと、ドクター・リーは今夜もセレブ仲間が開くワインと美女を愛《め》でる会があるからと、そそくさと通話を終えた。

「才所先生。お疲れさまでした」

小坂田の音頭で、参加者がシャンパンのグラスを掲げ、口々に「乾杯」「お疲れさま」「ほんとによかった」と、喜びの声をあげた。

五月二日の火曜日。プリンセス・スハナは劇症肝炎を克服し、無事に家族とともにブルネイに帰って行った。才所は連休を前にして、その日の夕方、ミーティングルームに職員全員を集めて、プリンセス・スハナ退院の打ち上げを催した。

中央のテーブルには、スターゲイトホテルから特別に取り寄せた豪華なオードブルと、ドンペリニヨンのボトルが並べられ、ミーティングルームは臨時の立食パーティの会場と化していた。

連日の睡眠不足と過労で頬がこけ、落ちくぼんだ目がいつも以上に鋭さを増した才所が、グラスを片手に短いスピーチをした。

「今回のプリンセス・スハナの治療は、思いがけない展開で、みんなにも苦労をかけて申し訳なかった。俺も一時はどうなるかと気を揉《も》んだが、みんなの協力のおかげで無事に乗り切ることができた。今回の治療では、特に検査部の片岡さんに世話になった。片岡さんのおかげで、血漿《けつしよう》交換と人工透析の装置がスムーズに使えたのが、治療成功の鍵《かぎ》だったと思う。片岡さん、ありがとう」

才所がグラスを掲げて後方にいる片岡をねぎらうと、職員たちから拍手が起こった。片岡は大柄な身をすくめるようにして笑い、早く次の話題に移ってほしいと言わんばかりに頭をかいた。

才所の横にいた有本が、自分の片肘《ひじ》を抱えるアンニュイなポーズで言った。

「それにしても、プリンセスのウイルス感染には驚いたわね。陽性反応が出る前に検査を受けていたなんて、だれが想像できるの」

「それについては、裏付け情報を得ましたよ」

声をあげたのは看護師長の加藤だった。

「スハナさんが回復したあと、若いほうのメイドに聞いてみたんです。スハナさんに彼氏がいたのかどうか。そしたらこっそり教えてくれました。スハナさんに強引に言い寄る金持ちの青年がいて、その彼はプレイボーイで有名なんだそうです。つまり不特定多数の相手と関係があるということで、本人は無症状でも、スハナさんに感染させた可能性は高いんじゃないでしょうか」

アリ・サーレハがウイルス感染について神経質になっていたのは、そんな背景があったのかと、才所は納得した。

「だけど、あのメイドたちはスハナさんの入院中、ほとんど仕事をしてなかったんじゃないですか。特に年上のほうは若いメイドにあれこれ指示するだけで」

病棟の看護師が言い、別の看護師が「やってたのはプリンセスの着替えの世話と、宝飾品の管理ぐらいよ。あとは三食昼寝つきで楽な仕事ね」と、羨《うらや》ましそうな声をあげた。

「ところで、治療費の支払いはどうなってるんですか」

シャンパンですでに赤い顔の小坂田が才所に訊《たず》ねた。

「まだだ。今日、退院したばかりなんだから。王族にかぎって不払いの心配はないだろう」

「もれ聞くところによると、治療費の増額の申し出もあったとのことですが」

「金の問題じゃないからと、断った」

「もったいない。私ならその場で小切手でも書いてもらいますがね」

「スグルは、ちゃっかり個人的に謝礼をもらってるんじゃないの」

有本に突っ込まれ、小坂田は「とんでもない」と真顔で首を振った。

「さあ、みんな遠慮なく食べてくれ」

才所の合図で、職員たちが料理に手を伸ばし、皿やグラスを持ったまま自由に歓談がはじまった。

趙が才所の横に来て感慨深げに言う。

「今回の劇症肝炎は、危なかったですね。もしも彼女が亡くなっていたら、ただではすまなかったでしょうからね」

「またマスコミが大騒ぎするところだ。それだけじゃない。うちのクリニックで死亡者が出たら、噂が広がって、新規の患者獲得にも影響が出ただろうからな」

「重症化したら転院というのも、印象が悪いですからね」

「だから、俺はうちでの治療にこだわったんだ」

二人の話が耳に入ったらしい有本が、「ちょっと待ってよ」と、才所に近寄った。

「プリンセス・スハナの転院を拒否したのは、クリニックの評判を気にしたからなの。あのとき、純粋にプリンセス・スハナの救命を考えてると言ったのは嘘なの」

「嘘じゃないさ、もちろん」

即座に否定したが、有本の顔には納得できないという表情が浮き出ていた。

「マスコミに騒がれることも気にしていたんじゃないの」

「イチコ。今ここでややこしい話を持ち出すなよ。プリンセス・スハナの治療が曲がりなりにも無事に終わったんだから、結果オーライということでいいじゃないか」

「そうはいかないわよ。山本君、ちょっとこっちへ来て」

有本が壁際で黙り込んでいた放射線技師の山本を呼んだ。山本はいったん視線を下げ、どこかに逃げ道はないかと思案するような顔で近づいてきた。

「ＢＮＣＴが一回しかできなかったのは、アリ・サーレハ氏の疑念が完全に払拭《ふっしょく》されていなかったのと、劇症肝炎の治療でうやむやになってしまったせいだけど、わたしはどうも気になっていたの」

「何がさ」

「プリンセス・スハナのがんは、腹膜にも転移していたでしょう。劇症肝炎の治療中はそれどころじゃなかったけど、退院が決まったとき、思い出して、確認したのよ。そしたら、一回目のＢＮＣＴのあとの画像で、腹膜への転移が全部消えていたの」

「それはあり得るだろう。Ｆ《フッ素》18を組み込んだリガンドは、全身のがん細胞に取り込まれるんだから」

「リガンドは腹膜の転移巣にも取り込まれる。だけど、中性子線を当てたのは、大動脈周囲だけよ。腹膜の転移巣には当たっていない。それなのに転移巣が消えたのはなぜ」

「中性子線が広がったんじゃないのか」

「それはあり得ない」

ＢＮＣＴの専門家である有本が言えば、否定はできない。才所はシャンパンで緩んだ全身の血管が、締めつけられるのを感じた。趙も不安げに成り行きを見守っている。

「じゃあ、何が考えられるんだ」

才所の問いに、有本は冷ややかに答えた。

「はじめから腹膜への転移はなかったということよ」

「冗談言うなよ。手術前のＰＥＴ検査で、山本が作ってくれた拡大画像にはっきりと写ってたじゃないか。なあ」

才所は軽い笑いで趙と山本に同意を求めた。趙は曖昧《あいまい》にうなずいたが、山本は口元を引き締めたまま応《こた》えない。

有本が山本を一瞥《いちべつ》し、抑揚のない声で続けた。

「たしかにあれは、山本君が作った画像だったのよ。存在しない転移巣を、画像処理で付け加えて。山本君ならそれくらい、簡単にできるわよね」

山本は無言で生唾《なまつば》を呑み込む。

「馬鹿な」

才所は声を強めて否定したが、有本は動じなかった。

「なんで山本がそんなことをする必要があるんだ。何の得にもならないだろう」

「山本君にはね。でも、ジュン、あなたにはどうなの」

答えられない。それが答えになっている。

「あのとき、ジュンはプリンセス・スハナに、フルの集学的先進治療をやりたがっていた。そのほうが高い治療費を取れるという理由でね。わたしは不要なＢＮＣＴはしないと言った。最初に届いたデータでは、彼女の胃がんはボールマン２型でステージもⅡのＡかＢだったからね。ところが、来日したあとうちで検査をしたら、胃がんはボールマン３型になっていて、大動脈周囲のリンパ節と腹膜に転移が見つかった。それで、彼女の胃がんはステージⅣで、ＢＮＣＴの適用にもなった。まさしくジュンの望み通りにね」

趙が「いや、それは――」と割って入ろうとすると、有本が鋭く遮った。

「ボンジェは黙ってて」

そして、横で顔を伏せている山本に目を向ける。

「わたしもまさか、画像がねつ造されているなんて思わないから、胃がんが急性増悪した可能性を考えた。ボールマン2型が一カ月かそこらで3型になるのも、珍しいケースだけれどあり得ないことではない。でも、画像のねつ造を用いるなら、何でもありになってしまう。山本君はそのことに、医療者として良心は痛まなかったの」

山本が苦しそうに口をつぐむ。才所は彼をかばうように身を乗り出した。

「イチコ。おまえが言ったのは辻褄《つじつま》合わせの推理で、山本が画像に手を加えたという証拠にはならないだろ。プリンセス・スハナの胃がんは、たしかに腹膜にも大動脈周囲のリンパ節にも転移していた。一回目のBNCTで腹膜の転移が消えたのも、その前にやった趙の抗がん剤が効いたからさ。何もBNCTだけが治療効果を発揮するわけじゃない」

才所が早口にまくしたてると、有本は腕を組み、この期に及んで弁解は見苦しいとばかりに首を振った。さらに趙に悲しげな目を向ける。

「もしかして、ボンジェ、あなたも知ってたの」

「僕は知りませんよ。ただ、画像のねつ造を疑うなんて、おかしいと思うだけです。それに、有本先生はどうして今ごろ、この問題を持ち出したんです。PETの画像がおかしいと思ったのなら、そのときに言えばいいじゃないですか」

「わたしも迷っていたのよ。ジュンが言う通り、山本君がねつ造したという動かぬ証拠があるわけじゃないからね。だけど、さっき、あなたたちが話しているのを聞いて、ジュンが患者の命よりクリニックの評判を重視してるとわかって、言う気になったの」

「俺は常に患者の命を最優先に考えてる。同時に理事長として、クリニックの評判を考えるのも当然じゃないか」

言い返した才所に、小柄な有本が胸を張るようにして顔を向けた。

「ジュンは外科医としては一流だけれど、わたしと意見の合わないことも少なくない。プリンセス・スハナの治療が終わって、今は新患もいないから、しばらく休暇をもらえないかしら。いろいろ考えたいこともあるから」

言うなり、有本は才所らに背を向け、そのまま出口に向かった。

「あれ、有本先生。もうお帰りですか。料理はまだ残ってますよ。ドンペリも」

看護師たちと盛り上がっていた小坂田が、出ていきかけた有本に気づいて声をかけた。有本は立ち止まりもせず、小坂田には何の期待もしていないという目を向けただけで、戸口に消えた。

「いいんですか。放っておいて」

趙が才所に聞く。

「仕方ないだろ。しばらく休ませてやるさ。時間がたてば彼女も気が収まるだろう」

「すみませんでした。うまく説明できなくて」

山本が神妙な顔で頭を下げた。才所はそれ以上の弁解はいらないとばかり、片手を上げ、何か食ってこいと山本に命じた。

歓談が続く中、「ＳＯ　ＷＨＡＴ⁉」の報道以来、ネットのニュースをチェックする癖のついていた看護師が、突然、「えー、これって」と、妙な声をあげた。

「どうしたの」

加藤が聞くと、その看護師はスマホの画面をスクロールしながら近づいてきて言った。

「この矢倉ってジャーナリスト、この前の公開討論に出ていた人ですよね」

「そうよ。それがどうした」

「昨日の明け方、遺体で発見されたそうです。シンガポールで。殺害されたのかもしれないって、ネットのニュースに出てます」

その声は前で飲んでいた才所の耳にも届いた。

矢倉がシンガポールで殺された。才所はすぐに反応できず、ただ不謹慎な行動だけは取るまいと自制した。

矢倉のシンガポール行きは、もちろん趙にも知らせていた。趙は何かを感じたようすで、才所に異様な目を向けた。才所はそれを見返し、無言のまま目を逸《そ》らした。

52

矢倉忠彦死亡のニュースは、翌朝の大きなニュースとしてテレビでも報じられた。

遺体が発見されたのは、シンガポールの歓楽街として知られるゲイラン地区の路上。近所の住人からの通報で救急隊が駆けつけたときには、すでに心肺停止状態で、その場で死亡が確認された。右頸部《みぎけい》部に傷があり、周囲には出血の痕《あと》があったため、現地の警察は殺人の疑いで捜査しているという。

報道では、矢倉はシンガポールには取材の目的で行き、現地で何らかのトラブルに巻き込まれた可能性が高いとのことだった。

才所が自宅マンションでシリアルの朝食を摂《と》りながら、矢倉についての報道を見るともなく見ていると、午前八時ちょうどにスマホが震えた。ディスプレイの表示は、「『週刊文衆』田沢」だった。

スマホを耳に当てると、予想外に落ち着いた声が聞こえた。

「ご存じと思いますが、矢倉氏がシンガポールで遺体で発見されました。才所さんに心当たりはありませんか」

驚きの段階はとうにすぎたのか、逆に肚《はら》の据わった聞き方だった。才所も動揺せず、冷静に答えた。

「心当たりなどあるわけないじゃないですか。どうして私に聞かれるんですか」

「矢倉氏のシンガポール行きの目的が、あなたに関する取材だったからですよ。念のためにお聞きしますが、今、あなたは日本におられるのですね」

「もちろんです。このところずっと患者さんの治療にかかりきりで、昨日、ようやく退院して、一息ついているところですから」

「レイモンド・リー医師とは連絡を取っておられましたか」

田沢の口からその名前が出て、才所は警戒のレベルを一段階アップした。

「ドクター・リーは私の以前からの知り合いです。今、申し上げた患者さんも、彼からの紹介でしたから、連絡は取っています。田沢さんはドクター・リーのことをどこでお聞きになったんですか」

「矢倉氏のシンガポール行きにはうちも関わっていて、全額ではありませんが、取材費の一部を援助しています。リー医師のことも、事前の打ち合わせで矢倉氏から聞いたのです」

「矢倉さんはドクター・リーを取材の対象にしていたのですか。何のために」

「詳しくは申せませんが、その人物にはいろいろな噂があるようですね。一部には詐欺まがいの医療をしているとか」

矢倉は田沢にどれくらいまで話していたのか。取材費を援助してもらうために、いい加減な情報もまぜて、ネタを大きく見せた可能性もある。才所は下手にしゃべって墓穴を掘らないよう慎重に構えた。

「矢倉氏は、八年前に交通事故で亡くなったマシュー・ハンという人物にも興味があると言ってました。才所さんの共同研究者ですよね」

答えずにいると、田沢は覆いかぶせるように続けた。

「矢倉氏はマシュー・ハン氏の遺族にも会うと言ってました。何を取材しようとしていたんでしょうか」

「さあ」

「リー医師は昨年、亡くなった元阪都大学総長の福地正弥氏とも懇意だったそうですね。二人はどういう関係だったのですか」

答えるかとぼけたほうがいいのか、才所は刹那《せつな》迷い、「これは取材ですか」と、逆に聞き返した。

「取材というわけではありません。亡くなった矢倉氏は、才所さんと浅からぬ縁のあった人だし、今回のシンガポール行きにもあなたのことが大きく関わっているので、ご存じのことがあればうかがいたいと思ったまでです」

「それなら、私からもお聞きしますが、矢倉さんはどういう状況で亡くなったのです。テレビでは頸部に傷があるようなことを言ってましたが」

「いずれ公表されるでしょうからお話ししますが、矢倉氏は四月二十七日にシンガポールに渡り、四月三十日の深夜に何者かに襲われて、右の頸動脈を切断されたそうです。死因は失血死。傷は一カ所で、凶器は薄くて鋭利な刃物のようです」

田沢は才所の反応をうかがうように二秒ほど沈黙した。応えずにいると、さらに思わせぶりに続けた。

「ふつうの人間なら、頸動脈がどのへんにあるかなんてわからんでしょう。それを一撃で切断するなんて、よほど腕の立つプロの仕業でしょうね。矢倉氏はなぜそんな相手に命を狙われたのでしょうか」

「私にはわかりませんよ。矢倉さんは出発前に身の危険を感じるようなことを言っていたんですか」

「それはないです。危険を感じていたら、もっと安全な場所に宿を取ったでしょうから。取材費の援助は、取りあえず往復の飛行機代でしたから、格安ホテルをさがして、治安のよくないゲイラン地区をねぐらにしたんでしょう」

才所は相手の言葉尻《じり》を捉えて、軽く牽制《けんせい》した。

「治安がよくないといえば、矢倉さんは私に、シンガポールに韓国の反社勢力が出没していると言ってました。その関係で深入りしすぎたんじゃないですか」

「それは初耳ですな。もう少し聞かせていただけますか」

嘘だと才所は直感した。矢倉と事前に打ち合わせをしていて、初耳のわけがない。田沢はこちらにしゃべらせて、何か尻尾《しっぽ》をつかもうとしているのだ。

「今のは私の想像で、特にお話しすることもありません」

才所は素っ気なく答えた。すると、田沢がいきなりという感じで話を変えた。

「福地正弥氏とリー医師は、才所さんが引き合わせたのではないんですか」

「――どういうことです」

思わず聞き返してしまう。

「矢倉氏から報告があったのです。情報があれば、随時、報告してもらうようにしていましたから。矢倉氏がリー医師から直接、聞いたと連絡がありました」

そこまで知られているのなら、隠し立てする意味はない。逆に疑われてもつまらないので、ありのままを答えた。

「たしかに、私が紹介しました。福地先生が出張でシンガポールに来られたとき、私を訪ねてくださったんです。その夜、ドクター・リーと会食する約束だったので、福地先生にも同席してもらって紹介したのだったと思います。でも、矢倉さんはなぜそんなことを調べたのですか」

「矢倉氏はカエサル・パレスクリニックの成り立ちに興味を持っていたようですからね。医療ツーリズムの話も、福地氏とリー医師との会食の席で出たのではないですか」

「――さあ、どうでしたか。ずいぶん昔の話ですからね」

矢倉はどこでそんな情報をつかんだのか。

「あと、矢倉氏は才所さんが研究をされていたセルノス・ラボというところにも取材に行く予定だったようですが、ついに行けずじまいになったようです。彼は何を取材しようとしていたのでしょう」

「知りませんよ」

「先ほど申し上げたマシュー・ハン氏のことでしょうか」

才所は答えない。田沢がさらに聞く。

「セルノス・ラボで、何か不祥事でもあったのでしょうか」

「知りません。いったい何を根拠にそんなことを聞くのです。こちらは痛くもない腹をさぐられて不愉快です。この電話でお話ししたことは、取材に答えたものでも何でもありませんから、決して記事にしたりしないでくださいよ。失礼します」

相手の返事も聞かずに、才所は通話を切り、そのままの勢いで電源も落とした。

苛立《いらだ》ちを抑えるため、冷蔵庫からトニックウォーターを取り出して、瓶から直接飲んだ。ついでに同じく冷蔵してあった板チョコの銀紙を剝《は》いで、バリバリと嚙《か》み砕いた。

矢倉はどこまでの情報を田沢に伝えているのか。矢倉がいなくなって、少しは身辺が落ち着くかと思いきや、田沢が出てくれば、よけいにややこしいことになりかねない。

才所はほとんど無意識にチョコレートを嚙み続けたが、口の中に甘味はまったく感じられなかった。

53

大阪船場《せんば》の東側、大阪城にもほど近い徳井町にある山本能楽堂は、昭和のはじめに造られた由緒ある能楽堂である。重厚な本舞台は長年の使用で黒光りし、優雅に反った檜皮葺《ひわだぶき》の大屋根に覆われている。奥の鏡板《かがみいた》（板壁）には堂々たる老松《おいまつ》が描かれ、左奥には橋懸《はしが》かりと呼ばれる欄干のついた通路が、演者の登場口に続いている。

客席は一階、二階とも桟敷席に椅子を並べ、収容人数は百五十。才所は一階左手の三列目に座っていた。

入口で配られたパンフレットには、雅志乃と共演する二人の演奏家が紹介されていた。

チェロ奏者の橋弥駿《はしやしゅん》は、ベルリン国立音楽大学を卒業した俊英で、ソロのチェリストとして海外のオーケストラとの共演も多く、二年前、若干二十五歳でミュンヘン国際音楽コンクールで優勝した経歴の持ち主らしい。

オーボエ奏者の坂之上三重子《さかのうえみえこ》は、関西センチュリー交響楽団のメンバーで、雅志乃より二歳上の三十六歳。雅志乃とは十年来の知己で、公私ともに親しく、ジャンルは異なるが互いに切磋《せっさ》琢磨《たくま》し合う間柄だとある。

「ご挨拶《あいさつ》」と題された雅志乃の文面には、上方舞の伝統を受け継ぎつつも、新しい表現に挑戦する意気込みが綴《つづ》られていた。

上質な印刷のパンフレットを見ながら、才所はこの上方舞ライブの総費用はどれほどかと考えた。今回、才所ははじめて三百万円の援助を行った。雅志乃は頑として受け取ろうとしなかったが、無理やり押しつけると、勝気な口元に複雑な思いをにじませた。

プリンセス・スハナが帰国したあと、アリ・サーレハからは、シンガポールのシティバンク経由で、一千三百万ブルネイ・ドル分の米ドルの振り込みがあった。三百万ブルネイドル分の上乗せは断ったつもりだったが、先方はそうは受け取らなかったようだ。レートがやや円高に傾いたが、それでも日本円にして十二億八千万円余り。

金額を確認すると、小坂田は「こうなるとドクター・リーへの紹介料が、ますます惜しくなりますね」と、浮かれた顔でもらした。

「だけど、これでブルネイの王族もうちの顧客になりそうだし、うるさい矢倉もいなくなったし、めでたしめでたしですね」

しかし、才所は小坂田のように気楽ではいられなかった。

「俺はイチコのことが気になってるんだ。彼女、アメリカに行ったみたいだな。小坂田には連絡あったか」

「いいえ。彼女は気むずかしいんですよ。ほとぼりが冷めれば、もどってくるんじゃないですか」

有本は気むずかしい以上に潔癖主義だから、プリンセス・スハナの件で才所の方針に根本的な疑念を抱いたのかもしれない。それを解消するのは簡単ではないだろう。

気がかりはそれだけではなかった。

「趙も最近、元気がないな。アリ・サーレハからの振り込みを知らせても、心ここになしって感じだったし」

「そうなんですか」

小坂田は何も感じていないようすで、肩をすくめるばかりだった。

有本の疑念はわかりやすいが、趙の変調には思い当たることがなかった。カエサルグループの人間との接触、シンガポールからの韓国訪問、カエサルグループのマネーロンダリング疑惑、それとも、草井の結婚がらみで何か気がかりがあるのだろうか。

考えているうちに、橋懸かりの奥からチェロとオーボエのチューニングする音が響き、客席が静まる。そろそろ開演らしい。二階部分はわからないが、一階の桟敷席はほぼ満席になっている。着物姿の客も多く、おそらくは上方舞の関係者だろう。つまり、今回の上方舞ライブが、舞踊界からボイコットされたわけではないということだ。それは才所にしても喜ばしいことだった。

やがて客席の照明が落とされ、橋懸かりより楽器を持った二人の奏者が現れた。舞台右手の地謡《じうたい》座《ざ》と呼ばれる床に置かれた椅子に座り、静かに控える。

客の息遣いが聞こえるほどの沈黙の中、五色の揚幕《あげまく》から雅志乃が登場した。白塗りに鬘《かつら》はなく、素顔を際立たせる化粧が美しい。衣装は薄紫の単衣に金地の帯。裾《すそ》には鮮やかな桔梗《ききょう》があしらわれている。湧き起こった拍手の中、舞台中央まで踏みしめるように進み出ると、正座し、深々と一礼した。

立ち上がると、早くも雅志乃の全身からは、異次元の世界に舞い込んだような気合が放たれた。

演目はパンフレットによると上方唄の「いざや」。三味線のパートをチェロ、唄の旋律をオーボエが奏で、演奏に溶け込むように、雅志乃が舞いはじめる。肩から肘、手首、指へと連なる優美な動き、着物に隠れた下半身の絶妙の溜《た》めとバランス。才所はこれまで見たこともない所作の美を感じて、思わず見惚《みと》れた。

さらには雅志乃の強い目線と、それを支える細くたおやかな首。皮切りに地唄舞を持ってきたのは、雅志乃の伝統に対する敬意の表れだろう。

パンフレットにはその歌詞が採録されている。

〽沖にちらちら帆掛け舟

……

おや追風かいな　ええ港入り　新造船

……

闇になったらともそぞえ

……

おやともそぞいな　ええ蠟燭《ろうそく》を

新しい表現に追い風が吹き、古い上方舞の闇に光を灯《とも》すような世界を切り拓《ひら》きたい。その一節に雅志乃の思いが込められていると、才所は読み取った。

雅志乃が舞台を去ると、橋弥が舞台中央に移動し、スポットライトを浴びて、チェロの独奏をはじめた。曲はバッハの「無伴奏チェロ組曲」第一番。ヨーヨー・マの演奏でもよく知られ、多くの観客に耳慣れた曲である。ポピュラーな選曲は、雅志乃が目指すより広い層に向けての発信につながるものだろう。

続いて橋弥と入れ替わるように、坂之上が舞台中央に陣取った。スポットライトが彼女の黒いシンプルな衣装を浮かび上がらせる。

しばしの静寂のあと、透明感のあるオーボエの調べがゆったりと響きだす。古典から打って変わって幻想的なエリック・サティの「ジムノペディ」。前衛的な曲の流れを、坂之上の澄んだオーボエが丹念にたどる。

前半の最後に、ふたたび雅志乃が登場し、舞台中央に立つや、まるでジャズプレーヤーのように軽やかな合図を奏者に送った。チェロとオーボエがアップテンポの演奏をはじめ、雅志乃が弾けるように舞いはじめる。

曲目は坂之上の作曲による新曲「五月の風」。小鳥が舞い集う文様のベージュの着物に、金茶の帯が照明を反射してキラキラと光る。雅志乃は速い動きながら、緩急をつけ、ひとつひとつの所作に一瞬の美しさを込めるのを忘れない。目線と手首の返し、指の反りが音楽のテンポにピタリと合い、見たこともないポーズ、動きで観客を魅了する。

五分ほどの短い曲だったが、最後のポーズを決めると客席から大きな拍手が湧き起こった。

54

中入りになり、才所は客席の反応を見るためロビーに出た。

何人かの女性客が前半の演目について口々に語っている。反応はいずれも良好で、「こんなのはじめて」「雅志乃さんは何をやってもきれい」などと、興奮気味に盛り上がっている。橋弥と坂之上の演奏も好評で、やはり知名度の高い曲を入れたことが、功を奏したようだ。

壁際に立ってようすを眺めていると、見知らぬ女性が才所に目を留め、近づいてきた。自信にあふれた足取り、カジュアルなパンツスーツ姿で、舞踊関係者とは明らかに異なる雰囲気だ。

身構える間もなく、一礼して向き合った。

「才所准一先生でいらっしゃいますね。わたくし、『週刊文衆』の加賀美《かがみ》と申します」

差し出された名刺には、『「週刊文衆」副編集長　加賀美瑤子《ようこ》』とあった。

「本日の上方舞ライブ、ほんとうに素晴らしいですね。この内容でしたら、東京でも十分お客を呼べるのではないかしら」

沈黙で応じると、加賀美は先まわりをするように才所に言った。

「どうぞご心配なく。先生と雅志乃さんのことを記事にするつもりはございませんので。お二人の関係は、亡くなった矢倉忠彦さんからうかがっております。気になるところではございますが、雅志乃さんが事件に関わっていることはないでしょうから」

「事件？　何のことです」

「矢倉さんの件ですよ。田沢が矢倉さんと打ち合わせをしたとき、わたくしも同席していましたので、ショックでした。田沢は古くからの付き合いでしたから、さらに衝撃を受けたようで、このままにはしておけない、必ず犯人を見つけて仇《かたき》を取ると申しておりまして」

「田沢さんからは電話をもらいました。私には何の関係もないことですから、大いに迷惑しているんです。あなたもその件で来られたのなら、何も話すことはありませんから」

「矢倉さんの死は、才所先生にとってはなかなか都合がよかったんじゃありませんか」

「失礼なことを言うな」

挑発だとわかっていても声が尖《とが》った。加賀美は織り込み済みというように、わざとらしい笑みで
「申し訳ございません」と頭を下げた。

「もちろん、才所先生が矢倉さんの死に関わっているなどとは、毛頭、思っておりません。でも、世間は色眼鏡で見がちですし、先生としても痛くもない腹をさぐられるのはご不快でしょうから、単に関わりを否定するのではなく、言い分がおありでしたら堂々と主張されてはいかがですか。シンガポールの警察でも、先生のお名前が取り沙汰《ざた》されているようですし」

一瞬、動揺しかけたが、すぐにブラフだと見抜いた。もしもそんなことになっているなら、ドクター・リーから連絡が入らないはずがない。

才所は落ち着きを取りもどし、相手の目を見て言った。

「ノー・コメント。そろそろ後半がはじまるので失礼します。上方舞ライブの終了後は予定がありますから、どうぞ声をかけていただきませんように」

言うなり加賀美を置き去りにして、足早に自分の席にもどった。

55

後半は雅志乃と二人の奏者との鼎談《ていだん》からはじまった。雅志乃は、「舞うのはいいんやけど、おしゃべりは苦手で」と、ふだんの関西弁で断りを入れたあと、今回の上方舞ライブへの思いを懸命に語った。二人の奏者も共鳴し、新しい試みに参加する喜びをそれぞれ口にした。

鼎談は二十分ほどで終わり、橋弥と坂之上は地謡座に進み、雅志乃は準備のためいったん袖《そで》に下

がった。トリはいよいよ大作「生生流転」の舞である。パンフレットによると、作曲は橋弥駿、編曲は坂之上三重子とある。

ふたたび客席の照明が落とされ、本舞台も薄闇となる。

しばしの沈黙のあと、チェロの深くえぐるような低音が会場の空気を切り裂いた。どっしりとした旋律がひとしきり奏でられると、オーボエの高音が突如、天上から鳴り響くように滑り込み、うっとりするような音色を響かせる。雅志乃はまだ登場しない。

薄暗がりの中で、チェロとオーボエによるメインテーマが提示され、観客の期待を掻《か》き立てる。

橋懸かりにLEDらしい紫色のスポットライトが照らされ、衣装と化粧を変えた雅志乃が現れる。着物は黒地に五爪《ごそう》の龍《りゅう》と鳳凰《ほうおう》。帯は鮮やかなオレンジに流れるような観世水。化粧は雅志乃の目鼻立ちを際立たせながら、能面のような無表情を強調している。

音楽に合わせて、雅志乃がゆっくりと本舞台に移動する。最初は「誕生」のパートである。

雅志乃はほとんど身体を動かさず、斜め前に倒した上半身を、観客のいない空間に向けて固定する。両腕を富士の裾野のように広げ、顔を伏せてしばし静止。何かに心を奪われたように視線を下げ、自分にしか見えない何かに対峙《たいじ》して、身じろぎもしないという風情だ。完全に静止したままなのに、才所は言うに言われぬ情念のようなものを感じる。

やがて雅志乃の顔が、わずかずつ上を向きはじめる。無から有へ、新たな生命が戸惑い、おののき、徐々に成長をはじめる。顔だけが動くか動かないかの微妙な変化なのに、観る者を惹《ひ》きつけ、さまざまな感情を想像させる。それはおそらく、雅志乃の微動だにしない情念のこもった目線の故だと、才所は思う。

曲想が変わり、二番目の「模索」に移る。一転、雅志乃は金地波頭の扇を取り出し、身を翻して軽やかに舞い、転倒するのではと危ぶむほど全身を反り返らせる。ひらりと宙をすり抜け、体軸を回転させて正面を向く。挑みかかるような鋭い視線が放たれ、正面の客が思わず上体をのけぞらせる。

雅志乃は上手から下手へすり足で移動し、客席全体を視線で舐《な》め尽くす。かと思うと、フリーズしたかのように立ち止まり、前方から飛来する見えない矢を避けるかのような身のこなしで、ピタリとアップテンポの音楽に全身の動きをシンクロさせる。

ふいに演奏が止まり、雅志乃は舞台の中央に立ち尽くす。照明が深い臙脂《えんじ》色に変わり、静寂が全体を支配する。三番目のパート「失望」らしい。顔を伏せ、棒立ちになった雅志乃の膝《ひざ》が徐々に折れ、身体が前に倒れていく。オーボエの高音が静かに流れ込み、非情な運命の忍び寄りを暗示する。

その音色がデクレッシェンドで消えると、チェロが不吉な低音で旋律を引き継ぐ。雅志乃は「誕生」のパートと同じく、極端に動きの少ない舞で、深い失望を表現する。人間が失意のどん底に落ちたら、きっとこんな気持ちになるのだろう、そう感じさせるヒリヒリするような痛ましさだ。

演奏は消えては止まり、甦《よみがえ》るかに見せて、すぐさま落ち込む。ほとんど動かない雅志乃をうそ寒いブルーのLEDが照らし、影を揺らめかす。その影が必死に耐え、希望を求めて得られず、励みを求めて突き放される非情さを感じさせる。そのあまりに痛ましい表現に、才所は思わず目を閉じる。

しばしの静寂のあと、突然、チェロの伸びやかな音色がクレッシェンドで舞台に響き渡り、それに呼応するように、オーボエも明るい中音を驚くほど長く響かせる。最後のパート、「昇華」のはじまりだ。旋律は荘厳で重厚な曲想に変わる。雅志乃の舞も、それに合わせて舞台を大きく使い、ふたたび扇をひらめかせ、華麗な所作が盛り込まれる。音楽の盛り上がりに合わせ、さまざまな感情を解き放つ。昇華のイメージにふさわしい調和と安定が、心地よい感動となって客席に広がる。堂々たる迫力で進み出る雅志乃が、それまでの何倍も大きく見えた。

クライマックスを経て、ふっと途切れるようなシュールなエンディングで舞い終わると、客席から大きな拍手が湧き起こった。

雅志乃は上気した顔で深々と一礼し、二人の奏者を舞台中央に招いて、その演奏を讃えた。三人が揃って頭を下げると、さらに盛大な拍手が起こり、雅志乃は信じられないという面持ちで、両手を胸の前で握りしめた。

三人が揚幕の向こうに消えたあとも拍手は止まず、バラバラだったそれがすぐに客席一体となってリズムを刻みだす。舞の公演にアンコールはふつうないが、雅志乃と二人の奏者が揚幕に姿を現すと、客席からふたたび拍手と歓声が盛り上がった。

アンコールはリズミカルな軽い曲で、雅志乃は笑みこそ浮かべないものの、宙を見上げて楽しげに舞い、前衛的な旋律に乗って恍惚《こうこつ》の表情になる。言わば忘我の舞で、才所は自分の身体も動き出しそうな快感を覚えた。

舞い終わると、雅志乃は息を弾ませながら客席の三方に向けて深く頭を下げた。そのまま二人の奏者に促され、あたかも夢遊病者のような足取りで橋懸かりから揚幕の向こうに消えた。

客席の反応は申し分ないようだった。さっき加賀美が言ったように、これなら東京でも十分、集客は可能だろう。今後の展開も気になるが、まず初回の試みとしては大成功だ。

客があらかた引き揚げるのを待って、才所は楽屋に通じる通路に向かった。

広い楽屋にはスタッフや弟子たちが集まり、片付けを手伝っていた。暖簾《のれん》の隙間から中をうかがうと、化粧を落とし、浴衣に着替えた雅志乃と目が合った。

「才所先生」

雅志乃が立ち上がり、よろめきながら楽屋口に出てくる。

「素晴らしかった。感動したよ」

「ありがとうございます。わたし、もう何が何やらわからへん」

才所は雅志乃の目に奇妙な光が閃《ひらめ》くのを見た。魔に魅入られたような、人間離れした怪しい煌《きら》めき――。何だろうと思う間もなく、雅志乃が思いついたように言った。

「そや、橋弥君と坂之上さんを紹介するわ。ちょっと、二人ともこっちへ来てんか」

雅志乃が楽屋の奥で楽器の手入れをしている奏者に声をかけた。二人が立ち上がり、楽屋口に出てくる。

祝福の言葉を述べようと、才所が二人に笑顔を向けていると、横で「先生……」と、雅志乃のかすれた声が聞こえた。振り向くと、雅志乃のまぶたがすっと閉じられ、全身から魂が抜けるように表情が消えた。

「危ない」

腰から崩れるのをとっさに抱き留め、なんとか倒れるのを防いだ。

「寝かせたほうがいい。だれか座布団を敷いてあげて」

才所の言葉にスタッフらしい男性が手早く座布団を畳の上に並べた。才所は靴を脱いで楽屋に上がり、雅志乃をその上に寝かせた。文字通り、精も根も尽き果てたのだろう。

「雅志乃さん。わかるか」

呼びかけても目を開けない。手首で脈を取ると異常な速さで打っていた。

「過労にしても、このままじゃよくない。救急車を呼んでください」

不安そうに見守る坂之上に頼んだ。

「救急車！」と、橋弥が叫び、弟子たちが慌ただしく動き出した。才所は荒い呼吸を続ける雅志乃を見つめながら、先ほど抱き留めた身体が驚くほどやせ細っていたことに、改めて震撼した。

56

雅志乃が救急搬送されたのは、大阪城の西側にある追手門《おうてもん》病院だった。古くからある病院だが、阪都大学医学部の関連病院で、信頼のおける施設である。

雅志乃は意識不明のまま救急外来に運ばれ、付き添った才所はロビーで待つように言われた。

おそらくは過労のせいだろうと、さほど心配はしなかったが、意識を失うまでになったのは、相当な負担がかかっていたにちがいない。それでもアンコールまでやり通したのは驚異の精神力だと、才所は改めて雅志乃の思いの深さに感じ入った。

しばらく待つと、担当医が出てきて、才所に状況を説明した。

「倒れられた原因は、低血圧と貧血、ベースに低栄養があるようですね。意識はもどりましたが、容態が不安定なので、入院していただいたほうがいいと思います。内科病棟に部屋を用意していますので」

「よろしくお願いします」

入院は才所も望むところだった。

「本人と話せますでしょうか」

「病棟に移って、落ち着いたら面会していただいてけっこうです。ただし、時間は短めに願います」

「わかりました」

担当医が診察室にもどったあと、才所は先ほど救急車を待つ間に交換した名刺で、橋弥の携帯電話に連絡を入れた。

「雅志乃さんは大丈夫のようです。意識ももどったそうですから、滅多なことはないでしょう。念のため、今日は入院するとのことですが」

「よかった。みんな心配していたんです。坂之上さんにも伝えます。彼女がいちばん雅志乃さんを気遣っていましたから」

橋弥は安堵《あんど》半分、不安半分の口調で言い足した。

「雅志乃さんはひとりで頑張りすぎたんですよ。創作舞だけでもたいへんなのに、会場の世話からパンフレットの手配やら、事務的なことまで、全部、自分でやってましたから。それだけこのライブに賭《か》けていたんでしょうが、なんだか悲愴でしたよ。ちょっと近寄りがたいくらい」

通話を終えると、才所はエレベーターで内科病棟のある南棟の八階に上がった。

雅志乃は四人部屋の手前のベッドに、楽屋で着ていた浴衣《ゆかた》姿のまま横たわっていた。時刻は午後六時すぎ。病室にはむっとするような夕食のにおいがかすかに残っていた。

才所はベッドの周囲にカーテンを引いてから、酸素マスクをつけた雅志乃の顔をのぞき込んだ。

「雅志乃」

静かに呼びかけると、うっすらと目を開け、「ああ、先生」と、かすれた声を出した。

「すみません。ご迷惑をおかけして——。ライブは、無事に、終わりましたか」

「大成功だったよ。よく頑張ったね」

「わたし、最後まで、ちゃんと舞えてましたか。アンコールは、用意してたけど、あったんやろか」

「覚えてないの。見事だったよ。お客さんの反応も申し分なかった。君も拍手に応えていたじゃないか」

「――よかった」

そうつぶやいてから、雅志乃は吸い込まれるように目を閉じた。眠りに落ちたのかと思うと、ふいに目を大きく見開き、「ああ、能楽堂やら手伝《てつど》うてくれた人に、お礼とご挨拶をせな」と、首を持ち上げた。才所が慌てて宥《なだ》める。

「大丈夫。橋弥さんと坂之上さんが、全部やってくれたから。君は何も心配することはないよ」

雅志乃は脱力し、ふたたび目を閉じる。かすかに眉間《みけん》を寄せ、とても安らいでいるように見えない。大舞台を終えてなお、緊張と不安に苛《さいな》まれているのだろう。才所は痛ましい気持ちで、雅志乃の蒼白《そうはく》の顔を見下ろした。

入院はたぶん一日ですむだろう。才所は静かにその場を離れ、ナースステーションの看護師に、明日、午後に退院の準備をして迎えに来ると告げて、病棟を後にした。

57

翌日、病室に行くと、雅志乃は病院の患者着を着てベッドに横たわっていた。

才所の姿を見ると、両肘で支えるように上半身を起こす。退院どころか、本格的な入院の様相だ。

「今日、退院するんじゃないの」

「主治医の先生が、詳しい検査をしたほうがええとおっしゃって。わたしも早《は》よ家に帰りたいんですけど」

不服そうに言うが、昨日とは打って変わってしっかりした顔つきになっていた。若いだけあって、回復も早いのだろう。それでも入院が延びたのは悪いことではない。

「この際、休養も兼ねてしっかり検査してもらったらいいよ。入院でもしていないと、君はまたすぐ頑張りすぎるだろうから」

「そうですね」

薄く微笑みながら、どことなく淋《さび》しげだった。昨日のライブの成果を気にしているのだろうか。

「昨日、病室で話したことは覚えてる？　アンコールのこととか」

「なんやぼんやりとして、夢の中のことみたいなんです。お客さんの拍手もあったようななかったような」

「あったよ。大ありだよ。アンコールを求める拍手もすごい勢いだったんだから」

「そうですか。ほんならよかった」

しばらくすると、坂之上が見舞いにやってきた。

「瑞希。大丈夫？　心配したわよ」

彼女は雅志乃を本名で呼び、ベッドに屈《かが》み込むようにしてハグをした。

雅志乃が昨日の不具合を謝ると、坂之上は「そんなことより」と、朗報を伝えた。

「あれから取材の申し込みを受けたのよ。それも二件。毎朝新聞と読日新聞の文化部の記者から。さっそく今日の夕刊に記事が出るそうよ」

「そうなん。嬉《うれ》しい。けど、ほめてくれるんやろか」

「もちろんよ。どちらの記者もすごく好意的だったもの」

才所も思い出して続ける。

「昨日は『週刊文衆』の記者も来ていて、素晴らしいと言っていたよ。これなら東京でも十分お客を呼べるだろうってね」

「ほんまですか。それやったら苦労した甲斐《かい》があったというもんですけど」

雅志乃の頬に生気が漲《みなぎ》り、表情にも明るさがもどった。ライブの成功が何よりの薬になるのは明らかだった。

退院が延期になったのは想定外だが、雅志乃の疲労は急速に回復しつつあるようだった。

才所はその後、坂之上を交えて雑談をし、頃合いを見て引き揚げた。

翌日も才所は雅志乃を見舞うため、南八階の病棟に向かった。ところが、雅志乃は北九階の婦人科病棟に移ったと看護師に告げられた。

なぜ転室する必要があったのか。もしかして、検査で婦人科系の病気でも見つかったのか。そう思いつつ北病棟に行き、階段で九階に上がった。ナースステーションで雅志乃のいる病室を聞くと、大部屋ではなく個室だった。

スライド式の扉を開けると、雅志乃はベッドで上半身を起こして、窓の外を見ていた。才所に気づくと振り向いたが、心なしか表情が暗い。昨日の夕刊の記事は、好評だがそれほど大きな記事でもなかった。それでがっかりしているのだろうか。

「病室を替わったんだね」

「そうなんです」

「昨日の新聞記事、ずいぶんほめてくれてたじゃないか」

力づけるつもりで言ったが、雅志乃は弱々しく微笑んだだけだった。窓の外に目をやると、都心のビル街が灰色にくすんで見えた。

「病室は午前中に移ったの？　理由は聞いてる？」

何気なく聞くと、雅志乃は唇を震わせ、強張《こわば》った声で答えた。

「わたし、卵巣がんの疑いがあるらしいんです。それもかなり進行している」

58

才所はナースステーションに引き返し、主治医の田所恵美《たどころえみ》医師を呼んでもらった。田所は婦人科の副部長で、阪都大学の医学部卒。才所の四年後輩とのことだった。談話エリアで待っていると、五分ほどで田所がやってきた。臙脂《えんじ》色のスクラブに白衣を羽織り、ショートカットに青い縁の眼鏡をかけている。

「お忙しいところ、お呼びだてして申し訳ありません」

才所が立ち上がって名刺を差し出すと、田所は「才所先生ですか。カエサル・パレスクリニックの」と、驚いた顔になった。

「ご存じですか」

「もちろんですよ。阪都大医学部の関係者で、先生のお名前を知らない者はいませんよ。『週刊文衆』の記事も拝見していましたし」

田所が記事にどんな印象を抱いているのか気になったが、特段、ネガティブな反応はないようだった。それどころか、同情するような素振りで言う。

「週刊誌なんかにつきまとわれて、たいへんだったでしょう。マスコミはしつこいですからね。どうぞ、おかけください」

才所に席を勧めながら、田所もベンチに並んで座り、さらに続けた。

「わたしは先生が開発されたＣＣＣ法《トリプルシー・メソッド》に興味を持っているんです。カエサル・パレスクリニックのホームページや、雑誌の記事でしか拝見していないので、詳しいことはわかりませんが、論文にはされていないのですか」

「今のところはまだ」

「もったいない。どうして学会に発表されないんです。反響があるのはまちがいないでしょう」

「まあ、いろいろ事情もあってね。私も考えてはいるんですが」

答えたついでに、才所は続けた。

「個室に入院している梅川雅志乃さん、いや、多田瑞希さんのことについて、お話を聞かせていただきたいのですが」

「多田さんはお知り合いなんですか」

ただの知人では詳しい話は聞けないだろう。才所は含みのある言い方をした。

「彼女とは足かけ三年になります。今年の正月も二人でベトナムですごしました」

「なるほど」

田所は納得したようだった。そして、才所をナースステーションの斜め前の説明室に案内した。備え付けのパソコンを起動させ、雅志乃の電子カルテを開く。そのまま質問を受ける顔になったので、才所のほうから問いかけた。

「本人から卵巣がんの疑いだと聞きました。それもかなり進行している状態だとか」

「個人情報ですが、先生だから特別にお話しします。多田さんは昨日の午前に行った腹部の超音波診断で、左側の卵巣に約三センチの腫瘍《しゅよう》が発見されたんです。血液検査でも、ＣＡ１２５が２６９

０と異常高値でした」

　ＣＡ１２５は卵巣がんの腫瘍マーカーで、基準値は35Ｕ／ml以下だ。

「転移も見つかったのですか」

「午後にＣＴスキャンとＭＲＩで確認しました。腹腔《ふくくう》内に二センチ大のリンパ節が複数見られましたから、おそらく腹膜播種《はしゅ》もあるのではないかと」

「じゃあ病期は」

「もう少し詳しい検査をしなければ確定できませんが、おそらくはステージⅢのＣ期か、ステージⅣのＡ期だと思われます」

　消化器外科が専門の才所には、卵巣がんの詳しい病期の基準まではわからない。それでも、かなりの進行がんであるのはまちがいない。

「つまり、手術もできないということですか」

「いえ。手術はできるだけ早いほうがいいと思います。外科的に可能なかぎり腫瘍を切除して、その後、強力な抗がん剤治療を行います」

　田所は即答したが、才所はすぐには納得できなかった。ステージがⅢかⅣであれば、がんはすでにあちこちに転移していて、通常の治療では根治はむずかしい。それどころか、手術で見える範囲のがんを切除しても、手術による体力の消耗で、残ったがんが急激に悪化する危険性もある。

「いきなり手術するのではなく、抗がん剤や放射線治療で、腫瘍を小さくしてから切除したほうが、身体への負担が少なくてすむんじゃないですか」

「卵巣がんの場合は、先に手術するのが標準治療です。それに卵巣がんには、放射線治療の適応はありません」

田所は淡々と事実を述べるように言ったが、才所は疑問を感じざるを得なかった。

「診療ガイドラインはそうかもしれませんが、多田さんの容態からすれば、まず体力を回復させることが先決ではないですか。それに放射線治療と言っても、BNCTならまた話は別でしょう」

「卵巣がんにBNCTというのは、ちょっと聞いたことがありませんね」

「CCC法を使えば、卵巣がんにもホウ素を送り込むことはできます」

才所はつい前のめりになったが、田所はそれには動じず、治療方針はもう確定ずみという顔で才所を見返した。

「先生もおわかりだと思いますが、ガイドラインに沿った治療がもっともよい結果につながる可能性があります。エビデンスに基づいた治療ですから」

そうかもしれないが、それですべてが決まるのなら、医師の判断は無用になる。ガイドラインの通りに治療しました、だから、結果が悪くても悪しからず。そんな医療がまかり通っていいのか。

才所はもどかしい気持ちでいっぱいだったが、田所は表情を変えなかった。

「いずれにせよ、もう少し検査が必要です。詳しい説明はそのあとで。ほかにご質問は？」

「いえ――。お忙しいところ、ありがとうございました」

田所はすばやく電子カルテを閉じ、パソコンをシャットダウンした。

病室にもどると、雅志乃はベッドに横になって、天井を見つめていた。

「田所先生から話を聞いてきた。確定診断はまだのようだけれど、卵巣がんの可能性は高いみたいだ。田所先生はできるだけ早くに手術をと言っていたけど、君の気持ちはどう」

「どうと言われても、わたしにはようわかれへんよって」

「田所先生のことは信頼できそうか」

「まだちょっとしか話してへんから、何とも言えません。親切な先生やとは思いますけど」

「しかし、いきなり卵巣がんの疑いで、それもかなり進行していると言ったんだろう。もう少し、心の準備をする時間をくれてもよさそうなもんだけど」

思い返すと、才所はだんだん腹が立ってきた。

「この病院は歴史はあるが、最新の医療を行っているわけじゃない。田所先生はガイドラインに沿った治療をと言ってたが、それで治る病気はいいが、根治がむずかしいときは、もっと可能性のある治療を試してみるべきじゃないか。君が望むなら、カエサル・パレスクリニックで新しい治療をすることもできるが」

「先生のクリニックで治療が受けられるのやったら、ぜひお願いします。手術も先生がしてくれはるんでしょう」

「私は消化器外科医だから、婦人科の手術はできない。それに今の君の状態を考えたら、手術より抗がん剤や放射線治療を優先したほうがいいと思う」

「よろしくお願いします。先生がそばにいてくれはるのやったら、わたしも安心やから」

才所は掛け布団の中に手を差し入れて、雅志乃の手をにぎった。皮膚の薄さが痛々しい。雅志乃は力を抜いたまま、才所に己の手を委ねていた。病状は簡単ではない。しかし、何としても雅志乃の命は救いたい。そう思うと、才所は彼女の手を握る指に力を入れずにはいられなかった。

59

翌日、才所は出勤後に趙を理事長室に呼び、雅志乃の卵巣がんの治療について相談した。

朝から呼びつけられたのが気に食わないのか、趙はいつになくよそよそしい物腰だったが、才所はそれに気づく余裕がなかった。

「追手門病院の婦人科は手術を勧めているんだが、体力的な問題もあって、俺は保存的な療法を優先したほうがいいと思うんだ。ステージはⅢかⅣ。抗がん剤での治療の見込みは、どんな感じだ」

「転移は腹腔内に限局してるんですか」

「たぶん」

「遺伝子変異は」

「まだ検査中だ」

「卵巣がんの治療は、抗がん剤の術前投与をすることもありますが、原則は手術だと思いますよ。目視で腫瘍部分を切除して、そのあとで抗がん剤の術後投与と維持療法をするのが一般的です」

田所と同じようなことを言うので、才所は顔をしかめそうになったが、気持ちを切り替えて続けた。

「追手門病院の主治医もそう言ってた。だが、患者は過労状態で、三日前に倒れてるんだ。極度の貧血と低血圧もある。今手術をすると、それが引き金となって一気にがんが増悪することもあるだろう」

「たしかに」

趙も冷静に応じ、卵巣がんの抗がん剤治療について説明した。

「一般的には、プラチナ製剤とタキサン製剤を使います。パクリタキセルとカルボプラチンを使うTC療法、パクリタキセルとシスプラチンを使うTP療法、ドセタキセルとシスプラチンを組み合わせるDP療法などが主流です。アドリアマイシン系の抗がん剤を使うCAP療法なども効果的ですが」

「分子標的薬はないのか」

「ありますよ。アバスチンとリムパーザですね。患者さんの遺伝子が、BRCA《ブラカ》1／2変異陽性の遺伝性乳がん・卵巣がん症候群だったら、リムパーザが有効です。それから免疫チェックポイント阻害剤のキイトルーダも使えます。組み合わせを変えれば、一般的に承認されている投与法だけで、十五種類くらいありますから、いろいろ試せます」

「副作用はどうなんだ」

「もちろんあります。アバスチンには出血、タンパク尿、血栓塞栓症、消化管穿孔《せんこう》など。リムパーザには悪心、嘔吐《おうと》、貧血などです。キイトルーダは間質性肺炎、神経障害、溶血性貧血などが要注意です」

「副作用はできるかぎり避けたいんだ。患者はかなり消耗しているからな。で、効果のほどは」

「何とも言えませんよ。その人の体力や免疫力、がんの薬剤に対する感受性によりますから。それくらいわかってるでしょう」

何を今さらというように言われ、才所は平常心を失いつつあることを改めて認識した。

「イチコが休暇からもどったら、彼女にもBNCTをやってもらうつもりなんだ。その前に抗がん剤治療を終わらせておきたい。君の治療に俺のCCC法《トリプルシー・メソッド》を組み込めば、抗がん剤の精度も上がって、より効果的になるだろう」

趙は答えず、まるで才所の言葉を無視するように訊ねた。

「その患者さんはいつ、うちのクリニックに入院するんですか」

「できるだけ早くにと思ってる」

「まだ日は決まってないんですね」

そう言ってから、趙は顔を伏せ、ひとつ咳払《せきばら》いをした。

「実は僕も休暇がほしいんです。ちょっと韓国に行きたいので」

思いがけない申し出に才所は戸惑った。このタイミングで休暇を求めるなんて、どういうつもりか。

「今、俺の大事な患者の相談をしたとこじゃないか。それを放り出して休むと言うのか」

「治療はやります。スマホにデータを送ってくれれば調整もできますから。患者さんの診察は僕でなくても、才所先生がしてくれればいいでしょう」

「韓国に行ってどうするんだ。大叔父《おおおじ》さんに呼ばれたのか」

「いいえ」

首は振ったが、嘘のつけない趙の顔には、カエサルグループに関わる用事であると書いてあった。しかし、これ以上追及しても、彼は答えないだろう。

そう思っているところに、小坂田が入ってきた。ソファの肘掛けに腰を下ろし、才所と趙を見比べながらくだけた調子で聞く。

「朝から何の相談ですか。才所先生が言ってたトルコとブラジルからの患者、どうなりました」

「今、趙君から休暇の申し出があって、イチコも休んでるし、受け入れは延期か中止だな」

小坂田は肥満した身体をのけぞらして声を高めた。

「そんなもったいない。プリンセス・スハナの治療がうまくいったんだから、続けて受け入れるべきでしょう」

「そうしたいところなんだが、近々、ちょっとわけありの患者を入院させたくてな。俺の個人的な知り合いで、卵巣がんなんだが、その治療に専念したいんだ」

「じゃあ、私の健診部門以外は休業というわけですか。ゲノム未来ドックは予約が詰まってますから、休めませんよ。夏のボーナスをはずんでもらわないと、割に合わないな」

小坂田が話している間に趙は席を立ち、「それじゃ」と、一足先に部屋を出て行った。

無視された形の小坂田は、趙の後ろ姿を見送ったあと、投げ遣《や》りに言った。

「趙先生も疲れてるんですかね。何か悩んでるみたいだし」

「悩んでる？」

才所が聞き返すと、小坂田は思わせぶりな笑みを浮かべ、「気になるんですか」と逆に聞いてきた。

小坂田は「へへっ」と軽薄な嗤《わら》いをもらし、弾みをつけて肘掛けから立ち上がった。

「趙先生も有本先生同様、クソがつくほどまじめだからな。もう少し気楽にやればいいのに。それから夏のボーナスの件、本気《マジ》ですからね。よろしくお願いしますよ、理事長」

才所に目配せを送りながら、小坂田も出て行った。

60

その日の午後、もう一度、追手門病院に行こうかと思っていた矢先、才所に受付から連絡が入った。

「『週刊文衆』の加賀美さんという方が、面会にいらしています」

山本能楽堂で会った自信満々のパンツスーツがよみがえった。

「断ってくれ」

一言で受話器を置くと、スクラブのポケットでスマホが振動した。表示は見知らぬ番号だが、察しはつく。なぜ連絡先をと思ったが、田沢から聞いたのにちがいない。無視しても、しつこくつきまとうのは目に見えている。

通話をオンにすると、聞き覚えのある声が早口にまくしたてた。

『週刊文衆』の加賀美でございます。突然にうかがいまして申し訳ございません。どうしても先生にお聞きしたいことがあって参りました。お忙しいとは存じますが、十分だけでもお時間をちょうだいできないでしょうか」

「お断りします」

「矢倉忠彦氏の死に関して、重大な新情報が入りましたので、そのウラ取りをお願いしたくて参ったのです。どうか十分、いや、五分だけでもお目にかかれないでしょうか」

「新情報って、どんなことです」

「内容が内容ですから、電話ではちょっと」

「電話で話せないようなら、別に聞かなくてもけっこうです。失礼します」

通話をオフにしかけると、スピーカーからつかみかかるような声が飛び出した。

「待ってください。趙先生は取材に応じてくださいましたよ。いろいろお話ししてくださいました」

「趙が――？」

なぜと思ったが、思い当たることはなかった。考えていると、加賀美がさらに言葉を重ねた。

「レイモンド・リー医師に関わることです。矢倉氏の事件を解決するために、才所先生の証言がぜひとも必要なんです」

どうしたものか。まずは趙に取材の内容を確かめようと、才所は加賀美にその場で待つように告げ、通話を切った。内線電話で呼び出そうとしたが、趙は不在だった。スマホに連絡したが、こちらも出ない。病棟の看護師に確認すると、午後から休暇に入ったと知らされた。

仕方なく才所は加賀美に連絡し、六階の応接室に来るよう指示した。矢倉と会ったときのように一階のロビーでとも思ったが、人に聞かれたくない話が出る可能性を考えてのことだ。

応接室で待つと、ほどなくノックが聞こえ、加賀美が入ってきた。

「お時間をいただき、誠にありがとうございます」

一礼したあと、全面窓に歩み寄って歓声をあげた。

「ここが有名な応接室ですね。雑誌に出ていたのを拝見しました。素晴らしい眺めですね」

昨年末に取材を受けた「ワールド・ヘルス・クロニクル」の記事を見たのだろう。

「どうぞ、こちらへ」

無愛想にソファを勧めると、加賀美は腰を滑り込ますようにして、才所の前に座った。

「趙にはどんな話を聞かれたんです」

先手を打って問うと、加賀美はいかにも取材用らしい微笑みで答えた。

「矢倉氏が追及していたカエサルグループのマネーロンダリング疑惑のことです。趙先生はきっぱりと否定されましたので、それ以上はうかがいませんでした。同じく、矢倉氏が追っていた福地正弥氏の件についても、福地氏が亡くなったときの状況を確認させていただきました」

「何か不審な点でもあったのですか」

「もちろんございません」

作り笑いで首を振る。嘘だ、と才所は直感的に判断した。加賀美は福地の遺族にも接触したのだろうか。確かめたい誘惑に駆られたが、気にしていると思われるのは得策でないと自制した。

「それで、私に聞きたいことというのは？」

「レイモンド・リー医師についてです。矢倉氏はリー医師も取材対象にしていましたから、シンガポールに着いた翌日に面会しています。リー医師は診療の傍ら、医療ツーリズムの斡旋《あっせん》や、さらにはかなり危険なビジネスにも関わっていたようですね」

「田沢さんもそんなことを言ってましたね。詐欺まがいの医療とかですか」

「もっとヤバいことです。薬剤の違法な横流しとか、移植のための臓器売買とか」

「知りません」

「でも、カエサル・パレスクリニックさんは、リー医師のクリニックと契約を結ばれていますね。その関係で何か情報はありませんか」

「ドクター・リーは私がシンガポールにいたときからの知り合いですし、彼自身、医療ツーリズムにノウハウを持っていたので、提携しているだけです。それ以外のことは知りません。彼が何か矢倉氏の事件に関わりがあるのですか」

加賀美は才所の反応を一瞬たりとも見逃さないというようすで、視線を当ててきた。

「実は、矢倉氏の靴底にＧＰＳの発信器が仕掛けられていたのです。シンガポール警察からの情報ですから、まちがいはありません。矢倉氏がシンガポールに到着したのは四月二十七日。翌二十八日の金曜日にリー医師のクリニックを訪ね、自宅で会うと言われて、そこで靴を脱いでいます。続く二日は土日で、矢倉氏は町を歩きまわっただけで、取材相手には会っていません。それで殺害されたのは三十日の日曜日の深夜です。この状況をどう判断されますか」

「どうと言われても――」

加賀美は視線をはずさない。ここはありのまま答えるべきだろう。

「矢倉氏の靴にGPSの発信器を仕掛けたのは、ドクター・リーだということですか。しかし、それは状況証拠だけでしょう。ホテルで眠るときだって、シャワーを浴びるときだって、矢倉氏は靴は脱ぐでしょうから」

「シンガポール警察も、今のところは慎重な構えを見せています。それでもリー医師には、矢倉氏殺害の動機があるのではないですか」

「ドクター・リーに矢倉氏が襲われた時点のアリバイはないのですか」

「あります。でも、リー医師自身が手を下さなくても、殺害は可能でしょう。才所先生はリー医師について、暗殺を請け負うような組織との関わりを聞いたことはありませんか」

黙って首を振る。加賀美がほんとうに聞きたいのは、そんなことではないだろう。

「矢倉氏の訪問を受けたあと、リー医師は才所先生に連絡してきませんでしたか」

「どうだったでしょう」

とぼけてみたが、加賀美は知っていて聞いていると感じた。警察からドクター・リーの通話記録の情報でも手に入れたのか。

「そう言えば、電話がありました。フリーのジャーナリストがいきなり訪ねて来て、迷惑だったと怒っていました」

「怒っていた、つまり、殺害の動機があったということですね」

「飛躍のしすぎですよ。殺したいほど怒っていたわけじゃないですから」

軽くいなしたが、加賀美はそれ以上こだわらずに話を変えた。

「矢倉氏はセルノス・ラボにも取材をする予定でいたようです。才所先生がこのクリニックでされているＣＣ法を開発された研究所ですよね」

「そうです」

「かつてセルノス・ラボに勤めていたマシュー・ハンという研究員のことも調べるつもりだったようです。先生の共同研究者ですよね」

「ええ」

「ハン氏は八年前に交通事故で不慮の死を遂げたので、矢倉氏はご遺族を訪ねるのだと言っていました。彼は何を調べようとしたのでしょうか」

「知りませんよ。田沢さんからも電話でそんなことを言われましたが、何を根拠にそんなことを聞くんです。マシューの死は純然たる事故だし、警察もそのように処理したんです。それ以上、何があると言うんです」

声に怒気を含ませたが、さすがは「週刊文衆」の副編集長だけあって、加賀美は動じず、むしろわざとらしい恐縮ぶりで答えた。

「申し訳ございません。矢倉氏はどうやらそのハン氏の事故死に疑問を抱いていたようなのです。理由はわかりません。彼はネットから関連情報を集めるプロと契約していたようでしたから。ネットの情報なんて、玉石混淆《こんこう》ですのにね」

「そんな情報で痛くもない腹をさぐられて、まったく迷惑な話ですよ」

「ほんとうですね。でも、矢倉氏は先生のＣＣ法にも疑念を抱いていたようで、あくまで矢倉氏のネット情報ですが、研究の盗用みたいなことも口走っていて」

「いい加減にしてください」

つい声が上擦ってしまった。挑発だとわかっていても、感情が抑えられない。

「帰ってください。これ以上、話すことはありません」

「お気に障ったのでしたら、どうぞご寛恕《かんじょ》のほどを」

「帰れと言ってるだろ」

立ち上がって扉を指さすと、加賀美はゆっくりと腰を上げ、一礼して出口に向かった。出て行く直前、才所を振り返り、思わせぶりな調子で言った。

「このまま取材を続けたら、わたしも矢倉氏のように、命の危険があるのでしょうか」

61

雅志乃のカエサル・パレスクリニックへの転院は、追手門病院の都合や趙からの連絡待ちなどで、結局、週明けの月曜日になった。

才所は自分の車で雅志乃を迎えに行くため、自宅マンションを午前九時すぎに出た。大阪市内はこの時間、どの道も混雑して、信号にも引っかかりやすい。ノロノロ運転にうんざりしながら、才所は昨日、ようやく連絡が取れた有本とのやり取りを思い出し、いっそう苛立《いらだ》ちを募らせた。

――イチコ、いったいどういうつもりなんだ。

何度、連絡しても応じなかった有本が、ようやく通話口に出たと思ったら、いきなりカエサル・パレスクリニックをやめると言い出したのだった。

――突然で悪いんだけど、ジョンズ・ホプキンスの関連病院にポストが見つかったのよ。

――あんまり急すぎるだろう。患者の治療は放り出すのか。

――ボンジェも休暇を取ってるんでしょう。だったらクリニックはスグルの健診部門以外、開店休業じゃない。

――趙と連絡を取っているのか。

――別に。

有本と趙が密かに連絡を取り合っていることに、才所は不快感と警戒心を抱いた。

気を取り直し、ひとつ深呼吸をして下手に出た。

――実はイチコに頼みたい患者がいるんだ。俺の知り合いの上方舞の師範なんだが、卵巣の進行がんで、体力も弱っているから手術はむずかしい。趙には抗がん剤治療のメニューを考えてもらったが、ＢＮＣＴの治療もぜひとも必要なんだ。

――残念だけど、アメリカ行きはもう決めたことだから。

――正直に言うよ。その女性は俺にとって大事な人なんだ。彼女は今、伝統にとらわれない新しい上方舞の試みに取り組んでいる。その矢先に卵巣がんが見つかって、失意のどん底に突き落とされたも同然なんだ。カエサル・パレスクリニックの集学的先進治療を駆使すれば、ステージⅢでもⅣでも救うことができる。イチコの改良型ＢＮＣＴは、そのための大きな柱なんだ。

――改良型って、ＣＣＣ法《トリプルシー・メソッド》を合体させた方法のこと？　申し訳ないけど、無理ね。わたしはもうその改良型ってのはしないから。

――どうして。

――どうしてもよ。ジュンがＣＣＣ法を論文にしない理由もわかったし。

――どういう意味だ。

――自分の胸に聞いてみたら。

そこで通話は切れた。才所は腹立ちのあまり、スマホをリビングの床に叩《たた》きつけそうになって、辛《かろ》うじて踏みとどまった。

車は信号や急な割り込みに遮られながら、徐々に追手門病院に近づいた。正門から入り、患者用の駐車場に車を停める。外来患者で混雑するロビーを抜け、病棟用のエレベーターで北九階の婦人科病棟に行った。

スライド扉を開けると、雅志乃は坂之上に持ってきてもらったらしい普段着に着替えて、退院の準備を整えていた。

「わざわざ迎えに来ていただいて、申し訳ございません」

雅志乃の表情はさえない。才所もこれからの治療に不安を感じずにはいられなかったが、自分が弱気になっていては治るものも治らない。自らを鼓舞するように、努めて明るい声を出した。

「今日から心機一転。新しい治療のはじまりだよ。用意ができているなら、ナースステーションに声をかけて行こうか」

ベッドサイドに置かれたボストンバッグを手に取ると、雅志乃が待ったをかけた。

「退院する前に、田所先生に挨拶《あいさつ》させてほしいんですけど」

「そうだな」

退院は自己都合だが、円満に転院したということにしたほうが雅志乃も気が楽だろう。ナースステーションから医局に連絡してもらうと、ほどなく田所がエレベーターで上がってきた。スクラブに羽織った白衣のポケットに両手を突っ込んでいる。才所に向ける視線が冷ややかだ。やはり患者を横取りされたように思っているのだろう。

雅志乃が一歩前に出て、緊張の面持ちで頭を下げた。

「田所先生。お世話になりました。いろいろご親切にしていただき、ありがとうございました」

「転院は残念だけど、よい結果になるよう祈っているわ。頑張ってね、しっかり」

励ますように両手の拳《こぶし》を握ってみせる。

「勝手を申してすみません。多田さんの治療には最善を尽くしますので、どうぞご安心を」

横から才所が言うと、田所は表情を硬くし、「どうか、よろしく」と、目を伏せたまま会釈をした。

退院の手続きをすませ、雅志乃とともに駐車場に向かった。空はどんよりと曇り、五月晴れにはほど遠い。車高の低いレクサスのロックを解除し、助手席のドアを開いた。

「救急車よりは乗り心地いいと思うよ」

くだらない冗談でも言わなければ、気持ちが沈んで仕方なかった。

病院を出て、法円坂《ほうえんざか》の入口から阪神高速に乗ると、4号湾岸線に入って南に向かった。大阪市内を抜けると、車の流れもスムーズになる。

「追手門病院はどうだった。病院食とか、大丈夫だったかい」

「よかったですよ。わたしの好きな鰻《うなぎ》とかも出て」

「うちのクリニックの食事は、ホテルからケイタリングで運んでもらうから、メニューも自由に選べる。鰻でもノドグロでも頼み放題だよ」

堺をすぎたあたりから臨海工業地帯を走り、右手に大阪湾、左手に金剛葛城《こんごうかつらぎ》山系ののどかな眺めとなる。窓に広がる景色に目をやりながら、雅志乃が改まった調子で言った。

「田所先生に、わたしのがんはステージⅢやと言われました」

「よかったたじゃないか」

才所は思わず声をあげた。病院を出てからここまで病気の話を避けてきたのは、追手門病院でステージⅣという結果が出ていたら、気分が重くなるばかりだと思っていたからだ。

「つまり、がんは腹腔内《ふくくう》だけにとどまっていて、全身への転移はないということだね」

「――ええ」

朗報のはずなのに、雅志乃の声が沈んでいる。ステージⅣでなかったとはいえ、ステージⅢでも進行がんであることにはちがいない。早期がんだとわかったというのならまだしも、患者本人にすれば、深刻な状況に変わりはないのだろう。それでも腹部以外の重要臓器に転移していないということは、医師にとっては明るいニュースだ。

「君にはピンと来ないかもしれないけど、ステージⅢとⅣでは大ちがいなんだよ。もちろん油断はできないけど、喜んでいいと思う」

「カエサル・パレスクリニックでも、もう一度、検査をしてくれはるんでしょう」

「あれだけ大きな病院だから、誤診はないと思うけど、うちでももちろん検査はするよ。ＣＣ法を使った最新の画像診断だから、それこそ信用して大丈夫だ」

チラと助手席をうかがうと、才所の言葉にも雅志乃の表情は変わらなかった。

泉佐野南出口で高速道路を降り、入り組んだ道をクリニックに向かう。りんくうタウン駅をすぎると視界が開け、広場の向こうにガラスとステンレスを多用した近未来の宮殿という趣の建物が見えた。

「あれがカエサル・パレスクリニックですか。はじめて来たけど、すごいですね」

クリニックを見て少しは安心したのか、雅志乃の表情にようやく明るさが兆した。

あらかじめ連絡しておいたので、看護師長の加藤が玄関に出迎えてくれた。

「ようこそ、カエサル・パレスクリニックへ。お待ちしていました。どうぞ、こちらへ」

加藤も才所と雅志乃が特別な関係であることは、当然、察しているようすで、はじめからＶＩＰ用の対応だった。

「雅志……、いや、多田さんは先に病室に入っていて。あとからようすを見に行くから。加藤さん、入院案内をよろしく」

クリニックでは本名で通すことを思い出して、才所は雅志乃と加藤に声をかけ、自分は理事長室に上がった。

しばらくして五階のロイヤル・スイートに行くと、雅志乃はクリニック備え付けのブランド品の患者着に着替え、リビングの窓際に立って海を眺めていた。

「もうすっかりうちの患者さんだね。ここはどの病室からも関空が見えるようになってるんだ。飛行機の発着を見ていると、海外からの患者さんが、元気になって自分の国へ帰りたいという気持ちになるだろ。それが病気の治療にいい影響を与えるからさ」

「わたしももう一度、元気になりたい」

「なれるよ。きっとなれる。私が保証する。そのためにこのクリニックに移ってきてもらったんだから」

才所は雅志乃の横に立って、肩を強く抱いた。

空は相変わらず重苦しく曇っているが、今し方、滑走路から一機のジェット機が猛然と離陸した。濃いブルーの機体に、黄金の蓮《はす》の花が尾翼に描かれている。

「ベトナム航空の飛行機だ。またあれに乗ってフエに行こう。きっと行ける」

その才所の気持ちに偽りはなかった。

雅志乃の検査は、入院の翌日からさっそく開始された。血液検査、胸部と腹部のX線検査、腹部の超音波診断、それにCCC法を使ったMRIとPETの画像診断である。

その初日の検査で、才所は思わず自分の目を疑った。胸部X線検査で、両方の肺にわずかだが胸水の貯留が見つかったのだ。卵巣がんで胸水が溜《た》まるのは、胸部への遠隔転移以外には考えられない。つまり、雅志乃の卵巣がんはステージⅢではなくⅣということだ。

追手門病院の田所の判定は、誤診だったのか。それとも胸部X線検査は、入院後、最初にする検査だから、入院時には胸水はなかったのが、その後、溜まりはじめて、再検査をしなかったために、ステージⅢと判断したのか。いずれにせよ杜撰《ずさん》なことだ。

才所は胸部X線検査の画像を、もう一度、詳細に見直した。明らかな転移もリンパ節の腫脹《しゅちょう》もない。考えられるのは、胸膜に種をまいたように散らばる播種《はしゅ》性の転移だ。それならX線検査に写らなくても無理はない。

この事実を、雅志乃に告げるべきか否か。

彼女は今、自分のがんはステージⅢだと思っている。昨日、才所自身もそれを喜び、ステージⅣとは大ちがいだと説明した。今さらステージⅣだと言えば、いたずらに彼女を悲しませるだけだ。カエサル・パレスクリニックの集学的先進治療を行えば、ステージⅢでもⅣでも、治療が有効でさえあれば結果に大差はない。それならわざわざ悪い報《しら》せで彼女を失望させる必要はないだろう。

そう決意して、才所は胸部X線の画像を閉じた。

入院四日目の木曜日の夕方に、坂之上が見舞いに来た。

受付から知らせを受けた才所が五階のロイヤル・スイートに下りると、坂之上はすでに病室に入っていた。

「才所先生。お邪魔しています。噂には聞いてましたが、すごいお部屋ですね。まるで五つ星ホテルの最高ランクのスイートじゃないですか」

「この部屋は特別ですからね。雅志乃の前は、ブルネイの王女が入院していた部屋だから」

「そうなんですか。知らへんかった」

雅志乃が座ったままのんきそうにつぶやく。親友が見舞いに来てくれて、心なしか明るい気分になっているようだ。

才所に勧められてソファに並んで座ると、坂之上はバッグから買ってきたばかりらしい新聞を取り出した。

「読日新聞の夕刊。出てたわよ、瑞希のインタビュー記事」

「そう言うたら今日やったね、掲載日」

読日新聞の文化部の記者は、ライブ翌日の記事だけでなく、月イチの芸能特集欄でも雅志乃を採り上げてくれたらしかった。インタビューは追手門病院に入院中だったが、あくまで過労のためということにして、病棟の説明室で一時間ほど話したようだった。

「電車の中でざっと読んだけど、いい記事よ。内容はチェックしてるんでしょう」

「記者さんがメールで送ってくれたから確認はしてる。けど、写真は見てないから」

坂之上から渡された新聞を、雅志乃はもどかしげに開き、件《くだん》の記事をさがした。

「カラーで出てるやん。それも『生生流転』のクライマックスのとこ」

雅志乃の顔がぱっと輝いた。

「私にも見せてくれ」

才所がのぞき込むと、雅志乃は先を譲るように紙面を差し出した。写真はスポットライトを浴びた雅志乃が、扇をひらめかせ、忘我の眼差しで天空を見つめる一瞬だった。所作の美しさが見事に捉えられている。

「これはいい宣伝になるんじゃないか。これを見ただけで、次の公演にも行こうと人が増えるよ」

「わたしも気に入ってます。カメラマンさんに感謝やわ」

そう言いながら、雅志乃は別枠の太字に目を留め、「あ、ちょっと」と、才所から紙面を取りもどした。

「東山泰仙《ひがしやまたいせん》先生がコメントしてくれてはる。観に来てくれてはったんやろか」

「だれなんだ」

「東山流の家元です。上方舞の大御所なんです」

才所に答えて、雅志乃は熱心に読みはじめた。字面を追う彼女の顔がふいに曇り、鳩尾《みぞおち》を突かれでもしたかのように険しくなった。

「どうかした」

坂之上が心配そうに聞く。雅志乃は答えない。もう一度、読み返そうとしているが、視線が揺れて同じところを上下している。

「ちょっと貸して」

才所が奪い返すように紙面を取り、素早く目を通す。コメントにはこうあった。

『大変面白いものを見せてもらいました。雅志乃さんは梅川流の中でも才気煥発《かんぱつ》な若手で、個性派でもあり、新しい形で自己表現を目指したのは立派です。上方舞とはまた別の新たな発展が期待されます。これからが楽しみです。上方舞でほんとうの舞に理解が及ぶのは、五十歳をすぎてからですから（談）』

「君のことを立派だとほめているじゃないか」

「そうよ。瑞希に期待してるとも言っているし」

「ちがうやん」

才所と坂之上の慰めを、雅志乃はヒステリックに否定した。

「『上方舞とはまた別の』て書いてある。上方舞とは認められへんと言うてはるのや。これからが楽しみというのも、今の舞ではまだまだあかんということや。当たり障りのないことを言うて、本心ではぜんぜん認めてへん。酷評や」

あまりの激情に、才所は言葉をかけられなかった。坂之上も沈黙している。何とか宥《なだ》める方法はないかと、才所は今一度、東山のコメントを読んだ。たしかに皮肉っぽい口調が感じられる。

雅志乃がさらに言い募る。

「五十歳をすぎてからというのも、先代の師匠が前から言うてはったことや。東山先生はそれを知って、わざとコメントしてはるんや」

「そんな嫌みたらしいことを言う大御所なんか、気にすることはないよ。どうせ仕来りに縛られた老人なんだろ」

「そうよ。瑞希が目指したのは新しい表現でしょう。既成概念に囚われたベテランには理解できないのよ」

才所と坂之上が言葉を重ねたが、雅志乃は思い詰めたように首を振る。

「東山先生はわたしを認めてくれた先代と懇意やったんです。東山先生に認めてもろたら、先代に認めてもろたも同じやと思うてたのに、こんな言われ方をするやなんて――」

雅志乃の頬に涙が流れた。卵巣がんだと知ったあとも泣かなかった雅志乃が、涙を止められずにいる。

才所はソファから立ち上がり、雅志乃の横に座ってその肩を抱いた。

「そんなに悲観したら治療に障るよ。私にはあのライブのどこが上方舞でないのかはわからないけど、感動したのは事実だ。君が上方舞にこだわる気持ちもわかるが、このコメントがすべてじゃないだろう。仮に今はそう見られていたとしても、これから頑張って、だれもが感服する舞を舞って、見返してやればいいんだ。焦ることはないよ」

「でも、わたしには時間がないんでしょう。五十歳まで生きられるんですか」

「大丈夫だ。私が保証する。君のがんは私がぜったいに治してみせる」

「そうよ。才所先生ならきっと治してくれるわよ。だから、今は病気の治療に専念して」

坂之上の言葉を引き継いで、才所が続けた。

「うちのクリニックには趙という抗がん剤治療のスペシャリストがいるんだ。信頼できる優秀な男だ。今は休暇でいないが、君のために特別な治療メニューを考えてくれてる。一通りの検査が終わったら、来週早々にも点滴と投薬で治療をはじめる予定だ。だから、気持ちを切り替えて、まずは病気を治すことだけを考えよう」

雅志乃の目からあふれる涙が止まり、瞳《ひとみ》にかすかな力がよみがえった。

「検査は今週中に終わるんですか」

「明日中には結果が出そろう」

「じゃあ、わたしに見せてもらえますか。先生のCC法を使った画像を見たいんです」

「それはいいけど、どうして」

「自分の身体の中に、どんなふうにがんが散らばっているのか見たいんです」

意外な申し出に才所は戸惑ったが、必ずしも悪いことではない。

「自分の病気に向き合う勇気が出たんだね。それでこそ、新しい上方舞に挑戦する雅志乃だ」

「瑞希は強いわね。わたしだったら怖くてとても見られない」

坂之上は身体をすくめて見せたが、雅志乃の表情は揺るがなかった。

63

坂之上が帰ったあと、才所も理事長室に引き揚げ、雅志乃の電子カルテを開いた。胸部X線検査の画像を呼び出し、素人の目で眺めてみる。胸水の貯留は、肺底部と横隔膜の隙間で判定する。多量に溜まっている場合は別だが、雅志乃の胸水はわずかだから、黙っていれば見分けられないだろう。

しかし、雅志乃の申し出に、才所は期待と不安の両方を感じていた。

自分の病気に率直に向き合う姿勢は悪くはない。治療によって、腫瘍《しゅよう》の縮小が画像で確認できれば、病気との闘いに勝利しつつあることをリアルに実感できる。それは本人の治癒力にもいい効果があるはずだ。

だが、逆に腫瘍が増大した場合はどうか。敗戦がより濃厚に感じられ、気力も治癒力も落ちてしまう。画像での病状確認は諸刃《もろは》の剣だ。

それでも、雅志乃が画像を見たいと言っているかぎり、見せなければ余計な疑心暗鬼を生む。治療の効果が思わしくなくても、そのときはそのときだ。とにかく雅志乃が希望を失わないようにすることが肝要だ。そう考えて、才所は雅志乃の要望を受け入れることにした。

翌日、午前中に雅志乃の電子カルテを整理して、午後いちばんにタブレットを持ってロイヤル・スイートに行った。

「検査の結果が出そろったよ。ここに全部入ってる。カルテは患者さんのものだからね。当然、本人には見る権利がある」

リビングのソファに並んで座り、才所は雅志乃の電子カルテを開いた。

「何の検査を見たい」

「全部お願いします」

才所は一般的な血液検査の結果表から説明した。

「貧血は追手門病院で出た増血剤でかなり改善している。問題は腫瘍マーカーだけど、これは２８５０と依然、高値だ。でも悲観する必要はない。まだ治療をはじめていないのだからね」

「遺伝子検査はどうでした」

「変異はなし。つまり、君の卵巣がんは遺伝性じゃないということだ。遺伝性の場合は、乳がんを合併する可能性もあるが、その心配はないということだよ」

続いて胸部Ｘ線検査の画像を呼び出す。

「特に異常はないよ」

次の画像に移ろうとしたとき、雅志乃が待ったをかけた。

「そこに白く写っているのは何ですか」

ひやりとしたが、雅志乃が指さしたのは肺門部《はいもん》のリンパ節だった。

「これは正常なリンパ節だよ。だれだって白く写る」

雅志乃はそれ以上、訊《たず》ねることもなく、次の画像を待った。

「腹部のX線検査は異常なし。超音波診断では、卵巣の腫瘍が写っているが、一般の人にはわかりにくいと思う。この黒いところがそうなんだが」

才所はカーソルを動かして、卵巣がんの部分を示すが、雅志乃の視線はわずかに動いただけだった。

「次はMRIだ。胴体を輪切りにした画像だから、これも見慣れないだろうけど、超音波診断よりはわかりやすいだろう」

才所はモノクロ画像にカーソルを当て、「これが肝臓で、こっちが脾臓《ひぞう》。その間は小腸と腸間膜で、がんはこの部分」と説明した。

続いてPETの画像を呼び出す。青紫色に浮かび上がった人型に、赤とオレンジの塊が鮮やかに光っている。

「これがCCC法《トリプルシー・メソッド》を使ったPETの画像だ。左の卵巣に光っているのが原発巣。膀胱《ぼうこう》の左上に見えるのが後腹膜《こうふくまく》のリンパ節転移。その周囲に見えるのが骨盤内リンパ節だ」

才所がカーソルで示すと、雅志乃は身を乗り出すようにして見入り、そのオレンジ色の塊をにらみつける。

「この画像、もっと大きくできないんですか。拡大したら小さい転移も見つかるんじゃないですか」

雅志乃に言われ、才所はカーソルの部位を拡大表示にする。黒と青紫の画面にオレンジ色の輝点がポツポツと見える。

「この小さな点もがんなんですか」

「そう。ＣＣＣ法はがんを細胞レベルで可視化するから、肉眼で見えないがんも浮かび上がらせる。細胞の大きさは一ミリの千分の一のオーダーだけど、蛍光イメージング・システムで強調して、一個のがん細胞でも見えるようにしているんだ。もちろん、がん細胞が一個だけということはまずないから、百とか千とかの単位で集まっているけどね」

「お腹だけでなく、胸のほうも見せてもらえますか」

才所ははっとしたが、平静を装って画像を動かした。ＰＥＴの画像には胸水は写らない。胸膜への播種性の転移は、山本に命じて消させておいた。

雅志乃はしつこいくらい画像を見つめていたが、やがて小さなため息とともに視線をもどした。

「抗がん剤をはじめたら、腹部の転移は徐々に消えていくはずだ。原発巣は無理でも、十分に小さくしておいてから、ＢＮＣＴという放射線科の治療で、がん細胞を内部から破壊する。そうすれば、君の体内からがんは消えてなくなる」

「がんが治るということですか」

「そう。そうなったら、五十歳どころか、八十歳でも九十歳でも生きられるよ。いくらでも上方舞を極められるだろ。その歳まで踊ることができればの話だけど」

才所は自分の軽口に笑ったが、雅志乃は暗い表情のままだった。その反応に才所は不満だったが、進行がんの患者に明るさを期待するほうが無理なのだと自戒した。

「これで検査の結果は全部だ。どう、納得した？」

「ありがとうございます。いろいろお手数をおかけしました」

「じゃあ、来週の月曜から本格的な治療に入るからね。趙からは詳細な指示書が届いている。抗がん剤のエキスパートが考えた最高のメニューだ」

「よろしくお願いいたします」

雅志乃は暗い表情のまま頭を下げ、顔を上げても視線を合わさずつぶやいた。

「わたし、疲れたのでちょっと休みます」

自分のがんの画像を見て、さすがに消耗したのだろう。抗がん剤治療がはじまれば、また元気ももどる。そう思いながら、才所はロイヤル・スイートを後にした。

64

翌土曜日は、雅志乃が外泊したいと言ったので、才所もクリニックには行かなかった。

雅志乃は上方舞ライブのあと楽屋で倒れて、追手門病院に緊急入院したあと、そのままカエサル・パレスクリニックに転院したので、この二週間、一度も自宅マンションに帰っていなかった。土日を利用して、ライブの後片付けや各方面へのお礼などをしたいというのが、外泊の理由だった。

週明けからはじめる雅志乃への抗がん剤治療について、趙はまずはオーソドックスなTC療法、すなわち、パクリタキセルと、カルボプラスチンの組み合わせを勧めていた。しかし、はじめから分子標的薬を追加する手もあるのではないかと、才所は考えていた。それに胸水の貯留があることも、趙にはまだ伝えていない。

そのことを相談しようかと思っていた矢先、趙のほうから電話がかかってきた。ちょうど自宅のパソコンの前にいるときで、趙もプライベートな場所にいるらしく、スカイプで互いに顔を見ながらの通話になった。

「ちょうどよかった。俺も連絡しようと思ってたんだ」

「そうなんですか」

趙は無表情のまま応じ、お先にどうぞとばかりに才所の用件を待った。

「この前、相談した卵巣がんの患者、胸水も溜まっているのがわかって、ステージはⅢじゃなくてⅣだった。追手門病院の入院で貧血は改善したし、体力もかなりもどってきてるんだが――」

一通り検査結果を伝えると、趙は「薬は増やせばいいというものではありません。まずはＴＣ療法で経過を見たらどうですか」と、あくまで基本に忠実なメニューを勧めてきた。才所は不満だったが、ここは専門家の意見を尊重することにした。

「で、君の用件は何なんだ」

才所が促すと、趙は一瞬、口ごもり、重苦しい調子で言った。

「孫《ソン》智《ジ》旻《ミン》さんのこと、覚えてますか。草井さんの奥さん。この前、彼女に呼ばれて泣きつかれたんです」

「草井さんの奥さんが？　何だって」

「草井さんのことをずいぶん心配しているみたいでした。智旻さんが言うには、先月の下旬から草井さんが何度か行き先も告げずに家を出て、帰ってきても深刻な顔で考え込んでいたんだそうです。才所先生が呼び出したんでしょう」

答えずにいると、趙は才所の無言を予測していたように続けた。

「それで連休の前に突然、海外に行くと言い出して、智旻さんには行き先も告げず、出かけたそうです。数日で帰ってきたらしいですが、パスポートを見ると、行き先はシンガポールでした。どうしてそんなところへ行ったのかと問い詰めると、新婚旅行の下見だと。旅費を出したのは、才所先生ですね」

「たしかに支援した。結婚式のときにも言ってただろう。草井さんには経済的な余裕がないって」

「矢倉さんが殺害されたのは、草井さんがシンガポールに行っている間のことです。頸《けい》動脈を一撃で切断するのは、解剖学の知識のある者の仕業ではありませんか」

「草井さんが犯人だと？　証拠でもあるのか」

「僕は知りません。でも、矢倉さんの靴にはＧＰＳの発信器が仕込まれていたそうですし、明らかに計画的な犯行でしょう」

「ＧＰＳの件は、『週刊文衆』の加賀美とかいう記者から聞いたのか」

「僕は口車に乗せられて取材に応じてしまいましたが、彼女が本命と見ているのは、才所先生、あなたでしたよ。僕は当て馬にすぎない」

「本命って何のさ」

「矢倉さん殺害の犯人ですよ。矢倉さんはＣＣＣ法《トリプルシー・メソッド》の開発経緯についても調査を進めていたようですから、これ以上、自由にさせておけなかったのでしょう。そこで草井さんをそそのかしたんじゃないですか。矢倉さんが福地先生殺害の真相に迫りつつあると言って。そう言えば草井さんはきっと動く。せっかく手に入れた新婚生活を壊したくないでしょうから」

「趙。それは君が造り上げたストーリーか。よくできているが、証拠はないだろう。ＧＰＳの件だって、加賀美はドクター・リーを疑っていたぞ」

「たしかに証拠はありません。だから、僕は智旻さんに言ったんです。何も心配することはないって。あまりにかわいそうだから」

「そうだな。ジミンさんは何も悪くない。彼女の幸せは守られるべきだ」

趙は同胞の孫智旻が不幸に陥ることを望まないはずだ。つまり、秘密は守られる。しかし、それならなぜわざわざ連絡をしてきたのか。

考える間もなく、趙は絶望的なため息をひとつもらし、改まった調子で言った。

「昨年末からカエサルグループの調査部が、カエサル・パレスクリニックの施工契約のことをいろいろ調べたようです。僕にも事情を聞きにきましたが、もちろん何も知らないと突っぱねました。実際、知らなかったんですから。でも、調査部の連中は手を緩めませんでした。すべては福地先生が仕組んだことですね。クリニックの施工業者、ベガ・コーポレーションが建設費用を大幅に水増ししていたこと。その一部が福地先生にキックバックされ、才所先生にも一千万円が口止め料代わりに支払われた」

「何のことだ。俺はそんな話は知らんぞ」

強気で否定したが、金額まで言い当てられ、弱気が兆した。いったいどこから。まさかベガ・コーポレーションが、韓国ヤクザに脅されたか――。

趙が続ける。

「僕も調査部の連中に疑われました。口止め料を受け取っているんじゃないかと。でも、大叔父《おおおじ》が救ってくれたんです。鳳在《ボンジェ》はそんなことをする人間じゃない、身内を裏切るようなことはぜったいにしないと。僕は申し訳ない気持ちでいっぱいでした。カエサル・パレスクリニックの建設費用は、大叔父のグループが三分の二ほどを提供したんです。それが水増しの金額だったなんて、僕は大叔父に合わせる顔がありません」

「趙。落ち着いて聞いてくれ。君の情報がどこからのものか知らないが、建設会社が自己保身のために、あることないこと言ってる可能性だってあるだろ」

「今さら見苦しい言い訳はやめてください。有本先生に聞きましたが、彼女はクリニックをやめるそうですね。僕もこんな事実を知ったあとでは、勤務を続けることはできません。残念ですが、今日付で辞職させていただきます」

「治療中の患者もいるんだぞ。見捨てるのか」

「患者さんにも申し訳ないと思います。才所先生のお知り合いの治療に関しては、クリニックを離れた上で、できるだけのアドバイスをさせていただきます」

「それは無責任だろ」

思わず声を荒らげたが、怒声は虚《むな》しく自分に響いただけだった。

趙が沈んだ調子で続ける。

「僕がカエサル・パレスクリニックに参加したのは、才所先生の医療に対する姿勢に共感したからです。僕を誘ってくれたとき、先生は医療でいちばん大切なことは、患者さんに希望を与えることだと言ったでしょう。病気で苦しみ、不安と心配に怯《おび》えている患者さんが頼れるのは、自分たち医者だけだ。どんなむずかしい病気でも、決してあきらめず、ベストの治療を続けていく。CC法はそのための最新の検査法で、多くの患者さんに希望を与えるものだと。海外のセレブの患者を相手にするのも、まずはこの医療を持続可能なものにするための資金集めで、ゆくゆくは間口を広げて、多くの患者さんを受け入れるつもりだと熱く語っていましたよね。僕はそれを信じ、共感したから参加したんです。だけど、先生はいつの間にか変わってしまった。特にプリンセス・スハナの治療から」

「何のことだ。俺は何も変わってないぞ」

「有本先生がBNCTの治療に難色を示したとき、彼女を説得するために、山本君が胃カメラの画像をすり替えるのを、僕に黙認させただけでなく、彼にPET画像もねつ造させたでしょう。打ち上げで有本先生が追及したので気づいたんです。ほかにもおかしなことはあった。シンガポールでドクター・リーにも話を聞きました。マシュー・ハン氏はシンガポールの韓国糸住民の間では有名な人でしたからね」

「何が言いたいんだ」

「才所先生は、理想の医療を目指して、カエサル・パレスクリニックを作ったんでしょう。その思いがなぜ消えてしまったんです」

「俺の理想は変わっていない。変わるはずがないよ」

才所は自分の胸に、大きなものが湧き上がるのを感じた。法学部から医学部に転じ、医学の奥深さと可能性に、自分の能力のすべてを賭《か》けようと決意した若い日。医学を信じ、医療を信じて、直面した挫折《ざせつ》。

「趙。俺が医療でいちばん大切なものは、患者の希望だと言ったのには、理由があるんだ。外科医になって四年目に、父親が直腸がんになって阪都大学病院に入院してきたんだ」

才所の胸に、当時のことがよみがえる。患者には知る権利があると思い、父に肝臓への転移を告げ、余命の宣告をした。つらかったが、父の人権を護《まも》ったつもりだった。それが裏目に出て、父は自ら命を断った。残された遺書にこうあった。

——嘘でもいいから、希望を持たせてほしかった。

ショックだった。自分は懸命に努力して、いい医者になることを目指していたのに、実際は患者の気持ちを理解しない最低の医者だったと、父に突きつけられる思いだった。それから自分は、何より患者の希望を大事にするようになった。その気持ちは変わっていない。変わるはずがない。

父の治療経過を話すことは、才所には生爪を剝《は》がされるような苦痛だった。つらい過去がモンタージュのように目の前にちらつく。

「シンガポールで、マシューといっしょにCCC法を開発したのも、がんの患者に希望を持ってもらうためだ。がんを細胞レベルで可視化して、すべてを治療できると聞けば、患者も希望が持てるだろう」

自分はまちがっていない。才所はそう自分に言い聞かせた。ところが趙のひとことが、その欺瞞《ぎまん》を打ち砕いた。

「それでCCC法を不完全なまま、マシュー・ハン氏の反対を押し切って、日本で実用化したんですか。あたかも夢の新治療であるかのように見せかけて」

モニターに趙の憐《あわ》れむような顔が映った。

「前から疑問に思っていたから、僕はドクター・リーに聞いたんです。CCC法はフェイクだとは言いませんが、がん細胞を完全に捉えられるものではないと。実用化するにはまだまだ研究の余地があったと、ドクター・リーは皮肉たっぷりに教えてくれましたよ。でも、才所先生は待てなかった。なぜです」

「多くのがん患者が待っていたからだよ。既存の医療で治らない患者に、希望を与えるためには、研究の完成など待っていられない。何年も、いや何十年もかかるだろうからな。マシューが言っていた研究者としての良心なんか、ただのきれい事だ」

「二人の議論が平行線になったとき、都合よくマシュー・ハン氏は事故で亡くなったんですね。警察当局も事故だと認めた。しかしそのとき、ハン氏はでっち上げみたいなセクハラ疑惑で、精神的に追い詰められ、うつ病になっていたそうじゃないですか。だれがハン氏を追い詰めたのか、ドクター・リーもそれは口にしませんでしたが」

「マシューは理想にこだわりすぎたんだ。医療は現実だ。今の日本でも同じことが行われているだろう。がんの免疫療法や代替療法、プラセンタ注射や怪しげな心理療法。有効なエビデンスのない医療が、自由診療のもとに多くのクリニックで行われている。一般の病院で不治とされた多くのがん患者が、一時的にせよその治療に希望を託せているじゃないか」

「僕は同意できません。嘘の治療で偽の希望を持たせることは、医師の良心に恥じることです」

「じゃあ、君はほんとうのことを告げて、患者を絶望させることを選ぶのか。医療にしか救いを求められない患者を、あなたは治らないと突き放すのか。治らないとわかっていても、最後の最後まで希望を失わさせず、治療に専念するのが医師の務めじゃないのか。それをしなかったから、俺の父親は自ら命を断ったんだ」

趙は沈黙した。父親のことを出すのは卑怯《ひきょう》だとわかっていたが、才所は負けるわけにはいかなかった。

パソコンの画面でにらみ合っていたが、ふいに趙が目を逸《そ》らしてかすかな息をもらした。

「わかりました。才所先生はご自分の医療を続けてください。でも、僕にはもうひとつ、あなたを許せないことがある。福地先生のことです。あなたが何の償いもせずいることが、僕にはやっぱり許せない」

「許せないって、どうするつもりだ。君だって関わりがないとは言えないだろう」

「そうです。だから考えます。僕なりの責任の取り方を」

「趙。現実を考えろ。君が自分の正義感だけで動けば、ジミンさんまでとばっちりを受けるぞ。正義を貫くことは自己満足だ。現実には清濁併せのむことも必要だろう」

才所は懸命に訴えたが、趙は答えないまま通話を切った。

65

月曜日の朝、才所は出勤の途中に、外泊からもどる雅志乃を車で拾って、クリニックに行こうと思っていた。ところが前日、その旨をＬＩＮＥで送ると、雅志乃は《別に寄りたいところがあるので、自分でクリニックにもどります》と返してきた。

どこに寄るのか、気になったがそれには触れず、《抗がん剤の点滴は午後いちばんではじめるので、遅くとも午前中にもどるように》とメッセージを送ると、雅志乃は《了解しました》と返信してきた。

それなのに、月曜日の午後零時をすぎても、雅志乃はクリニックに帰ってこなかった。

まさか、追手門病院に行ったのではという疑念が浮かび、才所は苛立ちかけたが、そんなはずはないと打ち消した。スマホに連絡してみようかと思ったが、遅れるのなら連絡は彼女のほうからすべきだと考えて、才所は取り出したスマホをポケットにしまった。

午後二時すぎに、坂之上が来たと受付から連絡があったので、五階の病室に上がるように伝えさせた。また見舞いに来てくれたのだろう。肝心の雅志乃はもどっていないが、現れたら抗がん剤の治療を何と心得てるんだと、坂之上と二人でとっちめてやろうと考えた。

先に五階に下りて、ロイヤル・スイートに入ると、雅志乃の私物はそのままで、ほかの病院へ行くことなどあり得ないと、改めて安堵《あんど》した。

ほどなく、開けたままにしておいたスライド扉に人の近づく気配がした。もしかして雅志乃もいっしょかと思ったが、来たのは坂之上ひとりだった。

「部屋の主《あるじ》は外泊からまだもどってないんだ。午前中に帰るように言っておいたのに」

不満を滲《にじ》ませて言うと、坂之上は蒼白《そうはく》の顔で才所の前に座った。表情がおかしい。

「どうかした？」

「先生。瑞希が――」

言うなり、坂之上がわっと泣き崩れた。両手で顔を覆い、堪《こら》えきれない声をもらす。号泣の真意に才所はおののいたが、そんなバカなとすぐに拒絶した。

「坂之上さん。落ち着いて。何があったんです」

肩を震わせて嗚咽《おえつ》する坂之上は、それこそ自分ではどうしようもないという取り乱しようだった。

最悪の状況は、もはや否定のしようもない。しかし、なぜ。

雅志乃が自ら死を選ぶはずがない。あれほど病気に立ち向かおうとしていたのだから。ならば、くも膜下出血か心筋梗塞《こうそく》、それとも交通事故か。

考えるうちに、坂之上は徐々に呼吸を整え、ひとつ深呼吸をすると、泣き腫《は》らした目で才所に向き合った。

「電話ではなく、直接お目にかかって伝えたほうがいいと思って、急いで来ましたけど、やっぱりだめですね。取り乱してすみませんでした。先生、落ち着いて聞いてください。昨夜か、たぶん今日の未明、瑞希は自ら命を断ちました」

才所は声も出せず、ただ茫然《ぼうぜん》と坂之上を見つめた。

坂之上が声の震えを抑えながら伝えた。

「今朝、八時ちょうどに、わたしのスマホとパソコンにメールが届いたんです。時間指定の送信でした。遺体を早く見つけてもらいたいから、さがしに来てほしいと」

「雅志乃さんはどこで亡くなったの」

「六甲山《ろっこうさん》の山頂付近です。去年、二人でドライブしたとき、たまたま入り込んだ行き止まりの道で、瑞希は車の排ガスを車内に引き込んで亡くなったんです」

坂之上はバッグからスマホを取り出し、雅志乃からのメールを開いて才所に渡した。

文面にはこうあった。


『三重子。ごめん。

あなたがこのメールを読んでいるとき、わたしはもうこの世にはいません。

詳しいことは、三重子と才所先生に宛てた遺書に書いてあるから、あとで読んで。

遺体を早く見つけてほしいので、申し訳ないけれど、警察より先に来てほしいの。

場所は去年、三重子と表《おもて》六甲ドライブウェイに行ったとき、旧六甲山ホテルをすぎて右の細い道を入った先。見晴らしのよいところがあったでしょう。

人生の最後に、神戸の豪華な夜景を見られたら、いいかなと思って。

（スペアキーは、バンパーの下に貼りつけておきます）』

「パソコンに送られてきたメールも同じ文面でした。瑞希は念のため、二カ所に送ったのでしょう。彼女らしい周到さだわ」

「坂之上さんはすぐに現場に行ったの」

「現場に着いたのは九時前でした。そこは別荘を取り壊して、そのままになっていたような場所で、眺めがよかったんです。瑞希の車はベージュのミニクーパーだから、すぐにわかりました。エンジンはかかったままで、排気口に突っ込んだホースを、窓から車内に引き込んでありました。助手席に瑞希が横たわっているのが見えて、覚悟はしていたものの、思わずその場にしゃがみ込んでしまいました。瑞希は上方舞ライブの『生生流転』のときの着物姿で、ほとんど水平にシートを倒していたんです」

「遺書は？」

「運転席に二通。先生宛とわたし宛に。助手席の下には草履も揃えて置いてありました。とにかくスペアキーでドアを開けて、エンジンを切りました。コンソールボックスに、ペットボトルの水と市販の入眠剤の箱が置いてありましたから、たぶん瑞希はそれをのんで眠ってから、最期を迎えたんだと思います」

　そこまで確認してから、坂之上は一一〇番通報をしたのだという。すぐに管轄の灘《なだ》警察署から、パトカーが二台来て、警察官や鑑識官が雅志乃の車を調べたらしい。

「遺書はどこにあるの」

「今は灘警察署にあります。調べが終わったら返してくれるそうです。瑞希の遺体もそこに安置されていますから、いっしょに行って確認してください」

「ご遺族への連絡は？」

「ご両親はいるはずですが、瑞希もずっと連絡を取っていなかったみたいだから」

「わかった」

才所は加藤看護師長と受付に事情を話し、坂之上の車でクリニックを出た。

阪神高速4号湾岸線を北上すると、一週間前、カエサル・パレスクリニックに向けて、逆向きに走ったときのことが思い出された。あのときの雅志乃は、不安そうではあったが、治療に前向きだったはずだ。それなのに、なぜ自ら死を選んだりしたのか。

ハンドルを握る坂之上が、前を見つめたままつぶやく。

「一一〇番をしたあと、パトカーが来るまでの間、わたし宛の遺書を読んだんです。そこには上方舞ライブのときのお礼と、これまでの友情への感謝と、遺体の第一発見者にさせたことへの謝罪などが書かれていました。自殺の理由としては、末期の卵巣がんなので、治療にすがって苦しい思いをしたくはない、やせ衰えて惨めな姿をさらすより、まだしも今のきれいなままの姿でこの世を去りたいと書いてありました。これで納得できない人がいたら、うつ病を併発していたと言ってくれてもいいとも書いてありました。なんだか変でしょう。わたしはこれがすべてではないような気がして」

「ほかに思い当たることがあるの」

「そうじゃないけど、あまりに冷静というか、悲愴感もなくて、どちらかと言うと、周囲を納得させるために用意したものみたいじゃないですか。才所先生はどう思います。瑞希はやっぱりがんを悲観して亡くなったんでしょうか。彼女のがんは、それほど絶望的なものだったんですか」

「たしかに楽観できる状態ではなかった。彼女はステージⅢだと思っていたようだが、実際はステージⅣだったから。だけど、私は彼女が絶望しないように気をつけて、希望を持ってもらえるように配慮したつもりだ。病気を悲観してというのは、私にも理解できない」

才所は今さらながら、雅志乃にありのままの状況を伝えなくてよかったと思った。ステージⅢだと思っていたのに、実はⅣだったと知れば、それこそ自殺のきっかけになったかもしれない。

ふと思いついて、坂之上に問う。

「遺書にこの前の大御所のコメントのことは書いてなかった？」

「いいえ。そのことは何も」

「彼女、あの東山という大御所のコメントをずいぶん気にしていたようだったけど」

プライドの高い雅志乃なら、新聞の否定的なコメントを苦に自殺したと、世間に思われたくなかっただろう。まして、上方舞ライブで同じ舞台に立った坂之上にはなおさらのはずだ。しかし、舞の世界とは直接つながらない自分への遺書には、本心を明かしてくれているのではないか。

才所はそんな思いを抱きながら、大阪湾を縁取るように走る高速道路の景色を、茫然と眺めていた。

66

坂之上の車は、阪神高速の住吉浜《すみよしはま》出口を出たあと、山手《やまて》幹線に入り、都賀川《とかがわ》を越えたところにある灘警察署に到着した。

駐車場に車を入れ、署内の受付で名乗ると、生活安全課の総務課長という人が出てきて、ロビーの古びた応接セットに案内された。中年の総務課長は、身内でない者に話すのに抵抗があるのか、盛んに咳払《せきばら》いをしながら確認した。

「亡くなられたのは、ご遺体が所持していた免許証から多田瑞希さん、三十四歳と思われますが、才所さんは多田さんの主治医をされていたんですね」

「そうです」

「個人情報になりますが、参考までに、多田さんの病名と病状をお聞かせ願えますでしょうか」

「多田さんは卵巣がんで、かなり進行していました」

「うつ病の傾向はありませんでしたか」

「私が見た範囲ではありません」

「遺書もありますし、発見時の状況から見ましても、自殺にまちがいはないと思われますが、先生のほうで何かお気づきの点はございませんか」

「いいえ。特には」

才所と雅志乃の関係は、すでに才所宛の遺書から把握しているのだろうが、プライベートな話は差し控えたようだった。

「それでは霊安室にご案内しますので、ご確認をお願いいたします」

総務課長は席を立ち、ロビー奥のエレベーターに向かった。ボタンを押し、箱が到着するまでの間、重苦しい沈黙が三人を支配した。

やがて扉が開き、総務課長がＢＦのボタンを押す。古びたエレベーターはすぐに止まり、扉が開くと、そこは白壁の薄暗い廊下だった。

総務課長が先に立ち、わずかに扉の開いた霊安室に才所たちを導く。白壁の部屋には照度の低い蛍光灯がつけられていた。中央に遺体を載せた台があり、手前の簡素なテーブルにろうそくと線香が灯《とも》されている。遺体の腐敗を遅らせるためか、部屋はクーラーが利いていて肌寒いほどだった。その冷気に線香のにおいとかすかな死臭がまざっている。

遺体には白布がかけられ、全身が覆われていた。未明に亡くなったとすれば、未だ死後硬直は強いはずだが、座席をほぼ水平にして横たわっていたせいか、あるいは発見が比較的早かったからか、台の上の遺体はまっすぐだった。

「ご覧いただけますか」

総務課長が合掌してから白布をめくり、遺体の胸元までを露《あら》わにした。坂之上が言った通り、上方舞ライブで「生生流転」を舞ったときに着ていた黒地の着物が見える。

雅志乃は髪をきれいにセットし、顔には薄化粧を施し、うっすらと唇を開いたまま、瞑目《めいもく》していた。一酸化炭素中毒らしく、肌の色は悪くはない。そこにあるのは、何も感じていない完全な無表情だった。雅志乃はこんな顔だったかと、才所は一瞬、奇妙な思いにとらわれたが、生命を失うと、同じ顔でも印象が変わるのだろうと思い返した。

涙は出なかった。ただ、痛ましさに胸塞《ふた》がる思いだった。

――かわいそうな雅志乃。なぜ死んだのか。

坂之上を振り返ると、すでに現場で一度対面しているせいか、目元と鼻を赤くはしているものの、先ほどのように取り乱すことはなかった。

「多田瑞希さんにまちがいないですか」

「はい」

才所が答えると、後ろで坂之上もうなずいた。

「彼女の遺体は、このあとどうなるのですか」

才所が問うと、総務課長はその点は抜かりないとばかりに答えた。

「多田さんは日本舞踊のお師匠さんだったようですな。所属しておられる梅川流の本部と連絡が取れまして、家元の雅芳氏が、ご遺体の引き取りを承諾してくださいました」

雅志乃をかわいがってくれた先代ではなく、彼女につらく当たった当代だろう。雅志乃は喜ばないだろうが、血縁者でもない自分が引き取るわけにもいかないと、才所は納得せざるを得なかった。

「私宛の遺書があったと聞いていますが」

「内容を改めさせていただきました。調べは終わっていますので、お返しいたします。ご面会はもうよろしいですか」

これが見納めになると思いつつも、才所は遺書のほうが気になり、遺体に頭を下げて、霊安室を出た。坂之上も従う。

エレベーターで一階に上がると、総務課長は才所たちを待たせて横の階段を上って行った。ビニール袋に入れた封筒を持って下りてくる。

「才所さんと坂之上さん宛の各一通です。受領書にサインをお願いできますか。恐縮ですが拇印《ぼいん》も」

遺書を受け取り、差し出された紙に署名し拇印を押した。

警察署を出たところで、坂之上が聞いてきた。

「帰りもお送りしますよ。クリニックにもどられますか。それともご自宅に？」

「ありがとう。今日はもう帰りますが、ちょっと別用もあるので、タクシーを拾います。遺書の内容は改めてお知らせします」

言うが早いか、通りがかったタクシーに手を上げ、「それじゃ」と、坂之上を置き去りにするようにタクシーに乗り込んだ。

別用というのは口実で、ほんとうは雅志乃の遺書を一刻も早く読みたかったのだ。二人の関係を思えば、坂之上には知られたくないことも書かれているかもしれない。

自宅マンションの住所を告げたあと、才所はタクシーの後部座席で雅志乃の遺書を取り出した。

そこにはワープロの文字で次のように書かれていた。


『才所先生へ。

先生と知り合ってから二年足らず、ほんとうにいろいろお世話になりました。

先生とすごした日々は、わたしにとっていずれも新鮮で、濃密で、示唆に富む幸せなものばかりでした。旅行や食事、観劇や逢瀬《おうせ》は、わたしにはかけがえのない思い出です。

また、わたしに対するご支援にも、心より感謝申し上げます。特に、上方舞ライブへの多額のご支援は、経済的のみならず、精神的にもわたしの大きな支えとなりました。

にもかかわらず、こうして先生に最後の手紙をしたためることを、わたし自身、言いようのない悲しみに苛《さいな》まれております。


わたしが自らの命を断とうと決心したいちばんの理由は、やはり上方舞ライブで十分な評価が得られなかったことです。一度くらいの不評で、あきらめるのは早計と思われるかもしれませんが、上方舞を自分の思うように広めるには、まだまだ長い道程を経なければなりません。しかし、わたしにはその時間がない。だったら、ここで潔く人生の幕引きをしたほうが、わたしらしいかなと考えたのです。

わたしの病気が不治の病で、治療をしても長く生きられないことは承知しています。つらい思いをして苦しんだり、やせ衰えて惨めな姿をさらしたくはありません。まだしもきれいな今のまま、最期を迎えたいと思うのです。

才所先生は、わたしの病気は治る、自分が治してみせるとおっしゃるかもしれませんね。しかし、追手門病院の田所先生は、わたしのがんは不治で、できるのは延命治療だけだとおっしゃいました。

どちらを信じたらいいのか。わたしはもちろん才所先生を信じていますが、外科医である先生は卵巣がんの専門ではなく、婦人科の田所先生はその専門家です。それに、彼女は言いにくいこともはっきりと言う誠実なドクターです。

田所先生に、CCC法やカエサル・パレスクリニックの集学的先進治療のことを話すと、必ずしも信用できないところがあると言われました。わたしが否定すると、じゃあ、試してみますかと、ある方法を教えてくれました。それは、先生にわたしの卵巣がんをステージⅢだと伝えることです。

わたしの卵巣がんは、胸膜にも細かい転移があって、わずかですが胸水も溜まっているらしいですね。もしCCC法が完璧《かんぺき》なら、カエサル・パレスクリニックの検査で胸膜への転移もわかるだろうから、そのとき才所先生が、ステージⅣだと正しい診断を言ってくれるかどうかを確かめればいいというのです。

才所先生が検査のCCC法の画像を見せてくれたとき、わたしはそれこそ目を皿のようにして見つめました。でも、胸膜の転移は写っていませんでした。才所先生は、一個のがん細胞でも見えるようにしているとおっしゃったにもかかわらず。

ショックでした。田所先生が言ったことのほうが正しかったのだから。

田所先生は、才所先生が胸のレントゲン写真で、胸水を見逃すはずはないとおっしゃっていましたから、たとえ胸膜の転移が写らなくても、わたしのがんがステージⅣであることは、先生にはわかっていたはずです。だけど、伝えてはくれなかった。

それは先生の思いやりなんだと思います。いくら思いやりでも、ひとつの嘘は、その後ろに無数の嘘の可能性を秘めてしまいます。そうなると、安心だと言われても、もう信じることはできない。だから、たとえ絶望的なことでも、わたしは真実を知らせてほしかった。


才所先生を試すようなことをして、ほんとうに申し訳なかったと思います。

だけど、今、才所先生からは、ほんとうのことが聞けないのだとわかってしまいました。これ以上、先生とすごしても、それは変わらないでしょう。ほんとうのことが聞けないのなら、わたしの舞を評してもらっても仕方がない。病気の説明をしてもらっても、信じられない。そのことも、わたしが生きる意味を見失った理由のひとつです。

これが我が儘《まま》だということは、よくわかっています。

お世話になった才所先生に対して、申し訳ない気持ちでいっぱいです。

だけど、逝きます。

先生とすごした時間はほんとうに幸せでした。ありがとうございました』

才所は白い紙に印字された無味乾燥な文字に混乱し、雅志乃の遺書の意味をうまく理解できなかった。胸膜への転移は写っていた。それを山本に命じて消させたのだ、雅志乃を絶望させないために。

最後まで読み終え、タクシーの窓外に目をやったが、流れ去る高速道路の眺めは、才所に何の意味も感じさせなかった。

――だから、たとえ絶望的なことでも、わたしは真実を知らせてほしかった。

雅志乃の遺書の一節に、才所は天地が逆転する思いだった。

雅志乃は、そう書いて逝《い》った。しかし、父はこう書いていたのではなかったか。

――嘘でもいいから、希望を持たせてほしかった。

いったい、どうすればよかったのか。ひとりは真実を告げたから死に、ひとりは真実を告げなかったから死んだ。自分にとって大切な二人が――。

才所はタクシーの後部座席に身を沈め、しばし放心した。

今まで自分がしてきた治療が、研究が、手術の実績が、風に吹かれた砂絵のように、跡形もなく消え去るような気がした。患者の想いに応《こた》え、自分の能力のすべてをかけて打ち込んできた医療が、ただの幻想だったと知り、才所は落胆した。

続いて自嘲《じちょう》の笑いがもれた。

馬鹿馬鹿しい。

お笑い草だ。正解なんかない。誠意も思いやりも慈しみも、みんな嘘だ。欺瞞だ。無意味の虚無だ。

「お客さん。着きましたよ」

運転手に告げられ、はっと我に返った。才所は財布から一万円札を抜き取って支払うと、釣銭も受け取らずにタクシーを降りた。そして、夢遊病者のように茫然と、マンションの自室に向かった。

67

雅志乃の死後、才所は深い失意と悔いから抜け出すことができず、加藤にだけ連絡を入れて、マンションに引きこもった。

三日後の午後、見覚えのある番号が才所のスマホに表示された。それがだれからのものか、頭が働かないまま、半ば放心状態で通話をオンにすると、聞き覚えのある声がためらいがちに名乗った。

「『週刊文衆』の加賀美です。雅志乃さんのこと、驚きました」

応えずにいると、加賀美は以前の押しつけるような口調ではなく、人の死を悼《いた》むのにふさわしい控えめさで、低く続けた。

「わたしも上方舞ライブを拝見して、素晴らしいと思っていましたので、昨日、大阪で行われた雅志乃さんの告別式に参列させていただきました。才所先生もいらっしゃるかと思いましたが、お姿が見えなかったので、クリニックに連絡させていただきましたら、ご出勤もされていないと。さぞかし深く悲しんでおられるのだろうと、ご心痛お察し申し上げます」

相槌《あいづち》も打つ気になれず、ただ手に持ったスマホからもれる声を沈痛な面持ちで聞いていた。加賀美はそれも承知の上とばかり、ひとり語りのように続けた。

「雅志乃さんには、わたしも期待しておりました。伝統的な上方舞に、持って生まれた個性が加わり、新しい舞踊表現の可能性が感じられましたので、あの上方舞ライブは、ぜひ東京でも公演していただきたいと思っていたのです。チェロとオーボエとのコラボも、斬新でしたし」

通話を切ろうとしたとき、加賀美がわざとのように才所の耳に刺さる一言を放った。

「それがあのときすでに、雅志乃さんの身体には進行した卵巣がんが巣くっていたのですね。信じられない思いです」

聞き捨てならない。才所は呻《うめ》くような声で聞いた。

「あんた、雅志乃の病気のことをどこで知った」

「たまたま、告別式でお目にかかった方からお聞きしたんです。上方舞ライブに出演なさっていた女性から」

坂之上だ。何がたまたまだ。あらかじめ目星をつけて、情報をさぐったにちがいない。

「ほかに何を聞き出した」

「先生が主治医になって、カエサル・パレスクリニックで検査を受けておられたこととか、雅志乃さんがご病気を苦にされて、自ら命を断たれたことも」

しめやかさを装いながら、明らかに才所の神経を苛立たせようとしている。それにしても、坂之上はなぜ週刊誌の記者などに事実を話したのか。いや、加賀美のほうから巧妙に言い寄って、雅志乃の死を悼むようなそぶりであれこれ聞き出したにちがいない。

「でも、わたしは雅志乃さんのお気持ちがわかる気もするんです。がんという病気は、ときに人を絶望させますからね。お医者さまの説明によっては、わずかな希望さえ打ち砕かれて、生きる気力を失ってしまうこともあるでしょう。才所先生はもちろんそんなことはおっしゃらないでしょうが、先に入院していた追手門病院の婦人科の医師が、何か不用意なことを言って、雅志乃さんを絶望させたのかもしれませんね」

逆だ、馬鹿野郎。一瞬、全身の血が逆流する思いだったが、才所は無言で応じた。

加賀美はわざとのように無神経に続ける。

「あるいは、病気のこと以外で、何か雅志乃さんが深い悩みを抱えていらっしゃったのでしょうか」

沈黙を続けると、加賀美はふたたび才所を刺激してきた。

「たとえば、先生とのご関係で悩まれていたとか。お聞きしにくいことですが、経済的な問題が原因ということは」

答える気にもならない。徐々に怒りが高まる。

「では、先生とのご関係はいかがでした」

無言を続ける。すると、加賀美は手の内を明かすように、本命の質問を繰り出した。

「雅志乃さんは先生のごく近いところにいらして、場合によっては、何か不都合なことを知ってしまうこともあり得たのではありませんか。その心労が病気と相まって、発作的な行動を呼び覚ましてしまったということは、考えられませんか」

「何が言いたいんだ」

俺が雅志乃を死に追いやったとでも言いたいのか。ふざけるな。そう思いかけて、ふいに雅志乃の遺書の言葉が思い浮かんだ。

――そのことも、わたしが生きる意味を見失った理由のひとつです。

スマホ越しの一瞬の戸惑いを、加賀美は敏感に察知して、畳みかけた。

「わたしは矢倉さんのことがずっと気になっていて、あのとき、矢倉さんが亡くなって、利益を得るというか、安心するのはだれかと考えたら、やはり才所先生もそのお一人なんです。もちろん、シンガポールでのことですから、単純に結びつけるわけにはいきません。でも、もしも先生に何らかの関わりがあって、雅志乃さんがそれに気づくとか、疑いを抱くとかすれば、そうとうなプレッシャーになるんじゃないかと」

「あんた、本気でそんなことを思っているのか」

「わたしの勝手な推理ですが、矢倉さんが追及していた福地正弥氏の死亡についても、雅志乃さんが何か知ってはならないことを知ってしまって――」

「いい加減にしろ。そんな戯言《ざれごと》、まさか記事にするつもりじゃないだろうな」

「まだまだ取材は必要ですが、不確かな点をひとつずつ消していけば、疑い、可能性ということでは」

才所は怒りのあまり発作的にスマホを壁に投げつけた。今度ばかりは自分を抑えることができなかった。跳ね飛ばされるように床に落ちたスマホは、ディスプレイに醜いひび割れが広がった。

68

才所がふたたびクリニックに出勤したのは、雅志乃の死から一週間がたった五月二十九日の月曜日の昼前だった。

駐車場に車を停め、玄関を入ると、受付の女性がはっとした顔で立ち上がり、「おはようございます」と頭を下げた。

「おはよう。今日からまた出勤するから、よろしく」

才所の言葉に、何と返せばいいのかわからないという顔で、受付は曖昧《あいまい》に笑う。

一階に下りてきたほかのスタッフたちも、才所を見ると一様に驚き、やはり挨拶だけでそそくさと自分の仕事に向かった。

才所が自分の部屋に上がろうとしかけたとき、エレベーターの扉が開いて小坂田が出てきた。

「おや、才所先生。この度は大変でしたね。もういいんですか。このクリニックは先生で持っているようなもんですから、やっぱり才所先生がいないとどうにもなりませんよ。元気を出して、また頑張ってくださいね」

肥満した腹を突き出し、いきなり陽気にしゃべりだす。何がそんなに楽しいのか。

「一週間も勝手をして申し訳なかった。これからはふつうに勤務するから」

「よろしく頼みますよ。私も頑張りますから。へへっ」

軽薄な笑いをもらし、小坂田は受付に何か声をかけたあと、軽快な足取りで健診フロアへの階段を上がっていく。

才所はエレベーターで六階に上がり、久しぶりに理事長室に入った。

窓から大阪湾と関空への連絡路が見える。雅志乃とロイヤル・スイートから見たのとほぼ同じ眺めだ。ほっそりした肩の感触がよみがえる。あのとき、彼女はすでに自分がステージⅣだと知りながら、もう一度、元気になりたいと言ったのか。それを保証すると言った自分の言葉を、どう聞いていたのだろうと、才所は複雑な思いに駆られた。

しかし、もう感傷には浸るまい。小坂田も言った通り、このクリニックは俺で持っているのだ。

才所はそう自分に言い聞かせて、窓に背を向けデスクに座った。

「失礼します」

ノックのあと、看護師長の加藤が入ってきた。

「受付から先生がいらっしゃったと聞いたので――」

そのあとが言葉にならないようすで、才所を見つめる。

才所は穏やかに応じた。

「長い間、クリニックを不在にしてすまなかった。今日から通常の勤務にもどるから、よろしく頼む。多田瑞希さんの件では、加藤さんにもいろいろ世話になったけれど、あのような結果になって俺も残念だ。だけどいつまでも悲しんでいるわけにはいかないからな」

加藤は目を伏せたまま、唇をきつく結んでいる。

「有本と趙も抜けたし、また一からクリニックを立て直さなきゃならん。加藤さんにも協力をよろしく頼むよ」

「わかりました」

一礼するが、そのまま去ろうとしない。何か言いたいことがあるのかと、目顔で問うと、加藤は躊躇《ちゅうちょ》しながら口を開いた。

「ちょっと気になることがありまして。山本君と片岡さんが、小坂田先生とうまくいっていないようで」

「うまくいっていないって？」

「小坂田先生が二人を皮肉ったり、揶揄《やゆ》したりするそうです。もしかしたら、前にご報告した架空請求や金額の水増しの件で、小坂田先生が何かつかんだのかもしれません。それで二人が何やら話し込んでいたと、検査部の看護師から報告もありました」

「わかった」

小坂田がパワハラのようなことでもしているのか。そう思ったが、今はまずクリニックの再建のほうが重大だ。

加藤がまだその場にいるので、顔を向けると、妙に覚悟めいた口調で言った。

「わたしはこれからも、才所先生についていきますから」

何を思い詰めているのか。

加藤が退出したあと、才所は有本と趙の抜けたあとをどうするか考えた。ＢＮＣＴは特殊な治療だが、経験のある放射線科医がいないわけではない。高報酬でリクルートすれば、大学病院あたりから引き抜くことは可能だろう。抗がん剤の治療も、腫瘍内科の優秀な専門医をリクルートすればいい。能力も大事だがまずは人柄だ。今回の事態を招いたのは、有本と趙が生まじめすぎて、融通が利かなかったからだ。クリニックの運営を、理事の合議制にしたのもまずかった。四人はスタートアップのメンバーだから仕方なかったが、今後は自分が主導していく。小坂田は副理事長にでもして、十分な報酬を与えれば文句は言わないだろう。

一通り考えをまとめると、才所は小坂田を内線電話で呼んだ。

「何でしょう」

デスクの前に立った小坂田に、才所は席を勧めなかった。心理的にも序列は常に明確にしておかなければならない。

「忙しいところ悪いね。今後のクリニックの運営について、俺の考えを聞いてもらいたいんだ。イチコと趙がクリニックをやめるというのは、聞いているだろう」

「らしいですね」

「二人の辞職は打撃だが、これを好機にクリニックの体制を一新しようと思う。理事長は引き続き俺がやる。君には副理事長になってもらって、俺の右腕として運営に協力してほしい。ほかの理事は廃止して、新規のドクターとは一線を画すことにする」

「つまり、才所先生と私がクリニックの幹部になるわけですか」

小坂田にとっては悪い話ではないはずだが、その顔には薄笑いしか浮かんでいなかった。

才所は構わず続けた。

「クリニックの基本的な方針は俺が決める。君には不満かもしれんが、クリニックはやはり治療が主体だからな。CCC法《トリプルシー・メソッド》と集学的先進治療はこのクリニックの金看板だし、一件当たりのペイも高額で、海外からも高く評価されている。それに――」

才所が言いかけると、小坂田が遮るように大きなため息をついた。

「ちょっと、立ちっぱなしだと疲れるんですけどね。こっちに座らせてもらいますよ」

許可を待たずにソファに腰を下ろす。腹を突き出し、いかにも横柄に脚を組んだ。

「才所先生、ふざけてますよね」

「何がだ」

「いつまでも自分がトップだと思ったら大まちがいですよ」

「だから、何のことだ」

才所が苛立つと、小坂田は才所から顔を背けたまま、皮肉っぽい嗤《わら》いを浮かべた。

「私もちょうど話したいことがあったんです。これから理事長は私が務めさせていただきます。クリニックの方針も報酬も私が決めます。部門ごとでは健診部門がクリニックの稼ぎ頭なんだから当然でしょう」

「小坂田、思い上がるなよ。健診部門は患者の病気は治療していないだろう。単に検査をしているだけだ。プリンセス・スハナのときだって、結局、おまえは何もしなかったじゃないか」

「思い上がっているのは、あんたのほうだろ」

急に小坂田の言葉遣いがぞんざいになった。あんた呼ばわりされて才所は怒りを感じたが、動揺も隠せなかった。それくらい小坂田の口調は強気だった。

小坂田は改めて才所に向き合い、冷ややかに告げた。

「趙先生がすべてを教えてくれたんだよ」

「趙が？　何を教えたというんだ」

「あんたが仕組んだ悪だくみのすべてだよ。福地先生の殺害も、シンガポールでの矢倉氏の殺害も」

「冗談、言うな」

才所の声が震えた。小坂田が語ったのは、否定のしようのない事実だった。

69

「気の毒に、趙先生は良心の呵責《かしやく》に耐えかねて、私に連絡する以外になかったんだ」

ひとつ同情のため息を吐き、小坂田はおもむろにしゃべりだした。

「元々は、草井の奥さん、ジミンだっけ、彼女に泣きつかれたのがきっかけだったらしいな。草井が急にシンガポールに行ったので、矢倉氏の殺害に関わったのではと心配した彼女が、趙先生に相談した。趙先生は否定したが、そのあとで草井に会って真相を聞き出したんだそうだ。あんたは草井に矢倉氏がおまえを疑っていると吹き込み、このままだと新婚生活が破滅するぞと脅して、草井に矢倉氏の殺害を決意させた。殺害の方法は、メスで頸動脈を切断するというものだ。長年、解剖学教室の助手をしていた草井なら、通りすがりに相手の頸動脈の位置を見極めるくらい、朝飯前だろう。あんたが草井を使って矢倉氏を殺させたのは、CCC法《トリプルシー・メソッド》の研究開発に関して、ヤバい事実がバレそうになったからだ。共同研究者のマシュー・ハン氏が、未だ不完全なCCC法の実用化に反対していて、焦《じ》れたあんたが、ハン氏に架空のセクハラ事件をでっち上げて、怪文書やいやがらせの電話でうつ病に追い込み、結果的にハン氏は自殺同然の交通事故で亡くなった。その事実をつかまれる前に、あんたはどうしても矢倉氏を消す必要があった」

「証拠はあるのか」

「さあね。私は趙先生から聞いたことを話しているだけだ。福地先生の件も、彼から全部聞かせてもらった」

趙はまさか、自分に不利なことまでしゃべったのか。才所は全身を耳にして、小坂田の言葉を待った。

「福地先生もまた、あんたにとっては不都合な存在だったようだな。カエサル・パレスクリニックの開業ではいろいろ世話になったが、その見返りにクリニックの建設を福地先生の息のかかった建設会社に発注して、建設費用の水増しで、福地先生は二億円、あんたも一千万円のリベートを受け取った。福地先生はさらにクリニックから毎年一千万円の顧問料を払うようあんたに約束させ、それ以外にもさまざまな要求を突きつけてきた。断ることができないあんたは、だんだん福地先生の存在が疎ましくなってきた。あんたと福地先生の関係は、持ちつ持たれつというより、互いに相手の尻尾《しっぽ》を呑み込もうとする二匹のウロボロスの蛇みたいだったようだな」

たしかに、福地の要求はエスカレートする一方だった。出張にかこつけた海外旅行、何百万円もする絵や、3Dプリンター、ミラーレスカメラなどをクリニックの経費で落とすよう求められた。

「そんなとき、福地先生から草井をクリニックの職員として雇ってほしいと頼まれた。理由は、福地先生がより強く草井を支配するためだ。かつて隠し子じゃないかと噂されていたのは、教授室で福地先生が彼を『郁夫』と名前で呼んだり、肩に手をまわして説教していたりするのを見た者がいたからだったが、実際は草井を精神的に支配し、サディスティックに弄《もてあそ》んでいたんだ」

草井からその事実を聞いたとき、才所は長い年月の苦難に同情すると同時に、福地の卑劣さに激しい怒りを覚えた。

草井が支配されたきっかけは、ごく些細なことだった。予備校時代に悪い女にひっかかり、草井は性病をうつされた。尖圭《せんけい》コンジローマという性器にイボができる病気で、自分のペニスにニワトリの鶏冠《とさか》のような異物が生えてきたとき、草井は恐れおののき、親にも相談できずにひとり悩んでいた。そのため受験に失敗し、家庭の事情で二浪のできない草井に、予備校で同じクラスだった福地真理恵が同情して、父親に相談した。福地は気弱そうな草井をひと目見て気に入り、自分の教室の助手に採用した。

「元々は、医学部志望の草井の勉強を見てやるということで、助手にしたらしいが、端《はな》からその気はなく、福地先生は草井をそばに置き、いびったり、ないがしろにしたり、ときは息子代わりとして溺愛《できあい》したりしながら、ずっと手放さなかった。いわば精神的奴隷として、飼い殺しにしたんだ」

その話も、才所は草井本人から聞いた。精神的支配のはじまりは、草井が悩んでいた尖圭コンジローマを、福地が偶然トイレで見て、治療したことだった。それが性病であること、放っておいたら大変なことになったと脅される一方で、それまでの苦悩にも同情され、草井は完全に福地に精神的に屈服した。

福地は草井をかわいがりながら、気にくわないことがあると、「無能」「ウスノロ」「人間のクズ」などと罵倒《ばとう》し、「わしはおまえの恩人だぞ」と言い募り、草井の楽しみを邪魔したり、無理難題を押しつけて自由を奪ったりした。そうかと思えば、「おまえはわしの息子も同然だ」「わしはおまえを信頼している」などと持ち上げ、何度か自宅に呼んだこともあった。福地登子が草井を毛嫌いしたのは、福地が登子に当てつけるように、草井を息子扱いしたからだった。草井は福地の支配から抜け出せないまま、ずるずると日がすぎたのだという。

「福地先生が草井に対する支配を強めようとしたのは、彼が結婚を考えていると言い出したからだ。相手は草井が一目惚《ぼ》れしたコリアンバーのホステスだ。福地先生はそれを聞いて激怒し、結婚など許さん、おまえが性病だったことをバラして、話を潰《つぶ》してやると息巻いた。そして、大学の助手をやめさせて、カエサル・パレスクリニックに勤めさせると言い出した。あんたのことを、クリニックの理事長で実力者だと言ってな」

草井が福地の殺害を決意したのは、前にも一度、結婚話を潰されていたからだ。草井が解剖学教室の助手になって何年かした後、大学の教務課の女性と付き合いだし、結婚を考えたとき、福地は自分にも紹介しろと言って、会食の席を設け、その場で草井の性病の話をおもしろおかしくして、相手の眉《まゆ》をひそめさせた。会食のあとで草井が怒ると、あの女は結婚不適応者だから、おまえのためを思って話を潰してやったんだと、逆に恩に着せられた。女性は草井と別れ、別の男と結婚し、今もいい家庭を築いている。草井にとって、智旻との結婚は、人生をやり直す最後のチャンスでもあったのだ。そして才所には、自分の手を汚さずに福地を葬り去る絶好の機会でもあった。

「草井が相談に来ると、あんたは福地先生の殺害法を考えた。病気に見せかけて死なせる方法。福地先生が心房細動でワーファリンを服用しているのを知っていたあんたは、草井に18G《ゲージ》のピンク針（太さが一・二五ミリメートルの注射針。パッケージがピンク色なので通称ピンク針）を渡し、それで福地先生の心臓を突き刺すことを教えた。ワーファリンの副作用で出血傾向があるから、注射針の一刺しでじわじわと出血して、心タンポナーデになって死亡すると考えたわけだ。福地先生と草井がクリニックに来たとき、あんたは加藤に指示して、福地先生に利尿剤入りのコーヒーを出させた。それで駅のトイレに行くよう仕向け、草井には切符を買うというアリバイを作らせて、ダッフルコートの下に隠し持っていたスパナか何かで福地先生の後頸部を強打し、意識を失わせてからピンク針で心尖部《しんせん》を突き刺させた。どこを突けば心タンポナーデになりやすいか、草井なら簡単にわかっただろう。その後、すべてはあんたの筋書き通りに、福地先生は病死の形で息を引き取った」

その通りだ。あのとき、登子らが来たあと、草井に解剖を強く主張させたのも、逆に疑われにくくするための陽動作戦だった。小坂田はそのことも見抜いているのだろう。

「この件は、趙先生も知っていた。コリアンバーのマダムから、相談を受けたのがきっかけだ。あんたから福地先生を死なせる方法を伝授された草井は、嬉《うれ》しさのあまり、店でピンク針を取り出して、マダムに自慢した。この針で自由になれるんだと。マダムは草井が福地先生に支配されているのを見抜いていたから、不安になって、趙先生に問い合わせた。趙先生は心配ないと説明したが、あんたに事実を問いただした。草井があんたから針をもらったと言っていると告げられ、致し方なく趙先生に計画を明かした。趙先生はマダムからジミンのことを聞いて、彼女の結婚の夢を実現させてやりたい思いもあった。あんたは趙先生のかつての恋人が、福地先生のセクハラで自殺に追い込まれたことも知っていて、そのことでも草井の行動に見て見ぬふりをするよう求めた。趙先生も致し方ないと思ったそうだ。だから、福地先生の蘇生処置をするとき、胸の針痕《あと》にも気づかないふりをした。私が福地先生の聴診をしようとしたときも強引に私を遠ざけた」

たしかにあのとき、針痕に気づかれるとまずいと思って、才所は小坂田に対光反射を診るように指示した。趙も彼を押し退《の》けるようにしたので、小坂田は不自然なものを感じたのだろう。

「実際に福地先生が亡くなってみると、趙先生は徐々に自責の念に駆られたんだ。その上、カエサルグループの調査員から、あんたがクリニックの建設費を水増しして、リベートを受け取ったことを知らされ、趙先生はクリニックをやめる決心をした。そこに草井が矢倉氏の殺害までさせられたことを知って、趙先生は私にすべてを明かす気になったんだよ。このままでは、あんたは罪を償うこともなく、都合の悪い人間が現れたら、またぞろ草井を使って、殺害に及ぶかもしれない。そうなれば、ジミンの不安は募るばかりだから、あんたに対する抑止力になってほしいと、私にすべてを託したんだ」

小坂田は勝ち誇ったように言い終えた。才所は表情を変えずに相手を凝視した。

小坂田がさらに続ける。

「あんたが言った通り、健診部門は検査をしているだけだが、その分、目は肥えているんだ。だから、あんたのCCC法だって、前から怪しいと思ってた。理論は正しいが、描出できるがん細胞はかぎられるはずだとな。プリンセス・スハナの胃がんがボールマン2型から急にボールマン3型になって、大動脈周囲リンパ節にも転移していたのも、おかしいと思ったから、彼女が退院したあと、山本に質《ただ》したんだ。山本が画像をいじっていたことは知っていたから、それをバラすぞと脅したら、すべてを白状したよ。それまでにも、CCC法が完璧であるかのように見せかけるため、山本は蛍光プローブの画像でいろいろな操作をしていたようだな。だから、我々も騙《だま》されていた。患者にCCC法の嘘がバレなかったのは、趙先生と有本先生の治療が優れていたからだ。あんたはCCC法をこのクリニックの看板にして、世界中のセレブ患者を集めていたが、実際に効果があったのは、趙先生と有本先生の治療だったんだ」

「俺のダヴィンチ手術だって、評価は高かったぞ」

「だけど、CCC法でがん細胞の一個まで見極めて切除しているというのは嘘だろ。ある程度は見えたかもしれんが、完全には見えない。だから、あんたはそれを論文にもしなかったし、学会発表もできなかった。ちがうか」

才所の脳裏に小坂田に対する怒りと憎悪が充満し、拳が震えた。それが殺意に発火するのは、時間の問題だった。

それを察知したかのように、急に小坂田がいつものくだけた口調にもどった。

「おっと、そんな恐い目で見ないでくださいよ。いやだな、冗談ですよ――、というわけにはいきませんがね。たしかに私は知りすぎました。そんな危険人物をあんたが放置するわけはない。それくらいはわかりますよ。また草井を使うつもりでしょう。私が彼の新婚生活を破壊しかねないと言えばいいんだ。だから、私も〝保険〟をかけました。私の身に万一のことがあれば、今、しゃべったあんたの悪行が、即座に警察に告発される手はずになっています。どういう仕掛けかは言えませんがね。仮に私が交通事故に遭っても、たとえ雷に撃たれて命を落としても同じです。だから、あなたはずっと私の命を護り続けなければならない」

才所は小坂田を憎々しげににらみつけたが、目に力はなく、怒りと憎悪さえすでにしぼみかけていた。

完敗だ――。

思わぬ敗北だった。

小坂田がソファから腰を上げて言った。

「私からの話は以上です。理事長を交代しても、部屋にはこだわりませんから、先生がこの部屋をそのまま使っていただいていいですよ。それじゃ」

立ち去り際、小坂田は今一度、才所を振り返り、目線を奥の窓に向け今さらながら気づいたようになった。

「うーん、この眺めは素晴らしいですね。やっぱり部屋は代わってもらおうかな。何と言っても、ここが理事長室ですから」

70

翌日の午後、小坂田は臨時の全体ミーティングを開いて、職員たちを六階のミーティングルームに集めた。

いつもなら才所が座っている中央の席に、小坂田がいるのを見て、みなは一様に驚きを浮かべたが、クリニックの状況が変化したことを、暗黙のうちに悟ったようすで着席した。

才所は小坂田から三つ空席を置いて、左の端に陣取っていた。反対側には看護師長の加藤が、小坂田から二つ席を空けて座っている。

全員がそろうと、小坂田は陽気な調子でミーティングの開始を告げた。

「みなさんもご存じの通り、有本先生と趙先生がクリニックをやめることになりました。お二人とも一身上の都合だということなので、よけいな詮索《せんさく》はしないように――、なんて言うとよけいに気になると思うけど、うちは去る者は追わずですから、二人のことは忘れて、次のステージに進むことにしましょう」

出席した二十人足らずの職員たちは、神妙な顔で小坂田を見ている。

「新体制として、まず、今後は私が理事長をやることにします。才所先生には副理事長になっていただき、クリニックの運営に協力してもらいます。もちろん降格などではありません。単なる選手交代ですから、みなさんも誤解のないように」

小坂田は緊張するようすもなく、むしろヘラヘラした調子で発表した。

「有本先生と趙先生の穴を埋めるのに、新たに複数のドクターを採用します。規模を拡大して、明るく楽しく大儲《もう》けできるクリニックにしたいと考えています。ドクターだけでなく、ナースも増やして、より充実した体制にするつもりです。加藤さんには引き続き、看護師長をお願いしますね」

小坂田が右手に向かって笑顔を送ると、加藤は黙って一礼した。

「技師の部門も人員拡大を考えています。山本君にはいろいろと余計な負担がかかっていたようだし、片岡さんもストレスを抱え込んでいたようだから、これからはより優秀な人材を採用して、二人の負担を軽くなるようにしますね」

小坂田は猫撫《な》で声で言い、離れて座っている二人に思わせぶりな笑みを向けた。猫がネズミをなぶるような目つきだ。山本も片岡も暗い表情のまま、無言で顔を伏せている。

才所はこれ以上ない苦々しさで、小坂田の発言を聞いていた。何とか形勢を挽回《ばんかい》したいが、彼の仕組んだ〝保険〟が何かわからないかぎり、迂闊《うかつ》に手を出すことはできない。

小坂田は気楽な調子でクリニックの今後について長々としゃべり、話し終えると満足げに両手を重ねて、一同を見まわした。

「じゃあ、そういうことで、これからもみなさんのいっそうのご協力を、よろしくお願いします」

肥満体の身体を背もたれに預けたまま、軽く頭を下げて、小坂田は全体ミーティングを終えた。

職員たちが順次、ミーティングルームを出て行く。山本はＣＣＣ法《トリプルシー・メソッド》の画像ねつ造を小坂田に白状したことを恥じてか、才所に目を合わせないまま退出した。片岡もいつも以上に卑屈な物腰で部屋を出て行った。加藤も硬い表情のまま、黙って席を立つ。

二人だけになったあと、小坂田が才所に声をかけてきた。

「新しいスタッフのリクルートは、私が仕切るから、あんたは口を出さなくていいよ」

「自分に都合のいい人間だけ集めるつもりか」

「融通の利かない連中がいたらやりにくいのは、あんたを見ていてよくわかったからな」

何もかも小坂田の思い通りというわけか。才所は身体に鉛を呑《の》み込んだような重さを感じ、屈辱にまみれた。

「小坂田。昨日出てきたばかりで悪いんだが、改めて休暇をくれないか。今はとても勤務を続けられる状態じゃない。もう少し休みたいんだ」

「休暇？」

小坂田は問い返したが、やがて余裕の表情で首肯した。

「ああ、ゆっくり休養すればいい。ダヴィンチ手術があんたぐらいできる外科医は、いくらでもいるからな」

気楽な調子で出て行く小坂田の後ろ姿に、才所は血が滲むほど唇を嚙《か》んだ。

71

翌日より才所はふたたび自宅のマンションに引きこもった。

数日たっても、小坂田に対する怒りと憎悪は激しさを増すばかりだった。

小坂田を野放しにしていたことが悔やまれる。あいつは健診が専門で、治療のなんたるかを理解していない。自分は外科医になったときから、患者の治療のためなら寝食も忘れ、私生活も犠牲にして取り組んできた。だからこそ、加藤も山本も忠誠を尽くして、あらゆる指示に従ってくれたのだ。

患者を安心させるためには、信頼できる医療が必要だ。山本にＣＣＣ法《トリプルシー・メソッド》の画像を改編させたのも、その信頼感を高めるためだ。よりよい医療を実現するためには、障害を取り除かなければならない。マシュー・ハンのときがそうだった。マシューは画期的なCC法の実用化を妨害した。それで救われる患者が大勢いるのに。だから排除した。すべては治療を待つ患者のためだ。

福地のときも同じだ。福地はカエサル・パレスクリニックを私物化し、搾取し続けようとした。俺が望ましい医療ツーリズムを実現しようとしているのに。だから草井から相談を受けたとき、躊躇なく消えてもらうことにした。

今は小坂田が、医療を金儲けの手段にしようとしている。すぐにも排除すべきだが、彼の得体の知れない〝保険〟があるかぎり、身動きが取れない。それを無視して、小坂田を亡き者にし、もしも〝保険〟が履行されれば、俺は破滅する。理想も夢も能力も、すべてが水の泡となる。小坂田はいったいどんな手はずを整えたのか。

才所はずっと考え続けた。はじめに浮かんだのは小坂田の妻だ。妻に秘密を教え、小坂田の身に何かあれば、警察に駆け込むよう指示してあるのか。いや、彼女とは何度か会ったが、あれは気の小さい神経質な女だ。重大な秘密を知ったら、自分の胸に納めておけないことは、小坂田にもわかっているはずだ。

それなら、だれか第三者に依頼したのか。小坂田が無事な間は沈黙を守り、小坂田が死ねば動く人間——。そんな都合のいい人物がいるだろうか。

あるいは、小坂田の死が引き金となり、自動的に情報が警察に送り込まれるような仕掛けがあるのか。そんな探偵小説のようなトリックが仕組めるだろうか。まさか、「週刊文衆」の田沢に頼めるはずもないし——。

才所は考えることに倦《う》み、小坂田への怒りと憎悪に疲れ、打開の道が見えないことに苛立った。

このまま小坂田の言いなりになるしかないのか。食事ものどを通らず、脳には霞《かすみ》がかかったようになり、身体は倦怠《けんたい》の泥沼に沈んだ。部屋の中は何も変わらず、ただ朝夕の光が通り過ぎるだけだ。

四日目の土曜日の午後、机に置いたスマホが震えた。醜くひび割れたディスプレイに見覚えのある番号が出ている。「週刊文衆」の加賀美だ。才所はうんざりして拒否ボタンをタップした。間を置かず、ふたたびスマホが振動する。キリがない。才所は重い身体を動かし、スマホの電源を落とした。

ディスプレイを裏向けて机に置いたとき、ふと目を惹《ひ》くものがあった。草井の結婚披露宴の集合写真だ。礼状とともに送られてきたのを、その場に放り出してあったのだ。手に取ると、草井側の客として最前列に才所が写っている。となりにいるのは趙だ。上品で生まじめな顔が、かすかに鬱《うっ》屈《くっ》していた。

それを見たとき、はっと頭に閃《ひらめ》いた。そもそも秘密を知っているのは、小坂田と趙だけだ。趙は小坂田を抑止力にするために、秘密を伝えたと言っていた。小坂田がそれで自分を脅せば、彼に危険が及ぶことは、趙にも容易に想像できただろう。であれば、〝保険〟を買ってでたのは趙自身ではないのか。

そう考えれば辻褄《つじつま》が合う。いや、それ以外に小坂田が手はずを整えることは不可能だ。だったら、打つ手はある。趙を封じればいいのだ。趙にはいろいろ弱みがある。カエサルグループでの立場、草井と智旻への思い、福地殺害を黙認していたことでも追及することができる。最悪の場合、趙を排除すれば〝保険〟は機能しなくなる。

そう考えたとたん、脳の霞は消え去り、身体も嘘のように軽くなった。才所は本来の自分を取りもどし、気持ちを前に向けた。

雅志乃を失った哀しみ、彼女の遺書に書かれていたことで突きつけられた絶望と虚無感は消えていない。だが、落ち込んでいても何もはじまらない。自分にはなすべきことがある。与えられた能力を使って、少しでも多くの患者を救うことだ。

そこまで考えると、才所は気分を落ち着かせるため、しばらく瞑目した。

気持ちを鎮めると、脳裏に浮かんだのは、やはり雅志乃のことだった。

72

六月四日付読日新聞・朝刊社会面。
『医療ツーリズムのクリニック　理事長死亡
六月三日午後6時30分頃、医療ツーリズムで海外からの患者を受け入れていたカエサル・パレスクリニック（大阪府泉佐野市）から、同院の理事長、小坂田卓さん（41）が、意識不明で倒れていると119番通報があった。小坂田さんは前額部に鈍器で殴られた痕があり、りんくう総合医療センターに搬送されたが、一時間後に死亡が確認された。警察の調べでは、小坂田さんは同院の放射線技師、山本壮太容疑者（42歳）、および検査技師（50歳）と理事長室で話し合う途中、口論になり、山本容疑者が近くにあったクリスタル製のブックエンド（重さ約1・7キロ）で、小坂田さんの前額部を強打したという。調べに対し、山本容疑者は小坂田さんへの暴行を認めたため、殺人未遂の疑いで逮捕。警察は容疑を殺人に切り替え、2人の間にトラブルがなかったかなど、詳しいいきさつを調べる』

73

六月四日、午前十時三十分。

飛行機が水平飛行に入ると、シートベルト着用のサインが消え、アオザイ姿のＣＡがウェルカムシャンパンを配りはじめた。才所はグラスを受け取り、背もたれを軽くリクライニングさせる。

関西国際空港発ホーチミン行き、ベトナム航空３２１便のビジネスクラス。半年足らず前、この同じ路線のとなりの席には雅志乃がいた。今、横が空席なのは、傷心の才所を慰めるための幸運な偶然か。

昨日、飛行機と宿の予約を終えたあと、才所は夜に表六甲ドライブウェイに行き、旧六甲山ホテルをすぎて右の細い道を入った先に車を停めた。雅志乃が亡くなったところと聞いた場所だ。

才所は車から降りずに、フロントグラス越しに夜景を眺めた。金や銀やオレンジ色のビーズをちりばめたような夜景が目の前に広がっている。漆黒の大阪湾を縁どるように、カエサル・パレスクリニックのほうに向けて、無数の煌《きら》めきが明滅する。

これが、雅志乃が最後に眺めた景色か。

雅志乃はここでただひとり、何を思い、何を憂い、何を願ってそのまぶたを閉じたのか。

そんな思いで眺めても、無音の夜景は何も伝えてこない。

才所は何度かため息を吐き、首を振り、痛ましい思いでうなだれた。

自分は事実を告げて父を失い、事実を隠して雅志乃を失った。どうすればよかったのか。

答えのない問いに打ちのめされそうになったとき、ふと新たな考えが浮かんだ。自分が混乱したのは、こうすればいいという答えを求めていたからではないのか。自分の安心のために。

そんな答えなどない。あるのはただ、ひとりひとりの患者への、それぞれに最適な対応だけだ。

雅志乃の死から学ぶべきは、そういうことではないか。

目の前の夜景が、夜空に向けてふいに強い光を発したように見えた。

昨日、急遽《きゅうきょ》思い立ってベトナム行きを決めたのは、雅志乃との思い出に区切りをつけるためだ。ホーチミンからフエに飛び、雅志乃とすごした高級リゾートにひとりで滞在して、最後にもう一度、雅志乃を偲《しの》ぼう。それで吹っ切れる。帰国したらすぐに動き出す。まずは趙を懐柔することだ。そうやって〝保険〟を無効にしておいて、すみやかに小坂田を排除する。後顧の憂いを除いて、新たな気持ちで自分が理想としている医療を再スタートさせるのだ。

フエではまた雅志乃が評した砂の宮殿を作ってもいい。潮が満ちれば流されてしまうだろうが、自分が目指す医療は確固たるものになるはずだ。

シャンパンの仄《ほの》かな酔いが、まぶたを脱力させる。背もたれをさらにリクライニングさせると、全身が温かいものに包まれる気がした。

才所は未来に向けて、心地よいまどろみに浸った。

医療には、いや、人生には、想定外のことが付き物だということも忘れて――。

初出
1～7「小説 野性時代」二〇二二年四月号
以降は書き下ろしです。
単行本化にあたり、改題しました。

装幀　岡　孝治
装画　井筒啓之

久坂部 羊（くさかべ　よう）
1955年大阪府生まれ。大阪大学医学部卒業。作家・医師。2003年、小説『廃用身』でデビュー。小説に『破裂』『無痛』『悪医』『怖い患者』『生かさず、殺さず』『祝葬』『虚栄』『黒医』『善医の罪』『介護士K』『オカシナ記念病院』『MR』『R.I.P.』、エッセイに『日本人の死に時』『人はどう死ぬのか』『寿命が尽きる２年前』など、医療分野を中心に執筆。

砂《すな》の宮殿《きゆうでん》

2023年３月17日　初版発行

著者／久坂部《くさかべ》 羊《よう》

発行者／山下直久

発行／株式会社KADOKAWA
〒102-8177　東京都千代田区富士見2-13-3
電話　0570-002-301（ナビダイヤル）

印刷所／大日本印刷株式会社

製本所／本間製本株式会社

●お問い合わせ
https://www.kadokawa.co.jp/（「お問い合わせ」へお進みください）
※内容によっては、お答えできない場合があります。
※サポートは日本国内のみとさせていただきます。
※Japanese text only

定価はカバーに表示してあります。

ISBN 978-4-04-112537-3　C0093